1천 동사 5천 문장을 듣고 따라 하면 저절로 암기되는 독일어 회화(MP3)

1천 동사 5천 문장을 듣고 따라하면 저절로 암기되는 독일어 회화(MP3)
머리말
1천 동사의 5천 문장들 듣고 따라하면 저절로 암기되는 독일어 회화(한국어와 독일어 MP3 파일)

독일어 회화 마스터하기: 단계별 학습으로 완성하는 언어의 여정
어서 오십시오, 독일어 학습의 새로운 차원으로의 초대입니다. "독일어 회화 마스터하기"는 기초부터 심화 학습까지, 여러분의 독일어 회화 능력을 체계적으로 발전시킬 수 있는 완벽한 가이드입니다.
이 책과 함께 제공되는 MP3 파일들은 한국어와 독일어 학습자를 위해 특별히 설계되었습니다.
1천 개의 동사와 명사를 활용하여 구성된 5천여 문장들은 일상생활에서 자주 접할 수 있는 표현들로, 초등학교 수준의 기본 문장부터 시작하여 점차 난이도를 높여갑니다.

소개글
학습자 중심의 혁신적인 접근법
"독일어 회화 마스터하기"는 1천개의 동사의 문장들 듣고 따라하면서, 자연스럽게 암기할 수 있도록 설계되었습니다.
이 책은 암기 훈련, 말하기 훈련, 듣기 훈련을 통합적으로 할 수 있도록 구성되어 있으며, 학습자가 한국어로 단어를 듣고 머릿속으로 이미지를 연상한 후, 독일어로 동시에 따라하며 학습할 수 있도록 돕습니다.

말하기와 듣기 능력의 동시 향상
이 책과 함께 제공되는 MP3 파일들은 말하기와 듣기 능력을 동시에 향상시키는데 중점을 두고 있습니다.
독일어가 주어진 횟수만큼 반복됨으로써, 학습자는 독일어의 정확한 발음을 익히고, 한국어와의 비교를 통해 단어의 의미를 더욱 명확히 이해할 수 있습니다.
이 과정을 통해, 학습자는 자신도 모르는 사이에 독일어 회화 능력을 자연스럽게 개발하게 됩니다.

독일어 학습의 새로운 시작
이제 "독일어 회화 마스터하기"와 함께라면, 독일어 학습이 더 이상 어렵지 않습니다.

학습자 중심의 접근법과 효과적인 학습 지원 도구를 통해, 여러분은 독일어를 보다 쉽고 재미있게 배울 수 있을 것입니다.

MP3 파일을 통한 효과적인 학습 지원

본 교재에 포함된 MP3 파일들은 한국어 단어를 한 번 듣고, 독일어로 3번, 2번, 1번 반복하여 듣는 패턴으로 구성되어 있습니다.

또한 듣기 훈련을 위해 독일어 3번, 한국어1, 독일어 2번, 한국어 1번, 독일어 1번, 한국어 1번으로 나오도록 구성되어 있습니다.

이는 학습자가 독일어 발음과 억양을 정확히 익히고, 단어의 뜻을 깊이 이해할 수 있게 함으로써, 보다 효과적으로 언어를 습득할 수 있도록 합니다.

또한, 여러분이 단어와 문장을 외울 수 있도록 MP3 파일들이 한 단어(문장)으로 나누어져 있어서 학습자가 이미 알고 있는 단어는 건너뛰고, 모르는 단어는 반복하여 들을 수 있도록 하여 개별적인 학습이 가능합니다.

그리고 먼저 명사, 동사의 단어들을 외우고, 그 다음 이 단어들을 가지고 문장들을 암기하도록 구성되어 있습니다.

하나의 동사마다 5문장이 있습니다. 문장은 과거, 현재, 미래, 의문문, 의문문의 대답, 인칭대명사(나는, 너는, 그는, 그녀는, 우리는, 당신들은, 그들은)이 나오도록 구성되어 있습니다.

mp3 샘플- 밑의 주소를 클릭하시면 보실 수 있습니다.

https://naver.me/x95XhBAU

또는 큐알코드를 스마트폰으로 찍으시면 보실 수 있습니다.

MP3 파일들 다운로드는 맨 마지막 페이지에 있습니다.

1. 1. 명사 단어들 외우기, 필수 10개 동사의 단어들을 가지고 50문장 연습하기 - 1. Substantivwörter auswendig lernen, 50 Sätze mit den wichtigsten 10 Verbwörtern üben
2. 학교 - Schule
3. 공원 - Park
4. 집 - Haus
5. 여기 - hier
6. TV - TV
7. 전시회 - Ausstellung
8. 주말 - Wochenende
9. 영화 - Film
10. 음악 - Musik
11. 콘서트 - Konzert
12. 클래식 - Klassiker
13. 친구 - Freund
14. 이야기 - Geschichte
15. 회의 - Treffen
16. 발표 - Präsentation
17. 여행 - Reisen
18. 경험 - Erlebnis
19. 저녁 - Abendessen
20. 점심 - Mittagessen
21. 아침 - Vormittag
22. 피자 - Pizza
23. 물 - Wasser
24. 커피 - Kaffee
25. 주스 - Saft
26. 음료 - Getränk
27. 녹차 - Grüner Tee
28. 의자 - Stuhl
29. 소파 - Sofa
30. 벤치 - Bank
31. 창가 - Fenster
32. 시간 - Stunde

33. 문 - Tür
34. 줄 - Zeile
35. 해변 - Strand
36. 산책로 - Weg
37. 가다 - zu gehen
38. 나는 학교에 갔다. - Ich bin zur Schule gegangen.
39. 너는 지금 가고 있다. - Du gehst jetzt.
40. 그는 내일 공원에 갈 것이다. - Er wird morgen in den Park gehen.
41. 그녀는 언제 학교에 가나요? - Wann geht sie zur Schule?
42. 그녀는 매일 학교에 갑니다. - Sie geht jeden Tag zur Schule.
43. 오다 - Zu kommen
44. 나는 집에 왔다. - Ich komme nach Hause.
45. 너는 지금 오고 있다. - Du kommst jetzt.
46. 그녀는 내일 여기에 올 것이다. - Sie wird morgen hier sein.
47. 당신들은 언제 집에 오나요? - Wann kommt ihr nach Hause?
48. 우리는 저녁에 집에 옵니다. - Wir kommen am Abend nach Hause.
49. 보다 - zu sehen
50. 나는 TV를 봤다. - Ich habe ferngesehen.
51. 너는 지금 무언가를 보고 있습니다. - Du schaust gerade etwas.
52. 우리는 내일 전시회를 볼 것이다. - Wir werden uns morgen die Ausstellung ansehen.
53. 그들은 주말에 무엇을 보나요? - Was sehen sie sich am Wochenende an?
54. 그들은 주말에 영화를 봅니다. - Am Wochenende sehen sie sich Filme an.
55. 듣다 - Zuhören
56. 나는 음악을 들었다. - Ich habe mir Musik angehört.
57. 너는 지금 무언가를 듣고 있습니다. - Du hörst gerade etwas.
58. 그는 내일 콘서트에서 음악을 들을 것이다. - Er wird morgen auf dem Konzert Musik hören.
59. 그녀는 어떤 음악을 듣고 싶어하나요? - Welche Art von Musik möchte sie hören?
60. 그녀는 클래식 음악을 듣고 싶어합니다. - Sie möchte klassische Musik hören.

61. 말하다 - Sprechen
62. 나는 친구와 이야기했다. - Ich habe mit meinem Freund gesprochen.
63. 너는 지금 무언가를 말하고 있습니다. - Du sagst jetzt etwas.
64. 우리는 내일 회의에서 발표할 것이다. - Wir werden morgen auf der Versammlung sprechen.
65. 그는 무엇에 대해 말하고 싶어하나요? - Worüber will er sprechen?
66. 그는 여행 경험에 대해 말하고 싶어합니다. - Er möchte über seine Reiseerfahrungen sprechen.
67. 먹다 - zu essen
68. 나는 저녁을 먹었다. - Ich habe zu Abend gegessen.
69. 너는 지금 점심을 먹고 있다. - Du isst jetzt zu Mittag.
70. 그는 내일 아침을 먹을 것이다. - Er wird morgen Frühstück essen.
71. 그녀는 무엇을 먹고 싶어하나요? - Was möchte sie essen?
72. 그녀는 피자를 먹고 싶어합니다. - Sie möchte eine Pizza essen.
73. 마시다 - zu trinken
74. 나는 물을 마셨다. - Ich habe Wasser getrunken.
75. 너는 지금 커피를 마시고 있다. - Du trinkst jetzt Kaffee.
76. 우리는 내일 주스를 마실 것이다. - Wir werden morgen Saft trinken.
77. 너는 어떤 음료를 마시나요? - Welches Getränk trinkst du?
78. 나는 녹차를 마십니다. - Ich trinke grünen Tee.
79. 앉다 - sitzen
80. 나는 의자에 앉았다. - Ich habe mich auf einen Stuhl gesetzt.
81. 너는 지금 소파에 앉아 있다. - Du sitzt jetzt auf der Couch.
82. 그녀는 내일 벤치에 앉을 것이다. - Sie wird sich morgen auf die Bank setzen.
83. 그들은 어디에 앉고 싶어하나요? - Wo wollen sie sitzen?
84. 그들은 창가에 앉고 싶어합니다. - Sie wollen am Fenster sitzen.
85. 서다 - Stehen
86. 나는 한 시간 동안 서 있었다. - Ich stehe schon seit einer Stunde.
87. 너는 지금 문 앞에 서 있다. - Du stehst jetzt vor der Tür.
88. 그는 내일 줄에서 서 있을 것이다. - Er wird morgen in der Schlange stehen.
89. 그녀는 얼마나 오래 서 있었나요? - Wie lange steht sie schon?
90. 그녀는 30분 동안 서 있었습니다. - Sie steht schon seit einer halben

Stunde.
91. 걷다 - gehen
92. 나는 공원을 걸었다. - Ich bin durch den Park gelaufen.
93. 너는 지금 집으로 걷고 있다. - Du gehst jetzt nach Hause.
94. 우리는 내일 해변을 걸을 것이다. - Wir werden morgen am Strand spazieren gehen.
95. 그들은 어디를 걷고 싶어하나요? - Wo wollen sie spazieren gehen?
96. 그들은 산책로를 걷고 싶어합니다. - Sie wollen an der Strandpromenade spazieren gehen.
97. 2. 명사 단어들 외우기, 필수 10개 동사의 단어들을 가지고 50문장 연습하기 - 2. Lernen Sie die Substantivwörter auswendig, üben Sie 50 Sätze mit den Wörtern der 10 wichtigsten Verben
98. 10킬로미터 - 10 Kilometer
99. 그림 - malen
100. 꽃 - Blume
101. 농담 - scherzen
102. 댄스(춤) - tanzen (tanzen)
103. 마라톤 - marathon
104. 무엇 - was
105. 백화점 - Kaufhaus
106. 보고서 - Bericht
107. 샌드위치 - Sandwich
108. 소설 - Roman
109. 소식 - Nachrichten
110. 쇼 - anzeigen
111. 수학 - Mathe
112. 신문 - Zeitung
113. 신발 - Schuhe
114. 아침 - Morgen
115. 영어 - Englisch
116. 영화 - Film
117. 옷 - Kleidung
118. 요가 - Yoga
119. 요리 - Kochen

120. 운동장 - Spielplatz
121. 이야기 - Geschichte
122. 인사 - Gruß
123. 일기 - Tagebuch
124. 자전거 - Fahrrad
125. 작년 - letztes Jahr
126. 잡지 - Zeitschrift
127. 정원 - Garten
128. 책 - Buch
129. 편지 - Brief
130. 프로젝트 - Projekt
131. 피아노 - Klavier
132. 한국어 - koreanisch
133. 달리다 - laufen
134. 나는 마라톤을 달렸다. - Ich bin einen Marathon gelaufen.
135. 너는 지금 운동장을 달리고 있다. - Du läufst jetzt auf dem Spielplatz herum.
136. 그는 내일 아침에 달릴 것이다. - Er wird morgen früh laufen.
137. 그녀는 얼마나 빨리 달릴 수 있나요? - Wie schnell kann sie laufen?
138. 그녀는 시속 10킬로미터로 달릴 수 있습니다. - Sie kann zehn Kilometer pro Stunde laufen.
139. 웃다 - lachen
140. 나는 친구의 농담에 웃었다. - Ich habe über den Witz meines Freundes gelacht.
141. 너는 지금 행복해 보인다. - Du siehst jetzt glücklich aus.
142. 우리는 내일 코미디 쇼에서 웃을 것이다. - Wir werden morgen in der Comedy-Show lachen.
143. 너는 무엇에 웃나요? - Worüber lachst du?
144. 나는 유머러스한 이야기에 웃습니다. - Ich lache über lustige Geschichten.
145. 울다 - zu weinen
146. 나는 영화를 보고 울었다. - Ich habe bei dem Film geweint.
147. 너는 지금 슬픈 이야기에 울고 있다. - Du weinst jetzt bei der traurigen Geschichte.

148. 그녀는 내일 작별 인사를 할 때 울 것이다. - Sie wird weinen, wenn sie sich morgen verabschieden muss.
149. 그는 왜 울었나요? - Warum hat er geweint?
150. 그는 감동적인 소식에 울었습니다. - Er hat bei der rührenden Nachricht geweint.
151. 사다 - zu kaufen
152. 나는 새 신발을 샀다. - Ich habe neue Schuhe gekauft.
153. 너는 지금 옷을 사고 있다. - Sie kaufen jetzt Kleidung.
154. 그들은 내일 선물을 살 것이다. - Sie werden morgen Geschenke kaufen.
155. 그녀는 어디서 쇼핑하나요? - Wo kauft sie ein?
156. 그녀는 백화점에서 쇼핑합니다. - Sie kauft im Kaufhaus ein.
157. 팔다 - Zu verkaufen
158. 나는 자전거를 팔았다. - Ich habe mein Fahrrad verkauft.
159. 너는 지금 꽃을 팔고 있다. - Du verkaufst jetzt Blumen.
160. 그는 내일 책을 팔 것이다. - Er wird morgen Bücher verkaufen.
161. 당신들은 무엇을 팔고 싶어하나요? - Was wollt ihr denn verkaufen?
162. 우리는 그림을 팔고 싶어합니다. - Wir wollen Bilder verkaufen.
163. 만들다 - zu machen
164. 나는 샌드위치를 만들었다. - Ich habe ein Sandwich gemacht.
165. 너는 지금 프로젝트를 만들고 있다. - Du machst jetzt ein Projekt.
166. 우리는 내일 정원을 만들 것이다. - Wir werden morgen einen Garten anlegen.
167. 그들은 어떤 케이크를 만든나요? - Was für einen Kuchen machen sie?
168. 그들은 초콜릿 케이크를 만듭니다. - Sie machen Schokoladenkuchen.
169. 쓰다 - zu schreiben
170. 나는 편지를 썼다. - Ich habe einen Brief geschrieben.
171. 너는 지금 보고서를 쓰고 있다. - Du schreibst jetzt einen Bericht.
172. 그녀는 내일 일기를 쓸 것이다. - Sie wird morgen ihr Tagebuch schreiben.
173. 그는 언제 소설을 썼나요? - Wann hat er seinen Roman geschrieben?
174. 그는 작년에 소설을 썼습니다. - Er hat den Roman letztes Jahr geschrieben.
175. 읽다 - zu lesen

176. 나는 소설을 읽었다. - Ich habe den Roman gelesen.
177. 너는 지금 신문을 읽고 있다. - Du liest jetzt die Zeitung.
178. 그녀는 내일 잡지를 읽을 것이다. - Sie wird morgen eine Zeitschrift lesen.
179. 너는 어떤 책을 좋아하나요? - Welche Art von Büchern magst du?
180. 나는 모험 소설을 좋아합니다. - Ich mag Abenteuerromane.
181. 배우다 - zu lernen
182. 나는 피아노를 배웠다. - Ich habe gelernt, Klavier zu spielen.
183. 너는 지금 한국어를 배우고 있다. - Du lernst jetzt Koreanisch.
184. 우리는 내일 요가를 배울 것이다. - Wir werden morgen Yoga lernen.
185. 너는 무엇을 배우고 싶어하나요? - Was würdest du gerne lernen?
186. 나는 댄스를 배우고 싶어합니다. - Ich möchte tanzen lernen.
187. 가르치다 - Lehren
188. 나는 수학을 가르쳤다. - Ich habe Mathe unterrichtet.
189. 너는 지금 영어를 가르치고 있다. - Du unterrichtest jetzt Englisch.
190. 그는 내일 요리를 가르칠 것이다. - Er wird morgen Kochen unterrichten.
191. 그들은 어디에서 가르치나요? - Wo unterrichten sie?
192. 그들은 학교에서 가르칩니다. - Sie unterrichten in der Schule.
193. 3. 명사 단어들 외우기, 필수 10개 동사의 단어들을 가지고 50문장 연습하기 - 3. Lernen Sie Substantivwörter auswendig, üben Sie 50 Sätze mit den 10 wichtigsten Verbwörtern
194. 열쇠 - Schlüssel
195. 안경 - Brille
196. 지갑 - Brieftasche
197. 책 - Buch
198. 전화기 - Handy
199. 시계 - Uhr
200. 선물 - Geschenk
201. 문서 - Dokument
202. 기부금 - Spende
203. 편지 - Brief
204. 이메일 - E-Mail
205. 상 - Auszeichnung

206. 프로젝트 - Projekt
207. 운동 - ausarbeiten
208. 여행 - reisen
209. 숙제 - Hausaufgaben
210. 회의 - Treffen
211. 작업 - Arbeit
212. 창문 - Fenster
213. 상자 - Kasten
214. 전시회 - Ausstellung
215. 문 - Tür
216. 컴퓨터 - Computer
217. 가게 - speichern
218. 라이트 - Licht
219. 텔레비전 - Fernsehen
220. 에어컨 - Klimagerät
221. 라디오 - Radio
222. 불 - Feuer
223. 난방 - Heizung
224. TV - TV
225. 찾다 - zu finden
226. 나는 열쇠를 찾았다. - Ich habe die Schlüssel gefunden.
227. 너는 지금 안경을 찾고 있다. - Du suchst jetzt deine Brille.
228. 그녀는 내일 그녀의 지갑을 찾을 것이다. - Sie wird morgen ihre Brieftasche finden.
229. 그는 무엇을 찾았나요? - Was hat er gefunden?
230. 그는 그의 책을 찾았습니다. - Er hat sein Buch gefunden.
231. 잃다 - Zu verlieren
232. 나는 전화기를 잃었다. - Ich habe mein Telefon verloren.
233. 너는 지금 무언가를 잃었습니다. - Jetzt hast du etwas verloren.
234. 그는 내일 그의 시계를 잃을 것이다. - Er wird morgen seine Uhr verlieren.
235. 그녀는 자주 무엇을 잃나요? - Was verliert sie oft?
236. 그녀는 자주 열쇠를 잃습니다. - Sie verliert oft ihre Schlüssel.
237. 주다 - Schenken

238. 나는 친구에게 선물을 주었다. - Ich habe meinem Freund ein Geschenk gemacht.
239. 너는 지금 문서를 주고 있다. - Sie geben das Dokument jetzt ab.
240. 우리는 내일 기부금을 줄 것이다. - Wir werden morgen eine Spende geben.
241. 그는 누구에게 도움을 주나요? - Wem schenkt er Hilfe?
242. 그는 어린이 병원에 도움을 줍니다. - Er hilft dem Kinderkrankenhaus.
243. 받다 - zu erhalten
244. 나는 편지를 받았다. - Ich habe einen Brief erhalten.
245. 너는 지금 이메일을 받고 있다. - Sie erhalten jetzt eine E-Mail.
246. 그녀는 내일 상을 받을 것이다. - Sie wird morgen eine Auszeichnung erhalten.
247. 그는 어떤 상을 받았나요? - Welche Auszeichnung hat er erhalten?
248. 그는 최우수 학생 상을 받았습니다. - Er hat den Preis für den besten Studenten erhalten.
249. 시작하다 - anzufangen
250. 나는 새로운 프로젝트를 시작했다. - Ich habe ein neues Projekt begonnen.
251. 너는 지금 운동을 시작하고 있다. - Du fängst jetzt an zu trainieren.
252. 우리는 내일 여행을 시작할 것이다. - Wir werden morgen mit der Reise beginnen.
253. 당신들은 언제 공부를 시작했나요? - Wann habt ihr angefangen zu lernen?
254. 우리는 오늘 아침에 공부를 시작했습니다. - Wir haben heute Morgen angefangen zu lernen.
255. 끝내다 - zu beenden
256. 나는 숙제를 끝냈다. - Ich habe meine Hausaufgaben beendet.
257. 너는 지금 회의를 끝내고 있다. - Du beendest jetzt die Besprechung.
258. 그는 내일 그의 작업을 끝낼 것이다. - Er wird seine Arbeit morgen beenden.
259. 그녀는 책을 언제 끝냈나요? - Wann hat sie das Buch fertiggestellt?
260. 그녀는 어제 책을 끝냈습니다. - Sie hat ihr Buch gestern beendet.
261. 열다 - zu öffnen
262. 나는 창문을 열었다. - Ich habe das Fenster geöffnet.

263. 너는 지금 상자를 열고 있다. - Sie öffnen jetzt die Schachtel.
264. 그들은 내일 전시회를 열 것이다. - Sie werden die Ausstellung morgen öffnen.
265. 그는 문을 언제 열었나요? - Wann hat er die Tür geöffnet?
266. 그는 아침에 문을 열었습니다. - Er hat die Tür am Morgen geöffnet.
267. 닫다 - Zu schließen
268. 나는 책을 닫았다. - Ich habe das Buch geschlossen.
269. 너는 지금 컴퓨터를 닫고 있다. - Sie schließen jetzt den Computer.
270. 우리는 내일 가게를 닫을 것이다. - Wir werden den Laden morgen schließen.
271. 그녀는 왜 창문을 닫았나요? - Warum hat sie das Fenster geschlossen?
272. 추워서 창문을 닫았습니다. - Sie hat das Fenster geschlossen, weil es kalt war.
273. 켜다 - einschalten
274. 나는 라이트를 켰다. - Ich habe das Licht angemacht.
275. 너는 지금 텔레비전을 켜고 있다. - Du schaltest jetzt den Fernseher ein.
276. 그는 내일 에어컨을 켤 것이다. - Er wird morgen die Klimaanlage einschalten.
277. 그들은 언제 라디오를 켰나요? - Wann haben sie das Radio eingeschaltet?
278. 그들은 점심 때 라디오를 켰습니다. - Sie haben das Radio in der Mittagspause eingeschaltet.
279. 끄다 - ausschalten
280. 나는 컴퓨터를 껐다. - Ich habe den Computer ausgeschaltet.
281. 너는 지금 불을 끄고 있다. - Du schaltest jetzt das Licht aus.
282. 그녀는 내일 난방을 끌 것이다. - Sie wird morgen die Heizung ausschalten.
283. 그는 왜 TV를 껐나요? - Warum hat er den Fernseher ausgeschaltet?
284. 잠자려고 TV를 껐습니다. - Ich habe den Fernseher ausgeschaltet, um schlafen zu gehen.
285. 4. 명사 단어들 외우기, 필수 10개 동사의 단어들을 가지고 50문장 연습하기 - 4. Lernen Sie Substantivwörter auswendig, üben Sie 50 Sätze mit

den 10 wichtigsten Verbwörtern
286. 결과 - Ergebnis
287. 공부 - studieren
288. 날씨 - Wetter
289. 날 - ich
290. 남 - andere
291. 답 - antworten
292. 도움 - helfen
293. 눈 - Auge
294. 봉사활동 - Freiwillige
295. 부엌 - Küche
296. 사람 - Person
297. 사무실 - Büro
298. 소파 - Sofa
299. 손 - Hand
300. 어르신 - Älterer
301. 얼굴 - Gesicht
302. 음식 - Essen
303. 일 - Tag
304. 일정 - Zeitplan
305. 자 - Lineal
306. 정원 - Garten
307. 조언 - Beratung
308. 차 - Auto
309. 친구 - Freund
310. 침대 - Bett
311. 책 - Buch
312. 추위 - Erkältung
313. 휴식 - ausruhen
314. 해답 - Lösung
315. 회의 - Treffen
316. 씻다 - zu waschen
317. 나는 손을 씻었다. - Ich habe meine Hände gewaschen.
318. 너는 지금 얼굴을 씻고 있다. - Du wäschst jetzt dein Gesicht.

319. 우리는 내일 차를 씻을 것이다. - Wir werden morgen das Auto waschen.
320. 그들은 언제 차를 씻나요? - Wann waschen sie das Auto?
321. 그들은 매주 일요일에 차를 씻습니다. - Sie waschen ihr Auto jeden Sonntag.
322. 청소하다 - putzen
323. 나는 방을 청소했다. - Ich habe das Zimmer geputzt.
324. 너는 지금 사무실을 청소하고 있다. - Sie putzen jetzt das Büro.
325. 그들은 내일 정원을 청소할 것이다. - Sie werden morgen den Garten putzen.
326. 그녀는 언제 부엌을 청소했나요? - Wann hat sie die Küche geputzt?
327. 그녀는 오늘 아침에 부엌을 청소했습니다. - Sie hat heute Morgen die Küche geputzt.
328. 일어나다 - aufstehen
329. 나는 일찍 일어났다. - Ich bin früh aufgewacht.
330. 너는 지금 침대에서 일어나고 있다. - Du stehst jetzt auf.
331. 우리는 내일 아침 6시에 일어날 것이다. - Wir werden morgen früh um 6:00 Uhr aufstehen.
332. 그는 보통 몇 시에 일어나나요? - Um wie viel Uhr steht er normalerweise auf?
333. 그는 보통 7시에 일어납니다. - Normalerweise steht er um sieben Uhr auf.
334. 자다 - zu schlafen
335. 나는 깊이 잤다. - Ich habe tief geschlafen.
336. 너는 지금 소파에서 자고 있다. - Du schläfst jetzt auf der Couch.
337. 그녀는 내일 일찍 자러 갈 것이다. - Sie wird morgen früh zu Bett gehen.
338. 너는 얼마나 오래 잤나요? - Wie lange hast du geschlafen?
339. 나는 8시간 잤습니다. - Ich habe acht Stunden lang geschlafen.
340. 알다 - zu wissen
341. 나는 답을 알았다. - Ich wusste die Antwort.
342. 너는 지금 비밀을 알고 있다. - Du kennst das Geheimnis jetzt.
343. 우리는 내일 결과를 알 것이다. - Wir werden das Ergebnis morgen erfahren.

344. 그는 그녀의 전화번호를 알고 있나요? - Kennt er ihre Telefonnummer?
345. 네, 알고 있습니다. - Ja, er weiß sie.
346. 모르다 - Ich weiß es nicht.
347. 나는 그 사람을 몰랐다. - Ich habe die Person nicht gekannt.
348. 너는 지금 답을 모르고 있다. - Sie kennen die Antwort jetzt nicht.
349. 그들은 내일 일정을 모를 것이다. - Sie werden den Zeitplan morgen nicht kennen.
350. 그녀는 왜 해답을 모르나요? - Warum weiß sie die Antwort nicht?
351. 그녀는 공부하지 않았습니다. - Sie hat nicht gelernt.
352. 좋아하다 - Zu mögen
353. 나는 여름을 좋아했다. - Ich mochte den Sommer.
354. 너는 지금 책을 좋아하고 있다. - Du magst jetzt Bücher.
355. 우리는 내일 바베큐를 좋아할 것이다. - Morgen werden wir das Barbecue mögen.
356. 그들은 어떤 음식을 좋아하나요? - Was für Essen mögen sie?
357. 그들은 일식을 좋아합니다. - Sie mögen japanisches Essen.
358. 싫어하다 - nicht mögen
359. 나는 눈을 싫어했다. - Ich habe den Schnee gehasst.
360. 너는 지금 추위를 싫어하고 있다. - Du hasst die Kälte gerade jetzt.
361. 그는 내일 회의를 싫어할 것이다. - Er wird das morgige Treffen hassen.
362. 그녀는 어떤 날씨를 싫어하나요? - Was für ein Wetter mag sie nicht?
363. 그녀는 비오는 날씨를 싫어합니다. - Sie hasst regnerisches Wetter.
364. 필요하다 - zu brauchen
365. 나는 도움이 필요했다. - Ich brauchte Hilfe.
366. 너는 지금 휴식이 필요하다. - Du brauchst jetzt eine Pause.
367. 그녀는 내일 조언이 필요할 것이다. - Sie wird morgen einen Rat brauchen.
368. 그들에게 무엇이 필요한가요? - Was brauchen sie?
369. 그들은 지원이 필요합니다. - Sie brauchen Unterstützung.
370. 돕다 - zu helfen
371. 나는 이웃을 도왔다. - Ich habe meinem Nachbarn geholfen.
372. 너는 지금 친구를 돕고 있다. - Du hilfst jetzt einem Freund.
373. 우리는 내일 봉사활동을 할 것이다. - Wir werden morgen ehrenamtlich

arbeiten.
374. 당신은 누구를 도와주고 싶어하나요? - Wem helfen Sie gerne?
375. 나는 어르신들을 도와주고 싶어합니다. - Ich helfe gerne den älteren Menschen.
376. 5. 명사 단어들 외우기, 필수 10개 동사의 단어들을 가지고 50문장 연습하기 - 5. Lernen Sie Substantivwörter auswendig, üben Sie 50 Sätze mit Wörtern aus den 10 wichtigsten Verben
377. 가족 - Familie
378. 공원 - Park
379. 길 - Straße
380. 날 - Tag
381. 누구 - wer
382. 늦은 - spät
383. 도로 - Straße
384. 만남 - Begegnung
385. 무례함 - Unhöflichkeit
386. 사람 - Menschen
387. 사랑 - Liebe
388. 사무실 - Büro
389. 삶 - Leben
390. 서울 - Seoul
391. 시골 - Landleben
392. 슬픔 - Traurigkeit
393. 약속 - Versprechen
394. 어디 - wo
395. 영원 - Ewigkeit
396. 오랜 - lang
397. 오후 - Nachmittag
398. 의사 - Doktor
399. 일 - Tag
400. 전화 - Telefon
401. 주말 - Wochenende
402. 지난달 - Letzter Monat
403. 집 - Zuhause

404. 친구 - Freund
405. 해변 - Strand
406. 행복 - glücklich
407. 헤어짐 - Schluss machen
408. 놀다 - zu spielen
409. 나는 공원에서 놀았다. - Ich habe im Park gespielt.
410. 너는 지금 친구들과 노는 중이다. - Du spielst jetzt mit deinen Freunden.
411. 우리는 내일 해변에서 놀 것이다. - Wir werden morgen am Strand spielen.
412. 당신들은 주말에 어디에서 노나요? - Wo spielt ihr an den Wochenenden?
413. 우리는 주말에 공원에서 논다. - Wir spielen an den Wochenenden im Park.
414. 일하다 - Zur Arbeit
415. 나는 늦게까지 일했다. - Ich habe bis spät gearbeitet.
416. 너는 지금 사무실에서 일하고 있다. - Du arbeitest jetzt im Büro.
417. 그는 내일 집에서 일할 것이다. - Er wird morgen zu Hause arbeiten.
418. 그녀는 어떤 일을 하나요? - Was für einen Beruf übt sie aus?
419. 그녀는 선생님이다. - Sie ist Lehrerin.
420. 살다 - leben
421. 나는 서울에서 살았다. - Ich habe früher in Seoul gelebt.
422. 너는 지금 어디에 살고 있나요? - Wo wohnst du jetzt?
423. 우리는 내일 새 집에서 살 것이다. - Wir werden morgen in unserem neuen Haus wohnen.
424. 그들은 어디에서 살고 싶어하나요? - Wo wollen sie wohnen?
425. 그들은 시골에서 살고 싶어한다. - Sie wollen auf dem Lande leben.
426. 죽다 - zu sterben
427. 나는 거의 죽을 뻔했다. - Ich bin fast gestorben.
428. 너는 지금 삶을 살고 있다. - Du lebst jetzt das Leben.
429. 그는 오래 살 것이다. - Er wird eine lange Zeit leben.
430. 그녀는 어떻게 살고 싶어하나요? - Wie will sie leben?
431. 그녀는 행복하게 살고 싶어한다. - Sie will glücklich bis ans Ende ihrer Tage leben.

432. 사랑하다 - Zu lieben
433. 나는 너를 사랑했다. - Ich habe dich geliebt.
434. 너는 지금 누군가를 사랑하고 있다. - Du bist jetzt in jemanden verliebt.
435. 그녀는 영원히 사랑할 것이다. - Sie wird für immer lieben.
436. 그는 누구를 사랑하나요? - Wen liebt er?
437. 그는 그의 가족을 사랑한다. - Er liebt seine Familie.
438. 미워하다 - zu hassen
439. 나는 어제 늦은 약속을 미워했다. - Ich habe meinen späten Termin gestern gehasst.
440. 너는 지금 막힌 도로를 미워한다. - Du hasst die verstopfte Straße im Moment.
441. 그는 내일 일찍 일어나는 것을 미워할 것이다. - Er wird es hassen, morgen früh aufzustehen.
442. 그녀는 무엇을 미워하나요? - Was hasst sie?
443. 그녀는 무례함을 미워합니다. - Sie hasst Unhöflichkeit.
444. 기다리다 - Zu warten auf
445. 나는 어제 너를 오랫동안 기다렸다. - Ich habe gestern lange auf dich gewartet.
446. 너는 지금 친구를 기다린다. - Du wartest jetzt auf deinen Freund.
447. 그는 내일 중요한 전화를 기다릴 것이다. - Er wird morgen auf einen wichtigen Anruf warten.
448. 우리는 얼마나 더 기다려야 하나요? - Wie lange müssen wir noch warten?
449. 5분만 더 기다려 주세요. - Bitte warten Sie noch fünf Minuten.
450. 만나다 - Zu treffen
451. 나는 지난 주에 그를 만났다. - Ich habe ihn letzte Woche getroffen.
452. 너는 지금 새로운 사람을 만난다. - Du triffst jetzt eine neue Person.
453. 그녀는 내일 오랜 친구를 만날 것이다. - Sie wird morgen einen alten Freund treffen.
454. 그들은 언제 만나기로 했나요? - Wann werden sie sich treffen?
455. 그들은 내일 오후에 만나기로 했습니다. - Sie werden sich morgen Nachmittag treffen.
456. 헤어지다 - Schluss machen
457. 나는 지난달에 그녀와 헤어졌다. - Ich habe mich letzten Monat von ihr

getrennt.
458. 너는 지금 슬픔을 헤어진다. - Du machst jetzt Schluss mit deinem Kummer.
459. 그들은 내일 서로 헤어질 것이다. - Sie werden sich morgen von einander trennen.
460. 왜 그들은 헤어지기로 결정했나요? - Warum haben sie beschlossen, getrennte Wege zu gehen?
461. 그들은 서로 다른 길을 가기로 결정했습니다. - Sie haben beschlossen, getrennte Wege zu gehen.
462. 전화하다 - anrufen
463. 나는 어제 그에게 전화했다. - Ich habe ihn gestern angerufen.
464. 너는 지금 의사에게 전화한다. - Sie rufen jetzt den Arzt an.
465. 그녀는 내일 저녁에 나에게 전화할 것이다. - Sie wird mich morgen Abend anrufen.
466. 그는 언제 나에게 전화할 거예요? - Wann wird er mich anrufen?
467. 그는 저녁에 전화할 거예요. - Er wird mich am Abend anrufen.
468. 6. 명사 단어들 외우기, 필수 10개 동사의 단어들을 가지고 50문장 연습하기 - 6. Lernen Sie die Substantivwörter auswendig, üben Sie 50 Sätze mit den 10 wichtigsten Verbwörtern
469. 길 - Art und Weise
470. 질문 - Frage
471. 조언 - Ratschlag
472. 시간 - Zeit
473. 문제 - Problem
474. 상자 - Box
475. 책 - Buch
476. 가방 - Tasche
477. 펜 - Stift
478. 열쇠 - Schlüssel
479. 서류 - Dokument
480. 캐리어 - Träger
481. 장난감 - Spielzeug
482. 바구니 - Korb
483. 카트 - Wagen

484. 문 - Tür
485. 의자 - Stuhl
486. 책장 - Bücherregal
487. 로프 - Seil
488. 커튼 - Vorhang
489. 끈 - Schnur
490. 손잡이 - Griff
491. 방 - Zimmer
492. 집 - Haus
493. 회의실 - Versammlungsraum
494. 건물 - Gebäude
495. 영화관 - Kino
496. 사무실 - Büro
497. 도서관 - Bibliothek
498. 언덕 - Hügel
499. 계단 - Treppe
500. 탑 - Turm
501. 산 - Berg
502. 묻다 - zu fragen
503. 나는 어제 길을 물었다. - Ich habe gestern nach dem Weg gefragt.
504. 너는 지금 질문을 한다. - Sie stellen jetzt eine Frage.
505. 그는 내일 조언을 물을 것이다. - Er wird morgen um Rat fragen.
506. 그녀는 무엇을 물어봤나요? - Was hat sie gefragt?
507. 그녀는 시간을 물어봤습니다. - Sie hat nach der Uhrzeit gefragt.
508. 대답하다 - Zu antworten
509. 나는 그의 질문에 대답했다. - Ich habe seine Frage beantwortet.
510. 너는 지금 내 질문에 대답한다. - Sie beantworten jetzt meine Frage.
511. 그녀는 내일 문제에 대답할 것이다. - Sie wird die Frage morgen beantworten.
512. 그들은 어떻게 대답했나요? - Wie haben sie geantwortet?
513. 그들은 친절하게 대답했습니다. - Sie haben freundlich geantwortet.
514. 들다 - anheben
515. 나는 무거운 상자를 들었다. - Ich habe die schwere Kiste hochgehoben.

516. 너는 지금 책을 든다. - Du trägst jetzt ein Buch.
517. 그는 내일 가방을 들 것이다. - Er wird die Tasche morgen heben.
518. 그녀는 무엇을 들 수 있나요? - Was kann sie heben?
519. 그녀는 큰 가방을 들 수 있습니다. - Sie kann eine große Tasche heben.
520. 놓다 - Ablegen
521. 나는 펜을 책상 위에 놓았다. - Ich lege den Stift auf den Schreibtisch.
522. 너는 지금 열쇠를 놓는다. - Sie legen jetzt Ihre Schlüssel ab.
523. 그들은 내일 서류를 책상 위에 놓을 것이다. - Sie werden die Papiere morgen auf den Schreibtisch legen.
524. 그는 어디에 그것을 놓았나요? - Wo hat er ihn hingelegt?
525. 그는 문 앞에 그것을 놓았습니다. - Er hat ihn vor die Tür gelegt.
526. 끌다 - ziehen
527. 나는 캐리어를 끌었다. - Ich habe den Koffer geschleppt.
528. 너는 지금 장난감을 끈다. - Du schleppst jetzt das Spielzeug.
529. 그녀는 내일 바구니를 끌 것이다. - Sie wird morgen den Korb schleppen.
530. 그들은 무엇을 끌었나요? - Was haben sie geschleppt?
531. 그들은 작은 카트를 끌었습니다. - Sie haben einen kleinen Wagen geschoben.
532. 밀다 - Zum Schieben
533. 나는 문을 밀었다. - Ich habe die Tür geschoben.
534. 너는 지금 의자를 밀고 있다. - Du schiebst jetzt den Stuhl.
535. 그는 내일 상자를 밀 것이다. - Er wird morgen die Kisten schieben.
536. 그녀는 어떤 것을 밀어야 하나요? - Was muss sie schieben?
537. 그녀는 책장을 밀어야 합니다. - Sie muss das Bücherregal schieben.
538. 당기다 - Ziehen
539. 나는 로프를 당겼다. - Ich habe das Seil gezogen.
540. 너는 지금 커튼을 당긴다. - Du ziehst jetzt an den Vorhängen.
541. 그들은 내일 끈을 당길 것이다. - Sie werden morgen an der Schnur ziehen.
542. 그는 무엇을 당겼나요? - Woran hat er gezogen?
543. 그는 문 손잡이를 당겼습니다. - Er hat an der Türklinke gezogen.
544. 들어가다 - eintreten

545. 나는 방에 들어갔다. - Ich habe das Zimmer betreten.
546. 너는 지금 집에 들어간다. - Sie betreten jetzt das Haus.
547. 그녀는 내일 회의실에 들어갈 것이다. - Sie wird morgen den Konferenzraum betreten.
548. 그들은 언제 건물에 들어갔나요? - Wann haben sie das Gebäude betreten?
549. 그들은 아침에 건물에 들어갔습니다. - Sie haben das Gebäude am Morgen betreten.
550. 나오다 - herauskommen
551. 나는 어제 영화관에서 나왔다. - Ich bin gestern aus dem Kino herausgekommen.
552. 너는 지금 사무실에서 나온다. - Du kommst jetzt aus dem Büro heraus.
553. 그는 내일 도서관에서 나올 것이다. - Er wird morgen aus der Bibliothek herauskommen.
554. 너는 어디에서 나왔나요? - Wo sind Sie herausgekommen?
555. 나는 회의실에서 나왔습니다. - Ich bin aus dem Konferenzraum herausgekommen.
556. 올라가다 - zu klettern
557. 나는 언덕을 올라갔다. - Ich bin den Hügel hinaufgestiegen.
558. 너는 지금 계단을 올라간다. - Du gehst jetzt die Treppe hinauf.
559. 우리는 내일 탑에 올라갈 것이다. - Wir werden morgen auf den Turm steigen.
560. 그들은 어디로 올라갔나요? - Wo sind sie hinaufgestiegen?
561. 그들은 산으로 올라갔습니다. - Sie sind auf den Berg gestiegen.
562. 7. 명사 단어들 외우기, 필수 10개 동사의 단어들을 가지고 50문장 연습하기 - 7. Lernen Sie die Substantivwörter auswendig, üben Sie 50 Sätze mit den Wörtern der 10 wichtigsten Verben
563. 지하 - unterirdisch
564. 계단 - Treppe
565. 지하철역 - U-Bahn-Station
566. 지하실 - Keller
567. 자전거 - Fahrrad
568. 버스 - Bus

569. 기차 - Zug
570. 배 - Schiff
571. 역 - Bahnhof
572. 비행기 - Flugzeug
573. 정류장 - Bahnhof
574. 중앙 정류장 - Zentralhaltestelle
575. 계약서 - Vertrag
576. 메뉴 - Speisekarte
577. 계획 - Plan
578. 문서 - Dokument
579. 보고서 - Bericht
580. 미래 - Zukunft
581. 결정 - Entscheidung
582. 직업 변경 - Jobwechsel
583. 대학 - Universität
584. 저녁 메뉴 - Speisekarte
585. 여행지 - Reiseziel
586. 색깔 - Farbe
587. 파란색 - blau
588. 문제 - Problem
589. 어려움 - Schwierigkeit
590. 수수께끼 - Rätsel
591. 상황 - Situation
592. 팀워크 - Teamarbeit
593. 순간 - Moment
594. 날짜 - Termin
595. 대화 - Gespräch
596. 숫자 - Nummer
597. 전화번호 - Rufnummer
598. 생일 - Geburtstag
599. 약속 - Versprechen
600. 회의 - Treffen
601. 회의 시간 - Uhrzeit des Treffens
602. 말 - Wort

603. 소식 - Nachrichten
604. 기적 - Wunder
605. 운명 - Schicksal
606. 내려가다 - hinuntergehen
607. 나는 지하로 내려갔다. - Ich bin in den Keller hinuntergegangen.
608. 너는 지금 계단을 내려간다. - Du gehst jetzt die Treppe hinunter.
609. 그녀는 내일 지하철역으로 내려갈 것이다. - Sie wird morgen zur U-Bahn-Station hinuntergehen.
610. 그는 어디로 내려갔나요? - Wo ist er hinuntergegangen?
611. 그는 지하실로 내려갔습니다. - Er ist in den Keller hinuntergegangen.
612. 타다 - fahren
613. 나는 자전거를 탔다. - Ich bin mit dem Fahrrad gefahren.
614. 너는 지금 버스를 탄다. - Sie fahren jetzt mit dem Bus.
615. 그들은 내일 기차를 탈 것이다. - Sie werden morgen den Zug nehmen.
616. 그녀는 무엇을 타고 싶어하나요? - Womit will sie fahren?
617. 그녀는 배를 타고 싶어합니다. - Sie will mit einem Boot fahren.
618. 내리다 - Um auszusteigen
619. 나는 역에서 기차에서 내렸다. - Ich bin am Bahnhof aus dem Zug gestiegen.
620. 너는 지금 버스에서 내린다. - Du steigst jetzt aus dem Bus aus.
621. 그는 내일 비행기에서 내릴 것이다. - Er wird morgen aus dem Flugzeug aussteigen.
622. 그들은 어느 정류장에서 내렸나요? - An welcher Haltestelle sind sie ausgestiegen?
623. 그들은 중앙 정류장에서 내렸습니다. - Sie sind an der zentralen Haltestelle ausgestiegen.
624. 살펴보다 - durchsehen
625. 나는 계약서를 살펴보았다. - Ich habe mir den Vertrag angesehen.
626. 너는 지금 메뉴를 살펴본다. - Sie sehen sich jetzt die Speisekarte an.
627. 그녀는 내일 계획을 살펴볼 것이다. - Sie wird sich die Pläne für morgen ansehen.
628. 그들은 어떤 문서를 살펴보고 있나요? - Welche Dokumente sehen sie sich an?
629. 그들은 보고서를 살펴보고 있습니다. - Sie sehen sich den Bericht an.

630. 생각하다 - Nachdenken
631. 나는 우리의 미래에 대해 생각했다. - Ich habe über unsere Zukunft nachgedacht.
632. 너는 지금 무엇에 대해 생각한다. - Worüber denkst du jetzt nach?
633. 그는 내일 결정에 대해 생각할 것이다. - Er wird morgen über seine Entscheidung nachdenken.
634. 그녀는 무엇에 대해 생각하고 있나요? - Worüber denkt sie nach?
635. 그녀는 직업 변경에 대해 생각하고 있습니다. - Sie denkt über einen Jobwechsel nach.
636. 결정하다 - entscheiden
637. 나는 대학을 결정했다. - Ich habe mich für eine Universität entschieden.
638. 너는 지금 저녁 메뉴를 결정한다. - Sie entscheiden sich jetzt für das Menü zum Abendessen.
639. 그들은 내일 여행지를 결정할 것이다. - Sie werden entscheiden, wohin sie morgen reisen werden.
640. 그는 어떤 색깔을 결정했나요? - Für welche Farbe hat er sich entschieden?
641. 그는 파란색을 결정했습니다. - Er hat sich für Blau entschieden.
642. 해결하다 - zu lösen
643. 나는 그 문제를 해결했다. - Ich habe das Problem gelöst.
644. 너는 지금 어려움을 해결한다. - Sie lösen die Aufgabe jetzt.
645. 그녀는 내일 그 수수께끼를 해결할 것이다. - Sie wird dieses Rätsel morgen lösen.
646. 그들은 어떻게 그 상황을 해결했나요? - Wie haben sie diese Situation gelöst?
647. 그들은 팀워크로 해결했습니다. - Sie haben es mit Teamarbeit gelöst.
648. 기억하다 - sich erinnern
649. 나는 그 순간을 기억했다. - Ich habe mich an den Moment erinnert.
650. 너는 지금 중요한 날짜를 기억한다. - Sie erinnern sich jetzt an den wichtigen Termin.
651. 우리는 내일 그 대화를 기억할 것이다. - Wir werden uns morgen an dieses Gespräch erinnern.
652. 그녀는 어떤 숫자를 기억하나요? - An welche Nummer erinnert sie

sich?
653. 그녀는 그의 전화번호를 기억합니다. - Sie erinnert sich an seine Telefonnummer.
654. 잊다 - Vergessen
655. 나는 그의 생일을 잊었다. - Ich habe seinen Geburtstag vergessen.
656. 너는 지금 약속을 잊는다. - Du vergisst jetzt den Termin.
657. 그는 내일 중요한 회의를 잊을 것이다. - Er wird seinen wichtigen Termin morgen vergessen.
658. 그들은 무엇을 잊어버렸나요? - Was haben sie vergessen?
659. 그들은 그 회의 시간을 잊어버렸습니다. - Sie haben die Zeit der Besprechung vergessen.
660. 믿다 - zu glauben
661. 나는 그녀의 말을 믿었다. - Ich habe ihre Worte geglaubt.
662. 너는 지금 그 소식을 믿는다. - Sie glauben die Nachrichten jetzt.
663. 그들은 내일 기적을 믿을 것이다. - Sie werden morgen an ein Wunder glauben.
664. 그는 무엇을 믿나요? - Woran glaubt er?
665. 그는 운명을 믿습니다. - Er glaubt an das Schicksal.
666. 8. 명사 단어들 외우기, 필수 10개 동사의 단어들을 가지고 50문장 연습하기 - 8. Lernen Sie Substantivwörter auswendig, üben Sie 50 Sätze mit den 10 wichtigsten Verbwörtern
667. 말 - Wort
668. 소식 - Nachrichten
669. 계획 - Plan
670. 이야기 - Geschichte
671. 결과 - Ergebnis
672. 평화 - Frieden
673. 성공 - Erfolg
674. 미래 - Zukunft
675. 건강 - Gesundheit
676. 안전 - Sicherheit
677. 가족 - Familie
678. 행복 - Glück
679. 세계 평화 - Weltfrieden

680. 차 - Auto
681. 집 - Haus
682. 여행 - Reisen
683. 시골 - landschaft
684. 활동 - Tätigkeit
685. 신호등 - Ampel
686. 새벽 - Morgengrauen
687. 학교 - Schule
688. 아침 - Morgen
689. 회사 - Firma
690. 목적지 - Ziel
691. 오후 - Nachmittag
692. 편지 - Brief
693. 메일 - Mail
694. 선물 - Geschenk
695. 친구 - Freund
696. 길 - Straße
697. 강 - Fluss
698. 다리 - Bein
699. 보트 - Boot
700. 과거 - Vergangenheit
701. 결정 - Entscheidung
702. 무언가 - etwas
703. 의심하다 - zu zweifeln
704. 나는 그의 말을 의심했다. - Ich habe an seinen Worten gezweifelt.
705. 너는 지금 그 소식을 의심한다. - Du zweifelst jetzt an den Nachrichten.
706. 그는 내일 그 계획을 의심할 것이다. - Morgen wird er den Plan anzweifeln.
707. 너는 왜 그를 의심하나요? - Warum zweifelst du an ihm?
708. 나는 그의 이야기가 일관되지 않기 때문입니다. - Ich zweifle an ihm, weil seine Geschichte widersprüchlich ist.
709. 희망하다 - hoffen
710. 나는 좋은 결과를 희망했다. - Ich habe auf einen guten Ausgang

gehofft.
711. 너는 지금 평화를 희망한다. - Sie hoffen jetzt auf Frieden.
712. 그들은 내일 성공을 희망할 것이다. - Sie werden morgen auf Erfolg hoffen.
713. 우리는 무엇을 희망해야 하나요? - Worauf sollten wir hoffen?
714. 우리는 더 나은 미래를 희망해야 합니다. - Wir sollten auf eine bessere Zukunft hoffen.
715. 기도하다 - Zu beten
716. 나는 건강을 위해 기도했다. - Ich habe für Gesundheit gebetet.
717. 너는 지금 안전을 기도한다. - Du betest jetzt für Sicherheit.
718. 그녀는 내일 가족의 행복을 기도할 것이다. - Sie wird morgen für das Glück ihrer Familie beten.
719. 너는 무엇을 위해 기도하나요? - Wofür betest du?
720. 나는 세계 평화를 위해 기도합니다. - Ich bete für den Weltfrieden.
721. 운전하다 - zu fahren
722. 나는 어제 차를 운전했다. - Ich bin gestern mit dem Auto gefahren.
723. 너는 지금 집으로 운전한다. - Du fährst jetzt nach Hause.
724. 그는 내일 여행을 운전할 것이다. - Er wird die Reise morgen fahren.
725. 그녀는 어디로 운전해 가나요? - Wohin fährt sie?
726. 그녀는 시골로 운전해 갑니다. - Sie fährt auf das Land.
727. 멈추다 - Anhalten
728. 나는 갑자기 멈췄다. - Ich habe plötzlich angehalten.
729. 너는 지금 멈춘다. - Du hörst jetzt auf.
730. 우리는 내일 활동을 멈출 것이다. - Wir werden morgen mit unseren Aktivitäten aufhören.
731. 그들은 왜 멈췄나요? - Warum haben sie angehalten?
732. 그들은 신호등에서 멈췄습니다. - Sie haben an der Ampel angehalten.
733. 출발하다 - Zum Aufbruch
734. 나는 새벽에 출발했다. - Ich bin im Morgengrauen aufgebrochen.
735. 너는 지금 여행을 출발한다. - Sie brechen jetzt zu einer Reise auf.
736. 그녀는 내일 학교로 출발할 것이다. - Sie wird morgen zur Schule gehen.
737. 그들은 언제 출발할 예정인가요? - Wann werden sie abreisen?
738. 그들은 내일 아침에 출발할 예정입니다. - Die Abreise ist für morgen

früh geplant.
739. 도착하다 - ankommen
740. 나는 어젯밤에 도착했다. - Ich bin gestern Abend angekommen.
741. 너는 지금 회사에 도착한다. - Sie kommen jetzt bei der Arbeit an.
742. 그들은 내일 목적지에 도착할 것이다. - Sie werden morgen an ihrem Zielort ankommen.
743. 너는 언제 도착했나요? - Wann sind Sie angekommen?
744. 나는 오후에 도착했습니다. - Ich bin am Nachmittag angekommen.
745. 보내다 - Abschicken
746. 나는 편지를 보냈다. - Ich habe einen Brief abgeschickt.
747. 너는 지금 메일을 보낸다. - Du schickst die Post jetzt ab.
748. 그는 내일 선물을 보낼 것이다. - Er wird das Geschenk morgen abschicken.
749. 우리는 누구에게 선물을 보내나요? - An wen schicken wir Geschenke?
750. 우리는 친구에게 선물을 보냅니다. - Wir schicken Geschenke an unsere Freunde.
751. 건너다 - überqueren
752. 나는 길을 건넜다. - Ich habe die Straße überquert.
753. 너는 지금 강을 건넌다. - Du überquerst jetzt den Fluss.
754. 그녀는 내일 다리를 건널 것이다. - Sie wird morgen die Brücke überqueren.
755. 당신들은 어떻게 강을 건넜나요? - Wie haben Sie den Fluss überquert?
756. 우리는 보트를 이용해서 건넜습니다. - Wir haben ihn mit dem Boot überquert.
757. 돌아보다 - zurückblicken
758. 나는 뒤를 돌아보았다. - Ich habe zurückgeblickt.
759. 너는 지금 과거를 돌아본다. - Du blickst jetzt zurück.
760. 우리는 내일 결정을 돌아볼 것이다. - Wir werden morgen auf unsere Entscheidung zurückblicken.
761. 그녀는 왜 주저하며 돌아보나요? - Warum zögert sie, zurückzublicken?
762. 그녀는 무언가를 잊었기 때문입니다. - Weil sie etwas vergessen hat.
763. 9. 명사 단어들 외우기, 필수 10개 동사의 단어들을 가지고 50문장 연습하기 - 9. Lernen Sie Substantivwörter auswendig, üben Sie 50 Sätze mit den 10 wichtigsten Verbwörtern

764. 위험 - Gefahr
765. 갈등 - Konflikt
766. 교통 체증 - Stau
767. 논쟁 - Streit
768. 제품 - Produkt
769. 가격 - Preis
770. 옵션 - Option
771. 대학 프로그램 - Hochschulprogramm
772. 시험 - Prüfung
773. 발표 - Präsentation
774. 파티 - Party
775. 저녁 식사 - Abendessen
776. 방 - Raum
777. 책상 - Tisch
778. 창고 - Ablage
779. 서류 - Dokument
780. 자전거 - Fahrrad
781. 컴퓨터 - Computer
782. 시계 - Uhr
783. 옥상 - Dachterrasse
784. 신발 - Schuhe
785. 문 - Tür
786. 안경 - Brille
787. 자동차 - Auto
788. 피아노 - Klavier
789. 공 - Ball
790. 골프 - Golf
791. 드럼 - Trommel
792. 돌 - Felsen
793. 종이비행기 - Papierflieger
794. 나비 - Schmetterling
795. 물고기 - Fisch
796. 꽃 - Blume
797. 화분 - Topf

798. 정원 - Garten
799. 피하다 - zu vermeiden
800. 나는 위험을 피했다. - Ich habe die Gefahr vermieden.
801. 너는 지금 갈등을 피한다. - Sie vermeiden jetzt einen Konflikt.
802. 그들은 내일 교통 체증을 피할 것이다. - Sie werden morgen den Stau vermeiden.
803. 그는 무엇을 피하려고 하나요? - Was versucht er zu vermeiden?
804. 그는 불필요한 논쟁을 피하려고 합니다. - Er versucht, unnötigen Streit zu vermeiden.
805. 비교하다 - Zu vergleichen
806. 나는 두 제품을 비교했다. - Ich habe die beiden Produkte verglichen.
807. 너는 지금 가격을 비교한다. - Sie vergleichen jetzt die Preise.
808. 그녀는 내일 옵션을 비교할 것이다. - Sie wird morgen die Optionen vergleichen.
809. 그들은 어떤 것들을 비교하나요? - Welche Dinge vergleichen sie?
810. 그들은 다양한 대학 프로그램을 비교합니다. - Sie vergleichen verschiedene Studiengänge.
811. 준비하다 - vorbereiten
812. 나는 시험을 준비했다. - Ich habe mich auf den Test vorbereitet.
813. 너는 지금 발표를 준비한다. - Du bereitest dich jetzt auf die Präsentation vor.
814. 우리는 내일 파티를 준비할 것이다. - Wir werden uns auf die morgige Party vorbereiten.
815. 그녀는 무엇을 준비하고 있나요? - Was bereitet sie vor?
816. 그녀는 저녁 식사를 준비하고 있습니다. - Sie bereitet das Abendessen vor.
817. 정리하다 - aufräumen
818. 나는 내 방을 정리했다. - Ich habe mein Zimmer aufgeräumt.
819. 너는 지금 책상을 정리한다. - Du ordnest jetzt deinen Schreibtisch.
820. 그들은 내일 창고를 정리할 것이다. - Sie werden morgen das Lager aufräumen.
821. 그는 언제 서류를 정리할까요? - Wann wird er seine Papiere ordnen?
822. 그는 이번 주말에 서류를 정리할 것입니다. - Er wird seine Papiere am Wochenende ordnen.

823. 수리하다 - zu reparieren
824. 나는 자전거를 수리했다. - Ich habe mein Fahrrad repariert.
825. 너는 지금 컴퓨터를 수리한다. - Du reparierst jetzt den Computer.
826. 그녀는 내일 시계를 수리할 것이다. - Sie wird morgen ihre Uhr reparieren.
827. 그들은 무엇을 수리하고 있나요? - Was reparieren sie?
828. 그들은 옥상을 수리하고 있습니다. - Sie reparieren das Dach.
829. 고치다 - zu reparieren
830. 나는 신발을 고쳤다. - Ich habe meine Schuhe repariert.
831. 너는 지금 문을 고친다. - Du reparierst jetzt die Tür.
832. 그는 내일 안경을 고칠 것이다. - Er wird morgen seine Brille reparieren.
833. 그녀는 언제 자동차를 고쳤나요? - Wann hat sie ihr Auto repariert?
834. 그녀는 지난 주에 자동차를 고쳤습니다. - Sie hat ihr Auto letzte Woche repariert.
835. 치다 - zu spielen
836. 나는 피아노를 쳤다. - Ich habe auf dem Klavier gespielt.
837. 너는 지금 공을 친다. - Du schlägst jetzt den Ball.
838. 그들은 내일 골프를 칠 것이다. - Sie werden morgen Golf spielen.
839. 너는 언제 드럼을 쳤나요? - Wann hast du getrommelt?
840. 나는 어제 드럼을 쳤습니다. - Ich habe gestern Schlagzeug gespielt.
841. 던지다 - Werfen
842. 나는 공을 던졌다. - Ich habe den Ball geworfen.
843. 너는 지금 돌을 던진다. - Du wirfst jetzt Steine.
844. 그는 내일 종이비행기를 던질 것이다. - Er wird morgen ein Papierflugzeug werfen.
845. 그녀는 무엇을 던졌나요? - Was hat sie geworfen?
846. 그녀는 공을 던졌어요. - Sie hat einen Ball geworfen.
847. 잡다 - fangen
848. 나는 나비를 잡았다. - Ich habe einen Schmetterling gefangen.
849. 너는 지금 공을 잡는다. - Du fängst den Ball jetzt.
850. 우리는 내일 물고기를 잡을 것이다. - Wir werden morgen Fische fangen.
851. 그들은 무엇을 잡았나요? - Was haben sie gefangen?

852. 그들은 큰 물고기를 잡았어요. - Sie haben einen großen Fisch gefangen.
853. 피다 - aufblühen
854. 나는 꽃을 피웠다. - Ich habe eine Blume zum Blühen gebracht.
855. 너는 지금 화분에서 꽃이 피는 것을 본다. - Du siehst jetzt eine Blume in einem Topf blühen.
856. 그녀는 내일 정원에서 꽃을 피울 것이다. - Morgen wird sie Blumen im Garten haben.
857. 그들은 어디에서 꽃을 피웠나요? - Wo haben sie geblüht?
858. 그들은 정원에서 꽃을 피웠어요. - Sie haben im Garten geblüht.
859. 침대 - das Bett
860. 소파 - die Couch
861. 잔디밭 - der Rasen
862. 꿈 - ein Traum
863. 몸 - ein Körper
864. 병 - Flasche
865. 물 - Wasser
866. 수프 - Suppe
867. 차 - Tee
868. 친구들 - Freunde
869. 파티 - Party
870. 모임 - Versammlung
871. 공원 - Park
872. 집 - Haus
873. 여행 - Reise
874. 학교 - Schule
875. 방 - Zimmer
876. 비밀 - Geheimnis
877. 진실 - Wahrheit
878. 이야기 - Geschichte
879. 서랍 - Schublade
880. 책 - Buch
881. 가방 - Tasche
882. 지갑 - Brieftasche

883. 상자 - Schachtel
884. 선물 - Geschenk
885. 편지 - Brief
886. 눕다 - sich hinlegen
887. 나는 일찍 누웠다. - Ich lege mich früh hin.
888. 너는 지금 침대에 눕는다. - Du legst dich jetzt ins Bett.
889. 그는 내일 소파에 누울 것이다. - Er wird sich morgen auf die Couch legen.
890. 그녀는 어디에 누웠나요? - Wo hat sie sich hingelegt?
891. 그녀는 잔디밭에 누웠어요. - Sie hat sich auf den Rasen gelegt.
892. 꿈꾸다 - Zu träumen
893. 나는 행복한 꿈을 꿨다. - Ich hatte einen glücklichen Traum.
894. 너는 지금 꿈을 꾼다. - Du träumst jetzt.
895. 우리는 내일 큰 꿈을 꿀 것이다. - Morgen werden wir einen großen Traum haben.
896. 그들은 무슨 꿈을 꿨나요? - Wovon haben sie geträumt?
897. 그들은 여행하는 꿈을 꿨어요. - Sie träumten vom Reisen.
898. 움직이다 - sich zu bewegen
899. 나는 천천히 움직였다. - Ich habe mich langsam bewegt.
900. 너는 지금 몸을 움직인다. - Du bewegst deinen Körper jetzt.
901. 그들은 내일 더 빠르게 움직일 것이다. - Morgen werden sie sich schneller bewegen.
902. 그녀는 왜 움직이지 않나요? - Warum bewegt sie sich nicht?
903. 그녀는 피곤해서 움직이지 않아요. - Sie bewegt sich nicht, weil sie müde ist.
904. 흔들다 - schütteln
905. 나는 나무를 흔들었다. - Ich habe den Baum geschüttelt.
906. 너는 지금 의자를 흔든다. - Du schüttelst jetzt den Stuhl.
907. 그는 내일 우산을 흔들 것이다. - Er wird morgen den Schirm schütteln.
908. 그들은 무엇을 흔들었나요? - Was haben sie geschüttelt?
909. 그들은 병을 흔들었어요. - Sie haben die Flasche geschüttelt.
910. 끓이다 - zu kochen
911. 나는 물을 끓였다. - Ich habe das Wasser gekocht.

912. 너는 지금 수프를 끓인다. - Du kochst jetzt die Suppe.
913. 그녀는 내일 차를 끓일 것이다. - Sie wird morgen den Tee kochen.
914. 그들은 언제 물을 끓였나요? - Wann haben sie das Wasser gekocht?
915. 그들은 아침에 물을 끓였어요. - Sie haben das Wasser am Morgen gekocht.
916. 어울리다 - Sich vertragen mit
917. 나는 친구들과 잘 어울렸다. - Ich habe mich gut mit meinen Freunden verstanden.
918. 너는 지금 파티에서 잘 어울린다. - Du siehst jetzt auf der Party gut aus.
919. 우리는 내일 모임에서 잘 어울릴 것이다. - Wir werden uns bei der morgigen Zusammenkunft gut verstehen.
920. 그들은 어디에서 어울렸나요? - Wo haben sie sich rumgetrieben?
921. 그들은 공원에서 잘 어울렸어요. - Sie haben sich im Park gut verstanden.
922. 떠나다 - Zu gehen
923. 나는 새벽에 떠났다. - Ich bin im Morgengrauen gegangen.
924. 너는 지금 집을 떠난다. - Du gehst jetzt nach Hause.
925. 그는 내일 여행을 떠날 것이다. - Er wird morgen auf seine Reise gehen.
926. 그녀는 언제 떠났나요? - Wann ist sie abgereist?
927. 그녀는 어제 떠났어요. - Sie ist gestern abgereist.
928. 돌아오다 - zurückkehren
929. 나는 저녁에 돌아왔다. - Ich bin am Abend zurückgekommen.
930. 너는 지금 학교에서 돌아온다. - Du kommst jetzt von der Schule zurück.
931. 우리는 내일 여행에서 돌아올 것이다. - Wir werden morgen von unserer Reise zurückkehren.
932. 그들은 언제 돌아올까요? - Wann werden sie zurück sein?
933. 그들은 내일 돌아올 거예요. - Sie kommen morgen zurück.
934. 밝히다 - Licht machen
935. 나는 방에 불을 밝혔다. - Ich habe das Licht im Zimmer angezündet.
936. 너는 지금 비밀을 밝힌다. - Du enthüllst das Geheimnis jetzt.
937. 그녀는 내일 진실을 밝힐 것이다. - Sie wird morgen die Wahrheit

enthüllen.
938. 그는 왜 이야기를 밝혔나요? - Warum hat er die Geschichte enthüllt?
939. 그는 솔직하고 싶어서 밝혔어요. - Er hat sie enthüllt, weil er ehrlich sein wollte.
940. 꺼내다 - herausnehmen
941. 나는 서랍에서 책을 꺼냈다. - Ich habe das Buch aus der Schublade genommen.
942. 너는 지금 가방에서 지갑을 꺼낸다. - Du nimmst jetzt dein Portemonnaie aus der Tasche.
943. 그는 내일 상자에서 선물을 꺼낼 것이다. - Er wird das Geschenk morgen aus der Schachtel nehmen.
944. 그녀는 무엇을 꺼냈나요? - Was hat sie herausgenommen?
945. 그녀는 편지를 꺼냈어요. - Sie hat einen Brief herausgenommen.
946. 10. 명사 단어들 외우기, 필수 10개 동사의 단어들을 가지고 50문장 연습하기 - 10. Lernen Sie Substantivwörter auswendig, üben Sie 50 Sätze mit den Wörtern der 10 wichtigsten Verben
947. 상자 - Schachtel
948. 사진 - Bild
949. 서류 - Papier
950. 파일 - Ordner
951. 책 - Buch
952. 책장 - Bücherregale
953. 서랍 - Schublade
954. 신문 - Zeitung
955. 컵 - Tasse
956. 물건 - Gegenstand
957. 저녁 - Abendessen
958. 식탁 - Esstisch
959. 아침 - Frühstück
960. 식사 - Mahlzeit
961. 파티 - Party
962. 테이블 - Tisch
963. 정리 - Organisieren
964. 책상 - Schreibtisch

965. 방 - Zimmer
966. 장난감 - Spielzeug
967. 친구 - Freunde
968. 연필 - Bleistift
969. 텐트 - Zelt
970. 선생님 - Lehrer
971. 돈 - Geld
972. 도구 - Werkzeug
973. 소식 - Nachrichten
974. 소리 - Ton
975. 선물 - Geschenk
976. 밤 - Nacht
977. 시험 - Test
978. 결과 - Ergebnis
979. 발표 - Durchsage
980. 높은 - hoch
981. 건강 - Gesundheit
982. 여행 - Reisen
983. 날씨 - Wetter
984. 메시지 - Nachricht
985. 넣다 - zum Einfügen
986. 나는 상자에 사진을 넣었다. - Ich habe das Foto in den Kasten gelegt.
987. 너는 지금 서류를 파일에 넣는다. - Du legst die Papiere jetzt in den Ordner.
988. 우리는 내일 책을 책장에 넣을 것이다. - Die Bücher stellen wir morgen in das Regal.
989. 그들은 어디에 넣었나요? - Wo haben sie sie hingelegt?
990. 그들은 서랍에 넣었어요. - Sie haben sie in die Schublade gelegt.
991. 버리다 - wegwerfen
992. 나는 오래된 신문을 버렸다. - Ich habe die alte Zeitung weggeworfen.
993. 너는 지금 깨진 컵을 버린다. - Du wirfst jetzt die zerbrochene Tasse weg.
994. 그는 내일 불필요한 물건을 버릴 것이다. - Er wird morgen unnötige Dinge wegwerfen.

995. 그녀는 왜 그것을 버렸나요? - Warum hat sie es weggeworfen?
996. 그녀는 필요 없어서 버렸어요. - Sie hat sie weggeworfen, weil sie sie nicht mehr brauchte.
997. 차리다 - Den Tisch zu decken
998. 나는 저녁 식탁을 차렸다. - Ich habe den Tisch für das Abendessen gedeckt.
999. 너는 지금 아침 식사를 차린다. - Du deckst jetzt den Tisch für das Frühstück.
1000. 우리는 내일 파티를 위해 테이블을 차릴 것이다. - Wir decken morgen den Tisch für die Party.
1001. 그들은 언제 식탁을 차렸나요? - Wann haben sie den Tisch gedeckt?
1002. 그들은 방금 차렸어요. - Sie haben gerade den Tisch gedeckt.
1003. 치우다 - aufräumen
1004. 나는 파티 후에 정리를 했다. - Ich habe nach der Party aufgeräumt.
1005. 너는 지금 책상을 치운다. - Du räumst jetzt den Tisch auf.
1006. 그녀는 내일 방을 치울 것이다. - Sie wird morgen ihr Zimmer aufräumen.
1007. 그들은 무엇을 치웠나요? - Was haben sie weggeräumt?
1008. 그들은 장난감을 치웠어요. - Sie haben die Spielsachen weggeräumt.
1009. 빌리다 - Ausleihen
1010. 나는 친구에게 책을 빌렸다. - Ich habe mir ein Buch von einem Freund ausgeliehen.
1011. 너는 지금 연필을 빌린다. - Du leihst dir jetzt einen Bleistift aus.
1012. 우리는 내일 텐트를 빌릴 것이다. - Wir werden morgen das Zelt ausleihen.
1013. 그녀는 누구에게 빌렸나요? - Von wem hat sie sich etwas geliehen?
1014. 그녀는 선생님에게 빌렸어요. - Sie hat sich von ihrem Lehrer etwas geliehen.
1015. 갚다 - zurückzahlen
1016. 나는 친구에게 돈을 갚았다. - Ich habe das Geld an meinen Freund zurückgezahlt.
1017. 너는 지금 빌린 책을 갚는다. - Du zahlst das geliehene Buch jetzt zurück.
1018. 그는 내일 빌린 도구를 갚을 것이다. - Er wird das geliehene

Werkzeug morgen zurückzahlen.
1019. 그들은 언제 갚을까요? - Wann werden sie es zurückzahlen?
1020. 그들은 내일 갚을 거예요. - Sie werden es morgen zurückzahlen.
1021. 놀라다 - überrascht sein
1022. 나는 소식에 놀랐다. - Ich war von der Nachricht überrascht.
1023. 너는 지금 갑작스러운 소리에 놀란다. - Du bist jetzt von dem plötzlichen Geräusch überrascht.
1024. 그녀는 내일 깜짝 선물에 놀랄 것이다. - Sie wird morgen von der Überraschung überrascht sein.
1025. 그는 왜 놀랐나요? - Warum war er überrascht?
1026. 그는 선물을 받아서 놀랐어요. - Er war überrascht, als er das Geschenk erhielt.
1027. 두렵다 - zu erschrocken
1028. 나는 어두운 밤이 두려웠다. - Ich hatte Angst vor der dunklen Nacht.
1029. 너는 지금 시험 결과가 두렵다. - Du hast jetzt Angst vor den Prüfungsergebnissen.
1030. 우리는 내일 발표가 두려울 것이다. - Wir werden uns vor der Präsentation morgen fürchten.
1031. 그녀는 무엇이 두렵나요? - Wovor hat sie Angst?
1032. 그녀는 높은 곳이 두려워요. - Sie hat Höhenangst.
1033. 걱정하다 - sich Sorgen machen
1034. 나는 시험 결과를 걱정했다. - Ich habe mir Sorgen um die Prüfungsergebnisse gemacht.
1035. 너는 친구의 건강을 걱정한다. - Du machst dir Sorgen um die Gesundheit deines Freundes.
1036. 그는 여행의 날씨를 걱정할 것이다. - Er wird sich wegen des Wetters auf seiner Reise Sorgen machen.
1037. 걱정이 많나요? - Machst du dir oft Sorgen?
1038. 네, 걱정이 많아요. - Ja, ich mache mir viele Sorgen.
1039. 안심하다 - Erleichtert sein
1040. 나는 메시지를 받고 안심했다. - Ich war erleichtert, als ich die Nachricht erhielt.
1041. 너는 결과를 듣고 안심한다. - Sie sind erleichtert, das Ergebnis zu erfahren.

1042. 그녀는 확인 후 안심할 것이다. - Sie wird nach der Überprüfung erleichtert sein.
1043. 안심됐나요? - Sind Sie erleichtert?
1044. 네, 안심됐어요. - Ja, ich bin erleichtert.
1045. 11. 명사 단어들 외우기, 필수 10개 동사의 단어들을 가지고 50문장 연습하기 - 11. Lernen Sie Substantivwörter auswendig, üben Sie 50 Sätze mit den 10 wichtigsten Verbwörtern
1046. 실수 - Fehler
1047. 지연 - Verspätung
1048. 문제 - Problem
1049. 친구 - Freund
1050. 아이 - Kind
1051. 동료 - Arbeitskollege
1052. 동생 - Geschwister
1053. 졸업 - Abschlussfeier
1054. 생일 - Geburtstag
1055. 성공 - Erfolg
1056. 도움 - Hilfe
1057. 선생님 - Lehrer
1058. 지원 - Unterstützung
1059. 오해 - Missverständnis
1060. 잘못 - falsch
1061. 서류 - Dokument
1062. 파일 - Datei
1063. 책 - Buch
1064. 책장 - Bücherregal
1065. 돈 - Geld
1066. 저금통 - Sparschwein
1067. 그릇 - Schale
1068. 신문 - Zeitung
1069. 옷 - Kleidung
1070. 저녁 - Abendessen
1071. 식탁 - Esstisch
1072. 아침 - Frühstück

1073. 식사 - Mahlzeit
1074. 파티 - Party
1075. 테이블 - Tisch
1076. 화내다 - wütend werden
1077. 나는 실수를 하고 화냈다. - Ich habe einen Fehler gemacht und bin wütend geworden.
1078. 너는 지연에 화낸다. - Sie sind wütend über die Verzögerung.
1079. 그들은 문제를 보고 화낼 것이다. - Sie werden das Problem sehen und wütend sein.
1080. 화났나요? - Sind Sie wütend?
1081. 네, 화났어요. - Ja, ich bin wütend.
1082. 달래다 - Zur Besänftigung
1083. 나는 친구를 달랬다. - Ich habe meinen Freund besänftigt.
1084. 너는 아이를 달랜다. - Du wirst das Kind besänftigen.
1085. 그녀는 동료를 달랠 것이다. - Sie wird ihre Kollegin besänftigen.
1086. 달랐나요? - War es anders?
1087. 네, 달랐어요. - Ja, es war anders.
1088. 축하하다 - Zu feiern
1089. 나는 동생의 졸업을 축하했다. - Ich habe meinem Bruder zu seinem Abschluss gratuliert.
1090. 너는 친구의 생일을 축하한다. - Du feierst den Geburtstag deines Freundes.
1091. 우리는 성공을 축하할 것이다. - Wir werden unseren Erfolg feiern.
1092. 축하할까요? - Sollen wir feiern?
1093. 네, 축하해요. - Ja, lasst uns feiern.
1094. 감사하다 - Dankbar sein
1095. 나는 도움을 받고 감사했다. - Man hat mir geholfen und mir gedankt.
1096. 너는 선생님께 감사한다. - Sie sind Ihrem Lehrer dankbar.
1097. 그들은 지원에 감사할 것이다. - Sie werden dankbar sein für die Unterstützung.
1098. 감사해요? - Sind Sie dankbar?
1099. 네, 감사해요. - Ja, ich bin dankbar.
1100. 사과하다 - Sich entschuldigen

1101. 나는 실수에 대해 사과했다. - Ich habe mich für meinen Fehler entschuldigt.
1102. 너는 지각에 대해 사과한다. - Sie entschuldigen sich für Ihr Zuspätkommen.
1103. 그는 오해에 대해 사과할 것이다. - Er wird sich für das Missverständnis entschuldigen.
1104. 사과할까요? - Soll ich mich entschuldigen?
1105. 네, 사과해요. - Ja, ich entschuldige mich.
1106. 용서하다 - Verzeihen
1107. 나는 친구의 실수를 용서했다. - Ich habe meinem Freund für seinen Fehler vergeben.
1108. 너는 그의 잘못을 용서한다. - Du vergibst ihm seinen Fehler.
1109. 그녀는 오해를 용서할 것이다. - Sie wird das Missverständnis verzeihen.
1110. 용서할까요? - Sollen wir verzeihen?
1111. 네, 용서해요. - Ja, ich vergebe.
1112. 선물하다 - Ein Geschenk machen
1113. 나는 친구에게 선물을 했다. - Ich habe meinem Freund ein Geschenk gemacht.
1114. 너는 선생님께 선물한다. - Du schenkst deiner Lehrerin ein Geschenk.
1115. 그들은 기념일에 선물할 것이다. - Sie werden an ihrem Jahrestag ein Geschenk machen.
1116. 선물할까요? - Soll ich ein Geschenk machen?
1117. 네, 선물해요. - Ja, ich schenke ein Geschenk.
1118. 넣다 - Ablegen
1119. 나는 서류를 파일에 넣었다. - Ich lege die Papiere in den Ordner.
1120. 너는 책을 책장에 넣는다. - Du stellst die Bücher in das Regal.
1121. 그는 돈을 저금통에 넣을 것이다. - Er wird das Geld in das Sparschwein legen.
1122. 넣을까요? - Soll ich es reintun?
1123. 네, 넣어요. - Ja, tu es hinein.
1124. 버리다 - Wegwerfen
1125. 나는 깨진 그릇을 버렸다. - Ich habe die zerbrochene Schüssel

weggeworfen.
1126. 너는 오래된 신문을 버린다. - Du wirfst die alte Zeitung weg.
1127. 그녀는 사용하지 않는 옷을 버릴 것이다. - Sie wird die Kleidung wegwerfen, die sie nicht mehr braucht.
1128. 버릴까요? - Sollen wir sie wegwerfen?
1129. 네, 버려요. - Ja, wirf sie weg.
1130. 차리다 - Den Tisch zu decken
1131. 나는 저녁 식탁을 차렸다. - Ich decke den Tisch für das Abendessen.
1132. 너는 아침 식사를 차린다. - Du deckst den Tisch für das Frühstück.
1133. 우리는 파티를 위해 테이블을 차릴 것이다. - Wir werden den Tisch für die Party decken.
1134. 차릴까요? - Sollen wir den Tisch decken?
1135. 네, 차려요. - Ja, lasst uns den Tisch decken.
1136. 12. 명사 단어들 외우기, 필수 10개 동사의 단어들을 가지고 50문장 연습하기 - 12. Lernen Sie die Substantivwörter auswendig, üben Sie 50 Sätze mit den Wörtern der 10 wichtigsten Verben
1137. 저녁 - Abendessen
1138. 식사 - Mahlzeit
1139. 방 - Zimmer
1140. 책상 - Schreibtisch
1141. 이웃 - Nachbar
1142. 사다리 - leiter
1143. 친구 - Freund
1144. 책 - Buch
1145. 차 - Auto
1146. 빚 - Schulden
1147. 은행 - Bank
1148. 대출 - Darlehen
1149. 돈 - Geld
1150. 소식 - Nachrichten
1151. 소리 - klingen
1152. 발표 - Ankündigung
1153. 어둠 - Dunkelheit
1154. 높이 - Höhe

1155. 실패 - Misserfolg
1156. 시험 - Test
1157. 결과 - Ergebnisse
1158. 여행 - Reise
1159. 계획 - Planung
1160. 답장 - Antwort
1161. 확인 - prüfen
1162. 해결 - lösen
1163. 지각 - Verspätung
1164. 실수 - Fehler
1165. 지연 - Verspätung
1166. 아이 - Kind
1167. 동료 - Mitarbeiter
1168. 승진 - Beförderung
1169. 성공 - Erfolg
1170. 기념일 - Jahrestag
1171. 치우다 - zum Aufräumen
1172. 나는 저녁 식사 후에 정리했다. - Ich habe nach dem Essen aufgeräumt.
1173. 너는 방을 치운다. - Du räumst dein Zimmer auf.
1174. 그는 책상을 치울 것이다. - Er wird den Schreibtisch aufräumen.
1175. 치울까요? - Soll ich ihn wegstellen?
1176. 네, 치워요. - Ja, räumen Sie ihn weg.
1177. 빌리다 - Ausleihen
1178. 나는 이웃에게 사다리를 빌렸다. - Ich habe mir eine Leiter von meinem Nachbarn geliehen.
1179. 너는 친구에게 책을 빌린다. - Sie leihen sich ein Buch von einem Freund.
1180. 그들은 차를 빌릴 것이다. - Sie werden das Auto ausleihen.
1181. 빌릴까요? - Soll ich es ausleihen?
1182. 네, 빌려요. - Ja, leihen wir uns.
1183. 갚다 - Zurückzahlen
1184. 나는 친구에게 빚을 갚았다. - Ich habe meine Schulden bei meinem Freund zurückgezahlt.

1185. 너는 은행에 대출을 갚는다. - Du zahlst den Kredit an die Bank zurück.
1186. 그는 돈을 갚을 것이다. - Er wird das Geld zurückzahlen.
1187. 갚을까요? - Soll ich ihm das Geld zurückzahlen?
1188. 네, 갚아요. - Ja, ich werde es zurückzahlen.
1189. 놀라다 - Überrascht sein
1190. 나는 소식을 듣고 놀랐다. - Ich war überrascht, als ich die Nachricht hörte.
1191. 너는 갑작스러운 소리에 놀란다. - Du bist von dem plötzlichen Geräusch überrascht.
1192. 그녀는 발표를 듣고 놀랄 것이다. - Sie wird überrascht sein, die Ankündigung zu hören.
1193. 놀랐나요? - Sind Sie überrascht?
1194. 네, 놀랐어요. - Ja, ich war überrascht.
1195. 두렵다 - zu erschrocken
1196. 나는 어둠이 두려웠다. - Ich hatte Angst vor der Dunkelheit.
1197. 너는 높이가 두렵다. - Sie haben Angst vor der Höhe.
1198. 그들은 실패가 두려울 것이다. - Sie haben Angst vor dem Versagen.
1199. 두려워요? - Haben Sie Angst?
1200. 네, 두려워요. - Ja, ich habe Angst.
1201. 걱정하다 - sich zu sorgen
1202. 나는 시험을 걱정했다. - Ich habe mir Sorgen wegen der Prüfung gemacht.
1203. 너는 결과를 걱정한다. - Sie machen sich Sorgen über die Ergebnisse.
1204. 그는 여행 계획을 걱정할 것이다. - Er wird sich Sorgen um seine Reisepläne machen.
1205. 걱정이 많으세요? - Machst du dir viele Sorgen?
1206. 아니요, 조금요. - Nein, ein wenig.
1207. 안심하다 - Erleichtert sein
1208. 나는 답장을 받고 안심했다. - Ich war erleichtert, eine Antwort zu erhalten.
1209. 너는 확인하고 안심한다. - Sie sind erleichtert, eine Bestätigung zu erhalten.

1210. 그녀는 해결되면 안심할 것이다. - Sie wird erleichtert sein, wenn die Sache geklärt ist.
1211. 안심됐어요? - Sind Sie erleichtert?
1212. 네, 안심됐어요. - Ja, ich bin erleichtert.
1213. 화내다 - verärgert sein
1214. 나는 지각에 화냈다. - Ich bin wütend über die Verspätung.
1215. 너는 실수에 화낸다. - Sie sind wütend über den Fehler.
1216. 그는 지연에 화낼 것이다. - Er wird über die Verspätung verärgert sein.
1217. 화낼 거예요? - Wirst du wütend sein?
1218. 아니요, 안 화낼래요. - Nein, ich werde nicht wütend sein.
1219. 달래다 - Besänftigen
1220. 나는 울던 아이를 달랬다. - Ich habe das weinende Kind besänftigt.
1221. 너는 친구를 달랜다. - Du wirst deine Freundin trösten.
1222. 그녀는 동료를 달랠 것이다. - Sie wird ihre Kollegin beruhigen.
1223. 달랠 수 있어요? - Kannst du besänftigen?
1224. 네, 달랠게요. - Ja, ich werde besänftigen.
1225. 축하하다 - Zu feiern
1226. 나는 승진을 축하했다. - Ich habe meine Beförderung gefeiert.
1227. 너는 성공을 축하한다. - Du feierst deinen Erfolg.
1228. 우리는 기념일을 축하할 것이다. - Wir werden unseren Jahrestag feiern.
1229. 축하해줄까요? - Soll ich dir gratulieren?
1230. 네, 축하해요. - Ja, lass uns feiern.
1231. 13. 명사 단어들 외우기, 필수 10개 동사의 단어들을 가지고 50문장 연습하기 - 13. Nomen auswendig lernen, 50 Sätze mit den 10 wichtigsten Verben üben
1232. 도움 - helfen
1233. 지원 - unterstützen
1234. 협력 - Zusammenarbeit
1235. 잘못 - falsch
1236. 실수 - Fehler
1237. 오해 - Missverständnis
1238. 거짓말 - Lüge

1239. 생일 - Geburtstag
1240. 선물 - Geschenk
1241. 졸업 - Absolvent
1242. 책 - Buch
1243. 운동 - Training
1244. 여행지 - Reiseziel
1245. 조언 - Beratung
1246. 조용 - ruhig
1247. 정리 - organisieren
1248. 제출 - einreichen
1249. 흡연 - Rauchen
1250. 출입 - kommen und gehen
1251. 사용 - benutzen
1252. 요청 - anfordern
1253. 출발 - abreisen
1254. 참여 - Teilnahme
1255. 제안 - Vorschlag
1256. 초대 - einladen
1257. 감사하다 - Danke
1258. 나는 도움에 감사했다. - Ich bin dankbar für die Hilfe.
1259. 너는 지원에 감사한다. - Sie sind dankbar für die Unterstützung.
1260. 그들은 협력에 감사할 것이다. - Sie würden die Zusammenarbeit zu schätzen wissen.
1261. 감사드려도 돼요? - Darf ich mich bei Ihnen bedanken?
1262. 네, 감사해요. - Ja, ich danke Ihnen.
1263. 사과하다 - sich zu entschuldigen
1264. 나는 잘못을 사과했다. - Ich habe mich für meinen Fehler entschuldigt.
1265. 너는 늦은 것에 사과한다. - Sie entschuldigen sich für Ihre Verspätung.
1266. 그는 실수에 대해 사과할 것이다. - Er wird sich für seinen Fehler entschuldigen.
1267. 사과해야 하나요? - Soll ich mich entschuldigen?
1268. 네, 사과하세요. - Ja, entschuldigen Sie sich.

1269. 용서하다 - Verzeihen
1270. 나는 실수를 용서했다. - Ich vergebe den Fehler.
1271. 너는 오해를 용서한다. - Du verzeihst das Missverständnis.
1272. 그녀는 거짓말을 용서할 것이다. - Sie wird die Lüge verzeihen.
1273. 용서해줄 수 있어요? - Kannst du mir verzeihen?
1274. 네, 용서해요. - Ja, ich vergebe dir.
1275. 선물하다 - Ein Geschenk machen
1276. 나는 생일 선물을 했다. - Ich habe ein Geburtstagsgeschenk gemacht.
1277. 너는 감사의 표시로 선물한다. - Man macht ein Geschenk als Zeichen der Dankbarkeit.
1278. 우리는 졸업 선물을 할 것이다. - Wir schenken ein Geschenk zum Schulabschluss.
1279. 선물 좋아하세요? - Magst du Geschenke?
1280. 네, 좋아해요. - Ja, ich mag sie.
1281. 권하다 - Empfehlen
1282. 나는 책을 권했다. - Ich habe ein Buch empfohlen.
1283. 너는 운동을 권한다. - Du empfiehlst Sport zu treiben.
1284. 그는 여행지를 권할 것이다. - Er wird ein Reiseziel empfehlen.
1285. 추천해줄까요? - Möchten Sie, dass ich etwas empfehle?
1286. 네, 추천해주세요. - Ja, bitte empfehlen Sie.
1287. 요청하다 - Um etwas zu bitten
1288. 나는 도움을 요청했다. - Ich habe um Hilfe gebeten.
1289. 너는 조언을 요청한다. - Sie bitten um Rat.
1290. 그들은 지원을 요청할 것이다. - Sie werden um Unterstützung bitten.
1291. 도와달라고 할까요? - Soll ich um Hilfe bitten?
1292. 네, 부탁해요. - Ja, bitte.
1293. 명령하다 - Zu befehlen
1294. 나는 조용히 할 것을 명령했다. - Ich habe Ihnen befohlen, still zu sein.
1295. 너는 정리를 명령한다. - Sie werden angewiesen, aufzuräumen.
1296. 그녀는 제출을 명령할 것이다. - Sie wird Ihnen befehlen, es abzugeben.
1297. 명령할게요? - Willst du, dass ich dir befehle?

1298. 아니요, 괜찮아요. - Nein, danke.
1299. 금지하다 - zu verbieten
1300. 나는 흡연을 금지했다. - Ich habe das Rauchen verboten.
1301. 너는 출입을 금지한다. - Der Zutritt ist Ihnen verboten.
1302. 그들은 사용을 금지할 것이다. - Sie werden den Gebrauch verbieten.
1303. 금지된 건가요? - Ist es verboten?
1304. 네, 금지예요. - Ja, es ist verboten.
1305. 허락하다 - Erlaubnis erteilen
1306. 나는 요청을 허락했다. - Ich habe der Bitte entsprochen.
1307. 너는 출발을 허락한다. - Ihr dürft gehen.
1308. 우리는 참여를 허락할 것이다. - Wir werden die Erlaubnis zur Teilnahme erteilen.
1309. 허락될까요? - Darf ich mitmachen?
1310. 네, 허락돼요. - Ja, Sie dürfen gehen.
1311. 거절하다 - ablehnen
1312. 나는 제안을 거절했다. - Ich habe das Angebot abgelehnt.
1313. 너는 초대를 거절한다. - Sie lehnen die Einladung ab.
1314. 그는 요청을 거절할 것이다. - Er wird die Bitte ablehnen.
1315. 거절해도 돼요? - Ist es in Ordnung, abzulehnen?
1316. 네, 괜찮아요. - Ja, es ist in Ordnung.
1317. 14. 명사 단어들 외우기, 필수 10개 동사의 단어들을 가지고 50문장 연습하기 - 14. Nomen auswendig lernen, 50 Sätze mit den 10 wichtigsten Verben üben
1318. 계획 - planen
1319. 의견 - Meinung
1320. 제안 - Vorschlag
1321. 결정 - Entscheidung
1322. 방침 - Politik
1323. 정책 - Politik
1324. 새벽 - Dämmerung
1325. 직원 - Mitarbeiter
1326. 파트너 - Partner
1327. 규칙 - regel
1328. 방법 - methode

1329. 절차 - verfahren
1330. 여행 - Reise
1331. 미래 - Zukunft
1332. 꿈 - träumen
1333. 경험 - erleben
1334. 상황 - Situation
1335. 권리 - rechts
1336. 입장 - Eingang
1337. 문제 - Problem
1338. 해결책 - Lösung
1339. 중요성 - Bedeutung
1340. 필요성 - Notwendigkeit
1341. 안전 - Sicherheit
1342. 동의하다 - Einverstanden
1343. 나는 계획에 동의했다. - Ich bin mit dem Plan einverstanden.
1344. 너는 의견에 동의한다. - Sie stimmen mit der Stellungnahme überein.
1345. 그녀는 제안에 동의할 것이다. - Sie wird dem Vorschlag zustimmen.
1346. 동의할 수 있나요? - Können Sie zustimmen?
1347. 네, 동의해요. - Ja, ich stimme zu.
1348. 반대하다 - Einspruch erheben
1349. 나는 결정에 반대했다. - Ich bin gegen die Entscheidung.
1350. 너는 방침에 반대한다. - Sie sind gegen die Politik.
1351. 우리는 정책에 반대할 것이다. - Wir werden uns der Politik widersetzen.
1352. 반대해야 하나요? - Soll ich Einspruch erheben?
1353. 아니요, 고민해보세요. - Nein, überlegen Sie es sich.
1354. 인사하다 - Zu grüßen
1355. 나는 새벽에 인사했다. - Ich habe bei Tagesanbruch gegrüßt.
1356. 너는 도착하자마자 인사한다. - Du grüßt bei der Ankunft.
1357. 그들은 만날 때 인사할 것이다. - Sie werden grüßen, wenn sie sich treffen.
1358. 인사드려도 될까요? - Darf ich "Hallo" sagen?
1359. 네, 인사하세요. - Ja, bitte grüßen Sie.
1360. 소개하다 - vorstellen

1361. 나는 친구를 소개했다. - Ich habe meinen Freund vorgestellt.
1362. 너는 새 직원을 소개한다. - Du stellst den neuen Mitarbeiter vor.
1363. 그는 파트너를 소개할 것이다. - Er wird seinen Partner vorstellen.
1364. 소개시켜줄까요? - Soll ich Sie vorstellen?
1365. 네, 소개해주세요. - Ja, bitte stellen Sie mich vor.
1366. 설명하다 - zu erklären
1367. 나는 규칙을 설명했다. - Ich habe die Regeln erklärt.
1368. 너는 방법을 설명한다. - Sie erklären die Methode.
1369. 그녀는 절차를 설명할 것이다. - Sie wird das Verfahren erklären.
1370. 설명해드릴까요? - Möchten Sie, dass ich es erkläre?
1371. 네, 부탁해요. - Ja, bitte.
1372. 이야기하다 - darüber sprechen
1373. 나는 여행에 대해 이야기했다. - Ich habe über die Reise gesprochen.
1374. 너는 계획에 대해 이야기한다. - Sie sprechen über Pläne.
1375. 우리는 미래에 대해 이야기할 것이다. - Wir werden über die Zukunft sprechen.
1376. 이야기해볼까요? - Sollen wir reden?
1377. 네, 해봐요. - Ja, lass uns das tun.
1378. 묘사하다 - Beschreiben
1379. 나는 꿈을 묘사했다. - Ich habe einen Traum beschrieben.
1380. 너는 경험을 묘사한다. - Du beschreibst ein Erlebnis.
1381. 그는 상황을 묘사할 것이다. - Er wird eine Situation beschreiben.
1382. 묘사해줄 수 있어요? - Können Sie es beschreiben?
1383. 네, 묘사할게요. - Ja, ich werde sie beschreiben.
1384. 주장하다 - Behaupten
1385. 나는 의견을 주장했다. - Ich habe eine Meinung behauptet.
1386. 너는 권리를 주장한다. - Du behauptest ein Recht.
1387. 그녀는 입장을 주장할 것이다. - Sie wird eine Position behaupten.
1388. 주장할 건가요? - Werden Sie etwas behaupten?
1389. 네, 주장할래요. - Ja, ich werde etwas behaupten.
1390. 논의하다 - Diskutieren
1391. 나는 문제를 논의했다. - Ich habe das Problem besprochen.
1392. 너는 계획을 논의한다. - Sie besprechen den Plan.
1393. 우리는 해결책을 논의할 것이다. - Wir werden die Lösung diskutieren.

1394. 논의해볼까요? - Sollen wir diskutieren?
1395. 네, 논의합시다. - Ja, besprechen wir es.
1396. 강조하다 - betonen
1397. 나는 중요성을 강조했다. - Ich betone die Wichtigkeit.
1398. 너는 필요성을 강조한다. - Sie betonen die Notwendigkeit.
1399. 그들은 안전을 강조할 것이다. - Sie werden die Sicherheit betonen.
1400. 강조해야 할까요? - Sollen wir betonen?
1401. 네, 강조하세요. - Ja, betonen.
1402. 15. 명사 단어들 외우기, 필수 10개 동사의 단어들을 가지고 50문장 연습하기 - 15. Prägen Sie sich die Substantivwörter ein, üben Sie 50 Sätze mit den Wörtern der 10 wichtigsten Verben
1403. 지각 - verspätet
1404. 실수 - Fehler
1405. 불참 - Nichterscheinen
1406. 자료 - Daten
1407. 책 - Buch
1408. 문서 - Dokument
1409. 데이터 - Daten
1410. 결과 - Ergebnis
1411. 추세 - Tendenzen
1412. 길이 - Länge
1413. 무게 - Gewicht
1414. 온도 - Temperatur
1415. 날씨 - Wetter
1416. 경기 - Spiel
1417. 스코어 - Spielstand
1418. 문제 - Problem
1419. 논의 - Argument
1420. 회의 - Treffen
1421. 식당 - Restaurant
1422. 영화 - Film
1423. 여행지 - Reiseziel
1424. 프로젝트 - Projekt
1425. 성능 - Leistung

1426. 보고서 - Bericht
1427. 계약서 - Vertrag
1428. 제안 - Vorschlag
1429. 약속 - Zusage
1430. 시간 - Stunde
1431. 주소 - Adresse
1432. 예약 - Reservierung
1433. 변명하다 - zu entschuldigen
1434. 나는 지각에 대해 변명했다. - Ich habe mich entschuldigt, weil ich zu spät gekommen bin.
1435. 너는 실수에 대해 변명한다. - Du entschuldigst dich für deine Fehler.
1436. 그는 불참에 대해 변명할 것이다. - Er wird sich für seine Abwesenheit entschuldigen.
1437. 변명할까요? - Soll ich eine Entschuldigung vorbringen?
1438. 아니요, 솔직히 말해요. - Nein, seien Sie ehrlich.
1439. 분류하다 - Kategorisieren
1440. 나는 자료를 분류했다. - Ich habe die Materialien sortiert.
1441. 너는 책을 분류한다. - Du sortierst die Bücher.
1442. 그녀는 문서를 분류할 것이다. - Sie wird die Dokumente kategorisieren.
1443. 분류해야 하나요? - Muss ich kategorisieren?
1444. 네, 분류해주세요. - Ja, bitte kategorisieren Sie.
1445. 분석하다 - Analysieren
1446. 나는 데이터를 분석했다. - Ich habe die Daten analysiert.
1447. 너는 결과를 분석한다. - Du analysierst die Ergebnisse.
1448. 우리는 추세를 분석할 것이다. - Wir werden den Trend analysieren.
1449. 분석할까요? - Sollen wir analysieren?
1450. 네, 분석해 주세요. - Ja, bitte analysieren Sie.
1451. 측정하다 - Messen
1452. 나는 길이를 측정했다. - Ich habe die Länge gemessen.
1453. 너는 무게를 측정한다. - Du misst das Gewicht.
1454. 그는 온도를 측정할 것이다. - Er wird die Temperatur messen.
1455. 크기 확인할까요? - Willst du die Größe überprüfen?
1456. 네, 확인해 주세요. - Ja, bitte prüfen Sie.

1457. 예측하다 - Vorhersagen
1458. 나는 날씨를 예측했다. - Ich habe das Wetter vorhergesagt.
1459. 너는 결과를 예측한다. - Sie sagen das Ergebnis voraus.
1460. 그녀는 경기 스코어를 예측할 것이다. - Sie wird das Ergebnis des Spiels vorhersagen.
1461. 미래 맞출 수 있나요? - Können Sie die Zukunft vorhersagen?
1462. 아마도 가능할 거예요. - Sie können es wahrscheinlich.
1463. 결론내다 - Abschließen
1464. 나는 문제의 결론을 내렸다. - Ich habe das Problem abgeschlossen.
1465. 너는 논의를 결론짓는다. - Sie schließen die Diskussion ab.
1466. 우리는 회의를 결론낼 것이다. - Wir werden die Sitzung abschließen.
1467. 결론은 뭐예요? - Wie lautet die Schlussfolgerung?
1468. 곧 결정할 거예요. - Wir werden bald entscheiden.
1469. 추천하다 - Empfehlen
1470. 나는 좋은 식당을 추천했다. - Ich habe ein gutes Restaurant empfohlen.
1471. 너는 영화를 추천한다. - Sie empfehlen einen Film.
1472. 그들은 여행지를 추천할 것이다. - Sie werden ein Reiseziel empfehlen.
1473. 어디 가볼까요? - Wohin sollen wir gehen?
1474. 이곳 추천해요. - Ich empfehle diesen Ort.
1475. 평가하다 - Zu bewerten
1476. 나는 프로젝트를 평가했다. - Ich habe ein Projekt bewertet.
1477. 너는 성능을 평가한다. - Sie bewerten die Leistung.
1478. 당신들은 결과를 평가할 것이다. - Sie werden die Ergebnisse bewerten.
1479. 어떻게 생각해요? - Was denken Sie?
1480. 잘 했어요. - Gut gemacht.
1481. 검토하다 - Überprüfen
1482. 나는 보고서를 검토했다. - Ich habe den Bericht geprüft.
1483. 너는 계약서를 검토한다. - Sie werden den Vertrag prüfen.
1484. 그는 제안을 검토할 것이다. - Er wird den Vorschlag prüfen.
1485. 다시 볼까요? - Sollen wir ihn uns noch einmal ansehen?
1486. 네, 확인해요. - Ja, lass uns nachsehen.
1487. 확인하다 - zu bestätigen

1488. 나는 약속 시간을 확인했다. - Ich habe die Uhrzeit des Termins bestätigt.
1489. 너는 주소를 확인한다. - Sie bestätigen die Adresse.
1490. 그녀는 예약을 확인할 것이다. - Sie wird den Termin bestätigen.
1491. 맞는지 봐줄래요? - Können Sie nachsehen, ob es richtig ist?
1492. 네, 볼게요. - Ja, ich werde nachsehen.
1493. 16. 명사 단어들 외우기, 필수 10개 동사의 단어들을 가지고 50문장 연습하기 - 16. Lernen Sie Substantive auswendig, üben Sie 50 Sätze mit den Wörtern der 10 wichtigsten Verben
1494. 카페 - Cafe
1495. 비밀 - Geheimnis
1496. 보물 - Schatz
1497. 별 - Stern
1498. 행동 - Aktion
1499. 자연 - Natur
1500. 실수 - Irrtum
1501. 장점 - Stärke
1502. 성과 - Errungenschaft
1503. 의견 - Meinung
1504. 규칙 - Herrschaft
1505. 문화 - Kultur
1506. 친구 - Freund
1507. 선생님 - Lehrer
1508. 고객 - Kunde
1509. 메시지 - Nachricht
1510. 소식 - Nachrichten
1511. 선물 - Geschenk
1512. 결과 - Ergebnis
1513. 상황 - Lage
1514. 진행 - Fortschritt
1515. 질문 - Frage
1516. 요청 - Anfragen
1517. 초대 - Einladen
1518. 놀람 - Überraschen

1519. 기쁨 - Freude
1520. 감사함 - Dankbarkeit
1521. 문제 - Problem
1522. 도전 - Herausforderung
1523. 위기 - Krise
1524. 발견하다 - zu entdecken
1525. 나는 새로운 카페를 발견했다. - Ich habe ein neues Cafe entdeckt.
1526. 너는 비밀을 발견한다. - Sie entdecken ein Geheimnis.
1527. 그들은 보물을 발견할 것이다. - Sie werden einen Schatz entdecken.
1528. 뭔가 찾았어요? - Haben Sie etwas gefunden?
1529. 네, 발견했어요. - Ja, ich habe es gefunden.
1530. 관찰하다 - zu beobachten
1531. 나는 별을 관찰했다. - Ich habe die Sterne beobachtet.
1532. 너는 행동을 관찰한다. - Sie beobachten das Verhalten.
1533. 우리는 자연을 관찰할 것이다. - Wir werden die Natur beobachten.
1534. 봐도 돼요? - Darf ich beobachten?
1535. 네, 같이 봐요. - Ja, lass uns gemeinsam beobachten.
1536. 인정하다 - zugeben
1537. 나는 실수를 인정했다. - Ich habe meinen Fehler zugegeben.
1538. 너는 장점을 인정한다. - Du erkennst Verdienste an.
1539. 그녀는 성과를 인정할 것이다. - Sie wird Leistungen anerkennen.
1540. 맞아요? - Ist das richtig?
1541. 네, 인정해요. - Ja, ich gebe es zu.
1542. 존중하다 - zu respektieren
1543. 나는 상대방의 의견을 존중했다. - Ich respektiere die Meinung der anderen Person.
1544. 너는 규칙을 존중한다. - Du wirst die Regeln respektieren.
1545. 우리는 문화를 존중할 것이다. - Wir werden die Kultur respektieren.
1546. 존중하는 거 맞죠? - Wir sind respektvoll, richtig?
1547. 네, 맞아요. - Ja, das sind wir.
1548. 연락하다 - Kontakt aufnehmen
1549. 나는 친구에게 연락했다. - Ich habe meinen Freund kontaktiert.
1550. 너는 선생님에게 연락한다. - Du wirst deinen Lehrer kontaktieren.
1551. 그들은 고객에게 연락할 것이다. - Sie werden den Kunden

kontaktieren.
1552. 연락할까요? - Soll ich sie kontaktieren?
1553. 네, 해주세요. - Ja, bitte.
1554. 전달하다 - Weiterleiten
1555. 나는 메시지를 전달했다. - Ich habe die Nachricht weitergeleitet.
1556. 너는 소식을 전달한다. - Sie überbringen die Nachricht.
1557. 그녀는 선물을 전달할 것이다. - Sie wird das Geschenk überbringen.
1558. 전해드려야 하나요? - Soll ich es überbringen?
1559. 네, 부탁해요. - Ja, bitte.
1560. 보고하다 - Berichten
1561. 나는 결과를 보고했다. - Ich habe die Ergebnisse gemeldet.
1562. 너는 상황을 보고한다. - Sie berichten über die Situation.
1563. 당신들은 진행 상황을 보고할 것이다. - Sie werden über den Fortschritt berichten.
1564. 알려줘야 해요? - Soll ich Ihnen Bescheid geben?
1565. 네, 알려주세요. - Ja, bitte lassen Sie es mich wissen.
1566. 회답하다 - zu beantworten
1567. 나는 질문에 회답했다. - Ich habe die Frage beantwortet.
1568. 너는 요청에 회답한다. - Sie werden auf die Anfrage antworten.
1569. 그는 초대에 회답할 것이다. - Er wird auf die Einladung antworten.
1570. 답할 수 있어요? - Können Sie antworten?
1571. 네, 할게요. - Ja, ich werde antworten.
1572. 반응하다 - reagieren
1573. 나는 놀람으로 반응했다. - Ich habe mit Überraschung reagiert.
1574. 너는 기쁨으로 반응한다. - Du reagierst mit Freude.
1575. 그녀는 감사함으로 반응할 것이다. - Sie wird mit Dankbarkeit reagieren.
1576. 기뻐해야 할까요? - Soll ich mich freuen?
1577. 네, 기뻐하세요. - Ja, freuen Sie sich.
1578. 대응하다 - Reagieren
1579. 나는 문제에 대응했다. - Ich reagiere auf das Problem.
1580. 너는 도전에 대응한다. - Du reagierst auf die Herausforderung.
1581. 우리는 위기에 대응할 것이다. - Wir werden auf die Krise reagieren.
1582. 준비됐나요? - Sind Sie bereit?

1583. 네, 준비됐어요. - Ja, ich bin bereit.
1584. 17. 명사 단어들 외우기, 필수 10개 동사의 단어들을 가지고 50문장 연습하기 - 17. Nomen auswendig lernen, 50 Sätze mit Wörtern aus den 10 wichtigsten Verben üben
1585. 아이 - Kind
1586. 반려동물 - Haustier
1587. 정원 - Garten
1588. 짐 - laden
1589. 우산 - Regenschirm
1590. 선물 - Geschenk
1591. 여행 - Reisen
1592. 파티 - party
1593. 프로젝트 - projekt
1594. 팀 - team
1595. 메뉴 - Speisekarte
1596. 위원회 - Ausschuss
1597. 모임 - Klasse
1598. 대회 - Wettbewerb
1599. 이벤트 - Veranstaltung
1600. 계획 - Plan
1601. 명령 - Kommando
1602. 작전 - Betrieb
1603. 약속 - Versprechen
1604. 규칙 - Regel
1605. 수업 - Klasse
1606. 회의 - Besprechung
1607. 활동 - Aktivität
1608. 캠페인 - Kampagne
1609. 박물관 - Museum
1610. 친구 집 - Haus eines Freundes
1611. 병원 - Krankenhaus
1612. 돌보다 - sich kümmern
1613. 나는 아이를 돌보았다. - Ich habe mich um ein Kind gekümmert.
1614. 너는 반려동물을 돌본다. - Sie kümmern sich um ein Haustier.

1615. 그들은 정원을 돌볼 것이다. - Sie kümmern sich um den Garten.
1616. 잘 지내나요? - Wie geht es ihnen?
1617. 네, 잘 지내요. - Ja, es geht mir gut.
1618. 챙기다 - zu packen
1619. 나는 짐을 챙겼다. - Ich habe mein Gepäck gepackt.
1620. 너는 우산을 챙긴다. - Du packst deinen Regenschirm.
1621. 그녀는 선물을 챙길 것이다. - Sie wird ihre Geschenke einpacken.
1622. 필요한 거 있어요? - Brauchst du noch etwas?
1623. 아니요, 다 챙겼어요. - Nein, ich habe schon alles eingepackt.
1624. 계획하다 - Zu planen
1625. 나는 여행을 계획했다. - Ich habe die Reise geplant.
1626. 너는 파티를 계획한다. - Du planst eine Party.
1627. 우리는 프로젝트를 계획할 것이다. - Wir werden ein Projekt planen.
1628. 언제 시작할까요? - Wann fangen wir an?
1629. 곧 시작해요. - Wir fangen bald an.
1630. 구성하다 - Organisieren
1631. 나는 팀을 구성했다. - Ich habe das Team organisiert.
1632. 너는 메뉴를 구성한다. - Du organisierst das Menü.
1633. 그들은 위원회를 구성할 것이다. - Sie werden das Komitee organisieren.
1634. 누가 포함되나요? - Wer wird dabei sein?
1635. 모두 포함될 거예요. - Alle werden mit einbezogen.
1636. 조직하다 - Organisieren
1637. 나는 모임을 조직했다. - Ich habe ein Treffen organisiert.
1638. 너는 대회를 조직한다. - Sie organisieren einen Wettbewerb.
1639. 우리는 이벤트를 조직할 것이다. - Wir werden eine Veranstaltung organisieren.
1640. 준비됐어요? - Seid ihr bereit?
1641. 네, 준비됐습니다. - Ja, ich bin bereit.
1642. 실행하다 - Ausführen
1643. 나는 계획을 실행했다. - Ich habe den Plan ausgeführt.
1644. 너는 명령을 실행한다. - Du führst den Befehl aus.
1645. 그는 작전을 실행할 것이다. - Er wird die Operation ausführen.
1646. 진행할까요? - Sollen wir fortfahren?

1647. 네, 시작해요. - Ja, fangen wir an.
1648. 실천하다 - In die Praxis umsetzen
1649. 나는 약속을 실천했다. - Ich habe mein Versprechen geübt.
1650. 너는 규칙을 실천한다. - Sie üben die Regeln.
1651. 그녀는 계획을 실천할 것이다. - Sie wird sich an ihren Plan halten.
1652. 지키고 있나요? - Hältst du ihn ein?
1653. 네, 지키고 있어요. - Ja, ich halte ihn ein.
1654. 참가하다 - Teilnehmen an
1655. 나는 대회에 참가했다. - Ich habe an dem Wettbewerb teilgenommen.
1656. 너는 수업에 참가한다. - Sie nehmen am Unterricht teil.
1657. 그들은 회의에 참가할 것이다. - Sie werden an einer Konferenz teilnehmen.
1658. 가입할 수 있나요? - Kann ich teilnehmen?
1659. 네, 가능해요. - Ja, das können Sie.
1660. 참여하다 - teilnehmen an
1661. 나는 프로젝트에 참여했다. - Ich habe an einem Projekt teilgenommen.
1662. 너는 활동에 참여한다. - Sie nehmen an einer Aktivität teil.
1663. 우리는 캠페인에 참여할 것이다. - Wir werden an einer Kampagne teilnehmen.
1664. 도울까요? - Willst du helfen?
1665. 네, 도와주세요. - Ja, bitte helfen Sie.
1666. 방문하다 - Zu besuchen
1667. 나는 박물관을 방문했다. - Ich habe das Museum besucht.
1668. 너는 친구 집을 방문한다. - Du wirst das Haus deines Freundes besuchen.
1669. 그는 병원을 방문할 것이다. - Er wird das Krankenhaus besuchen.
1670. 언제 갈까요? - Wann fahren wir?
1671. 이번 주말에 가요. - Ich fahre dieses Wochenende.
1672. 18. 명사 단어들 외우기, 필수 10개 동사의 단어들을 가지고 50문장 연습하기 - 18. Lernen Sie Substantivwörter auswendig, üben Sie 50 Sätze mit den 10 wichtigsten Verbwörtern
1673. 전시회 - Ausstellung

1674. 영화 - Film
1675. 공연 - Ausstellung
1676. 도시 - Stadt
1677. 명소 - Sehenswürdigkeiten
1678. 섬 - Insel
1679. 유럽 - europa
1680. 국내 여행 - Inlandsreisen
1681. 아시아 - Asien
1682. 숲 - wald
1683. 동굴 - höhle
1684. 사막 - Wüste
1685. 연구 결과 - Ergebnisse
1686. 프로젝트 - Projekt
1687. 계획 - Plan
1688. 연극 - Theater
1689. 무대 - Bühne
1690. 콘서트 - Konzert
1691. TV 프로그램 - TV-Programm
1692. 드라마 - Schauspiel
1693. 피아노 - Klavier
1694. 기타 - usw.
1695. 바이올린 - Geige
1696. 친구 결혼식 - Freunde Hochzeit
1697. 샤워실 - Duschraum
1698. 가라오케 - Karaoke
1699. 파티 - Party
1700. 클럽 - Club
1701. 축제 - Fest
1702. 관람하다 - zum Anschauen
1703. 나는 전시회를 관람했다. - Ich war bei einer Ausstellung.
1704. 너는 영화를 관람한다. - Du wirst ins Kino gehen.
1705. 그녀는 공연을 관람할 것이다. - Sie wird in ein Konzert gehen.
1706. 좋았나요? - War es gut?
1707. 네, 멋졌어요. - Ja, es war toll.

1708. 관광하다 - Sightseeing
1709. 나는 도시를 관광했다. - Ich habe die Stadt besichtigt.
1710. 너는 명소를 관광한다. - Sie sehen sich die Sehenswürdigkeiten an.
1711. 그들은 섬을 관광할 것이다. - Sie werden die Insel besichtigen.
1712. 재밌었나요? - Hattest du Spaß?
1713. 네, 정말 재밌었어요. - Ja, es hat sehr viel Spaß gemacht.
1714. 여행하다 - zu reisen
1715. 나는 유럽을 여행했다. - Ich bin in Europa herumgereist.
1716. 너는 지금 국내 여행을 한다. - Du reist jetzt im Inland.
1717. 그는 내일 아시아로 여행할 것이다. - Er wird morgen nach Asien reisen.
1718. 어디로 가고 싶어요? - Wohin willst du denn reisen?
1719. 제주도로 가고 싶어요. - Ich möchte auf die Insel Jeju reisen.
1720. 탐험하다 - erforschen
1721. 나는 숲을 탐험했다. - Ich habe den Wald erforscht.
1722. 너는 지금 동굴을 탐험한다. - Du erforschst jetzt die Höhle.
1723. 그들은 내일 사막을 탐험할 것이다. - Sie werden morgen die Wüste erforschen.
1724. 무엇을 찾고 있나요? - Wonach suchen Sie?
1725. 보물을 찾고 있어요. - Ich bin auf der Suche nach einem Schatz.
1726. 발표하다 - zu veröffentlichen
1727. 나는 연구 결과를 발표했다. - Ich habe meine Forschungsergebnisse präsentiert.
1728. 너는 지금 프로젝트를 발표한다. - Sie stellen jetzt Ihr Projekt vor.
1729. 그녀는 내일 계획을 발표할 것이다. - Sie wird morgen ihre Pläne vorstellen.
1730. 언제 발표해요? - Wann stellt sie es vor?
1731. 오후 3시에 발표해요. - Ich präsentiere um 15:00 Uhr.
1732. 공연하다 - Aufführen
1733. 나는 연극을 공연했다. - Ich habe ein Theaterstück aufgeführt.
1734. 너는 지금 무대에서 공연한다. - Sie treten jetzt auf der Bühne auf.
1735. 우리는 내일 콘서트를 공연할 것이다. - Wir werden morgen ein Konzert geben.
1736. 무슨 공연이에요? - Was für ein Konzert ist es?

1737. 뮤지컬 공연이에요. - Es ist eine musikalische Aufführung.
1738. 출연하다 - Auftreten in
1739. 나는 TV 프로그램에 출연했다. - Ich bin in einer Fernsehsendung aufgetreten.
1740. 너는 지금 영화에 출연한다. - Du spielst jetzt in einem Film mit.
1741. 그는 내일 드라마에 출연할 것이다. - Er wird morgen in einer Seifenoper auftreten.
1742. 어디에 나와요? - Wo trittst du auf?
1743. TV에서 나와요. - Ich bin im Fernsehen.
1744. 연주하다 - Spielen
1745. 나는 피아노를 연주했다. - Ich habe früher Klavier gespielt.
1746. 너는 지금 기타를 연주한다. - Du spielst jetzt Gitarre.
1747. 그녀는 내일 바이올린을 연주할 것이다. - Morgen wird sie Geige spielen.
1748. 어떤 악기를 다루나요? - Welches Instrument spielst du?
1749. 바이올린을 다루요. - Ich spiele Geige.
1750. 노래하다 - Zu singen
1751. 나는 친구 결혼식에서 노래했다. - Ich habe auf der Hochzeit meines Freundes gesungen.
1752. 너는 지금 샤워실에서 노래한다. - Du singst jetzt unter der Dusche.
1753. 우리는 내일 가라오케에서 노래할 것이다. - Wir werden morgen beim Karaoke singen.
1754. 좋아하는 노래 있어요? - Hast du ein Lieblingslied?
1755. 네, 많아요. - Ja, ich habe viele.
1756. 춤추다 - Zu tanzen
1757. 나는 파티에서 춤췄다. - Ich habe auf der Party getanzt.
1758. 너는 지금 클럽에서 춤춘다. - Du tanzt jetzt im Club.
1759. 그들은 내일 축제에서 춤출 것이다. - Sie werden morgen auf dem Festival tanzen.
1760. 어떤 춤을 추나요? - Was für eine Art von Tanz treibst du?
1761. 힙합을 춰요. - Ich tanze Hip-Hop.
1762. 19. 명사 단어들 외우기, 필수 10개 동사의 단어들을 가지고 50문장 연습하기 - 19. Lernen Sie Substantivwörter auswendig, üben Sie 50 Sätze mit den Wörtern der 10 wichtigsten Verben

1763. 풍경화 - Landschaft
1764. 초상화 - Porträt
1765. 벽화 - Wandgemälde
1766. 바다 - Meer
1767. 보고서 - Bericht
1768. 이메일 - E-Mail
1769. 계약서 - Vertrag
1770. 일기 - Tagebuch
1771. 회의 내용 - Details zur Sitzung
1772. 실험 결과 - Ergebnis des Experiments
1773. 사진 - Bild
1774. 컴퓨터 - Computer
1775. 문서 - Dokument
1776. 데이터 - Daten
1777. 클라우드 - Wolke
1778. 중요 문서 - wichtiges Dokument
1779. 파일 - Datei
1780. 앱 - app
1781. 음악 - musik
1782. 소프트웨어 - software
1783. 소셜 미디어 - soziale Medien
1784. 비디오 - Video
1785. 웹사이트 - Website
1786. 프로그램 - Programm
1787. 게임 - Spiel
1788. 바이러스 - Virus
1789. 악성 소프트웨어 - bösartige Software
1790. 오류 - fehler
1791. 그리다 - zu zeichnen
1792. 나는 풍경화를 그렸다. - Ich habe ein Landschaftsbild gemalt.
1793. 너는 지금 초상화를 그린다. - Du malst jetzt ein Porträt.
1794. 그녀는 내일 벽화를 그릴 것이다. - Sie wird morgen ein Wandgemälde malen.
1795. 무엇을 그리고 싶어요? - Was möchtest du malen?

1796. 바다를 그리고 싶어요. - Ich möchte das Meer malen.
1797. 작성하다 - Zu schreiben
1798. 나는 보고서를 작성했다. - Ich habe einen Bericht geschrieben.
1799. 너는 지금 이메일을 작성한다. - Du schreibst jetzt eine E-Mail.
1800. 그는 내일 계약서를 작성할 것이다. - Er wird morgen den Vertrag schreiben.
1801. 언제 끝낼 수 있어요? - Wann kannst du fertig sein?
1802. 한 시간 안에 끝낼 수 있어요. - Ich kann es in einer Stunde fertigstellen.
1803. 기록하다 - Aufzeichnen
1804. 나는 일기를 기록했다. - Ich habe mein Tagebuch aufgezeichnet.
1805. 너는 지금 회의 내용을 기록한다. - Sie zeichnen jetzt die Sitzung auf.
1806. 그들은 내일 실험 결과를 기록할 것이다. - Sie werden morgen die Ergebnisse des Experiments aufzeichnen.
1807. 기록 필요해요? - Müssen Sie aufzeichnen?
1808. 네, 필요해요. - Ja, das muss ich.
1809. 저장하다 - zu speichern
1810. 나는 사진을 컴퓨터에 저장했다. - Ich habe das Foto auf meinem Computer gespeichert.
1811. 너는 지금 문서를 저장한다. - Sie speichern das Dokument jetzt.
1812. 그녀는 내일 데이터를 클라우드에 저장할 것이다. - Sie wird die Daten morgen in der Cloud speichern.
1813. 어디에 저장할까요? - Wo wird sie es speichern?
1814. 클라우드에 저장해요. - In der Cloud.
1815. 복사하다 - zu kopieren
1816. 나는 중요 문서를 복사했다. - Ich habe ein wichtiges Dokument kopiert.
1817. 너는 지금 사진을 복사한다. - Du kopierst das Foto jetzt.
1818. 그는 내일 파일을 복사할 것이다. - Er wird die Datei morgen kopieren.
1819. 몇 부 복사해야 하나요? - Wie viele Kopien muss ich machen?
1820. 3부 복사해 주세요. - Bitte machen Sie 3 Kopien.
1821. 삭제하다 - zu löschen
1822. 나는 오래된 이메일을 삭제했다. - Ich habe eine alte E-Mail gelöscht.

1823. 너는 지금 불필요한 파일을 삭제한다. - Sie löschen jetzt unnötige Dateien.
1824. 그녀는 내일 앱을 삭제할 것이다. - Sie wird die App morgen löschen.
1825. 지울까요? - Soll ich sie löschen?
1826. 네, 지워주세요. - Ja, bitte löschen Sie sie.
1827. 다운로드하다 - zum Herunterladen
1828. 나는 음악을 다운로드했다. - Ich habe die Musik heruntergeladen.
1829. 너는 지금 앱을 다운로드한다. - Du lädst die App jetzt herunter.
1830. 우리는 내일 소프트웨어를 다운로드할 것이다. - Wir werden die Software morgen herunterladen.
1831. 어떤 앱을 받을까요? - Welche App soll ich holen?
1832. 최신 버전 받아요. - Ich möchte die neueste Version.
1833. 업로드하다 - zum Hochladen
1834. 나는 사진을 소셜 미디어에 업로드했다. - Ich habe ein Foto in die sozialen Medien hochgeladen.
1835. 너는 지금 비디오를 업로드한다. - Sie laden jetzt ein Video hoch.
1836. 그는 내일 문서를 웹사이트에 업로드할 것이다. - Er wird das Dokument morgen auf die Website hochladen.
1837. 지금 올릴까요? - Möchten Sie es jetzt hochladen?
1838. 네, 올려주세요. - Ja, bitte laden Sie es hoch.
1839. 설치하다 - zu installieren
1840. 나는 프로그램을 설치했다. - Ich habe das Programm installiert.
1841. 너는 지금 게임을 설치한다. - Du installierst das Spiel jetzt.
1842. 그녀는 내일 앱을 설치할 것이다. - Sie wird die App morgen installieren.
1843. 설치 도와드릴까요? - Kann ich dir bei der Installation helfen?
1844. 네, 부탁드려요. - Ja, bitte.
1845. 제거하다 - zu entfernen
1846. 나는 바이러스를 제거했다. - Ich habe den Virus entfernt.
1847. 너는 지금 악성 소프트웨어를 제거한다. - Sie entfernen die schädliche Software jetzt.
1848. 그들은 내일 오류를 제거할 것이다. - Sie werden den Fehler morgen beseitigen.
1849. 제거 시작할까요? - Sollen wir mit der Entfernung beginnen?

1850. 네, 시작해주세요. - Ja, bitte beginnen Sie.
1851. 20. 명사 단어들 외우기, 필수 10개 동사의 단어들을 가지고 50문장 연습하기 - 20. Substantivwörter auswendig lernen, 50 Sätze mit den Wörtern der 10 wichtigsten Verben üben
1852. 시스템 - System
1853. 소프트웨어 - Software
1854. 앱 - App
1855. 휴대폰 - Handy
1856. 노트북 - Laptop
1857. 전기차 - Elektroauto
1858. 배터리 - Batterie
1859. 기기 - Gerät
1860. 시계 - Uhr
1861. 타이어 - Reifen
1862. 필터 - Filter
1863. 창문 - Fenster
1864. 문서 - Dokument
1865. 오류 - Fehler
1866. 계획 - plan
1867. 보고서 - bericht
1868. 아이디어 - idee
1869. 작업 환경 - Arbeitsumgebung
1870. 프로세스 - Prozess
1871. 제품 - Produkt
1872. 데이터 - Daten
1873. 파일 - Datei
1874. 건강 - Gesundheit
1875. 체력 - Gesundheit
1876. 신뢰 - Vertrauen
1877. 상처 - Wunde
1878. 마음 - Geist
1879. 관계 - Beziehung
1880. 업데이트하다 - zu aktualisieren
1881. 나는 시스템을 업데이트했다. - Ich habe das System aktualisiert.

1882. 너는 지금 소프트웨어를 업데이트한다. - Sie aktualisieren die Software jetzt.
1883. 그는 내일 앱을 업데이트할 것이다. - Er wird die App morgen aktualisieren.
1884. 지금 업데이트해야 하나요? - Soll ich sie jetzt aktualisieren?
1885. 네, 해야 해요. - Ja, das sollten Sie.
1886. 충전하다 - aufladen
1887. 나는 휴대폰을 충전했다. - Ich habe mein Mobiltelefon aufgeladen.
1888. 너는 노트북을 충전한다. - Du lädst deinen Laptop auf.
1889. 그는 전기차를 충전할 것이다. - Er wird sein Elektroauto aufladen.
1890. 충전할까? - Soll ich es aufladen?
1891. 네, 해. - Ja, lass uns das tun.
1892. 방전하다 - zu entladen
1893. 나는 배터리가 방전됐다. - Ich habe eine leere Batterie.
1894. 너는 기기가 방전된다. - Du wirst dein Gerät entladen.
1895. 그녀는 시계가 방전될 것이다. - Sie wird ihre Uhr entladen.
1896. 방전됐어? - Ist sie entladen?
1897. 네, 됐어. - Ja, sie ist leer.
1898. 교체하다 - zu ersetzen
1899. 나는 타이어를 교체했다. - Ich habe den Reifen gewechselt.
1900. 너는 필터를 교체한다. - Du wechselst den Filter.
1901. 그들은 창문을 교체할 것이다. - Sie werden die Fenster austauschen.
1902. 교체할까? - Sollen wir sie austauschen?
1903. 네, 교체해. - Ja, ersetzen.
1904. 수정하다 - zu korrigieren
1905. 나는 문서를 수정했다. - Ich habe das Dokument korrigiert.
1906. 너는 오류를 수정한다. - Sie korrigieren den Fehler.
1907. 그녀는 계획을 수정할 것이다. - Sie wird den Plan überarbeiten.
1908. 수정할까? - Soll ich ihn korrigieren?
1909. 네, 수정해. - Ja, korrigieren Sie ihn.
1910. 보완하다 - zu ergänzen
1911. 나는 보고서를 보완했다. - Ich habe den Bericht ergänzt.
1912. 너는 아이디어를 보완한다. - Sie ergänzen die Idee.
1913. 그는 시스템을 보완할 것이다. - Er wird das System ergänzen.

1914. 보완할까? - Sollen wir ergänzen?
1915. 네, 보완해. - Ja, es ergänzen.
1916. 개선하다 - Zu verbessern
1917. 나는 작업 환경을 개선했다. - Ich habe das Arbeitsumfeld verbessert.
1918. 너는 프로세스를 개선한다. - Du wirst den Prozess verbessern.
1919. 그녀는 제품을 개선할 것이다. - Sie wird das Produkt verbessern.
1920. 개선할까? - Sollen wir verbessern?
1921. 네, 개선해. - Ja, verbessern Sie es.
1922. 복구하다 - wiederherstellen
1923. 나는 데이터를 복구했다. - Ich habe die Daten wiederhergestellt.
1924. 너는 시스템을 복구한다. - Sie stellen das System wieder her.
1925. 그들은 파일을 복구할 것이다. - Sie werden die Dateien wiederherstellen.
1926. 복구할까? - Sollen wir wiederherstellen?
1927. 네, 복구해. - Ja, wiederherstellen.
1928. 회복하다 - wiederherstellen
1929. 나는 건강을 회복했다. - Ich habe meine Gesundheit wiedererlangt.
1930. 너는 체력을 회복한다. - Sie erlangen körperliche Kraft.
1931. 그는 신뢰를 회복할 것이다. - Er wird sein Vertrauen zurückgewinnen.
1932. 회복할까? - Sollen wir uns erholen?
1933. 네, 회복해. - Ja, genesen.
1934. 치유하다 - Zu heilen
1935. 나는 상처를 치유했다. - Ich habe die Wunde geheilt.
1936. 너는 마음을 치유한다. - Du heilst das Herz.
1937. 그녀는 관계를 치유할 것이다. - Sie wird die Beziehung heilen.
1938. 치유할까? - Sollen wir heilen?
1939. 네, 치유해. - Ja, heilen.
1940. 21. 명사 단어들 외우기, 필수 10개 동사의 단어들을 가지고 50문장 연습하기 - 21. Lernen Sie Substantivwörter auswendig, üben Sie 50 Sätze mit den 10 wichtigsten Verbwörtern
1941. 운동 - Übungen
1942. 프로그램 - Programm
1943. 치료 - Therapie
1944. 재료 - Zutat

1945. 색깔 - Farbe
1946. 소스 - Sauce
1947. 빵 - Brot
1948. 고기 - Fleisch
1949. 케이크 - Kuchen
1950. 야채 - Gemüse
1951. 면 - Nudeln
1952. 쌀 - Reis
1953. 계란 - Ei
1954. 감자 - Kartoffel
1955. 브로콜리 - Brokkoli
1956. 떡 - Reiskuchen
1957. 생선 - Fisch
1958. 만두 - Knödel
1959. 유리 - Glas
1960. 기록 - Platte
1961. 치킨 - Huhn
1962. 수프 - Suppe
1963. 물 - Wasser
1964. 밥 - Reis
1965. 차 - Auto
1966. 국 - Suppe
1967. 음료 - Getränk
1968. 재활하다 - rehabilitieren
1969. 나는 운동으로 재활했다. - Ich habe mich mit Sport rehabilitiert.
1970. 너는 프로그램으로 재활한다. - Du rehabilitierst dich mit einem Programm.
1971. 그는 치료로 재활할 것이다. - Er wird sich mit einer Therapie rehabilitieren.
1972. 재활할까? - Sollen wir uns rehabilitieren?
1973. 네, 재활해. - Ja, rehabilitieren.
1974. 섞다 - mischen
1975. 나는 재료를 섞었다. - Ich habe die Zutaten gemischt.
1976. 너는 색깔을 섞는다. - Du mischst die Farben.

1977. 그녀는 소스를 섞을 것이다. - Sie wird die Soße mischen.
1978. 섞을까? - Sollen wir mischen?
1979. 네, 섞어. - Ja, mischen.
1980. 굽다 - zu backen
1981. 나는 빵을 굽었다. - Ich habe das Brot gebacken.
1982. 너는 고기를 굽는다. - Sie backen das Fleisch.
1983. 그들은 케이크를 굽을 것이다. - Sie werden einen Kuchen backen.
1984. 굽을까? - Sollen wir backen?
1985. 네, 굽자. - Ja, lasst uns backen.
1986. 볶다 - anbraten
1987. 나는 야채를 볶았다. - Ich habe das Gemüse gebraten.
1988. 너는 면을 볶는다. - Du brätst die Nudeln.
1989. 그는 쌀을 볶을 것이다. - Er wird den Reis braten.
1990. 볶을까? - Sollen wir braten?
1991. 네, 볶아. - Ja, pfannenrühren.
1992. 삶다 - zu kochen
1993. 나는 계란을 삶았다. - Ich habe die Eier gekocht.
1994. 너는 감자를 삶는다. - Du wirst die Kartoffeln kochen.
1995. 그녀는 브로콜리를 삶을 것이다. - Sie wird den Brokkoli kochen.
1996. 삶을까? - Sollen wir kochen?
1997. 네, 삶아. - Ja, kochen.
1998. 찌다 - dämpfen
1999. 나는 떡을 찐다. - Ich werde die Reiskuchen dämpfen.
2000. 너는 생선을 찐다. - Sie dämpfen den Fisch.
2001. 그들은 만두를 찔 것이다. - Sie dämpfen die Knödel.
2002. 찔까? - Dämpfen?
2003. 네, 찌자. - Ja, wir werden sie dämpfen.
2004. 깨다 - zu zerbrechen
2005. 나는 유리를 깼다. - Ich habe das Glas zerbrochen.
2006. 너는 계란을 깬다. - Du zerbrichst ein Ei.
2007. 그녀는 기록을 깰 것이다. - Sie wird den Rekord brechen.
2008. 깰까? - Sollen wir brechen?
2009. 네, 깨. - Ja, brechen.
2010. 튀기다 - braten

2011. 나는 감자를 튀겼다. - Ich habe die Kartoffeln gebraten.
2012. 너는 치킨을 튀긴다. - Du brätst das Huhn.
2013. 그는 생선을 튀길 것이다. - Er wird den Fisch braten.
2014. 튀길까? - Sollen wir braten?
2015. 네, 튀겨. - Ja, braten.
2016. 데우다 - zum Aufwärmen
2017. 나는 수프를 데웠다. - Ich habe die Suppe aufgewärmt.
2018. 너는 물을 데운다. - Du wärmst das Wasser auf.
2019. 그녀는 밥을 데울 것이다. - Sie wird den Reis aufwärmen.
2020. 데울까? - Soll ich ihn aufwärmen?
2021. 네, 데워. - Ja, wärme ihn auf.
2022. 식히다 - abkühlen
2023. 나는 차를 식혔다. - Ich habe den Tee abgekühlt.
2024. 너는 국을 식힌다. - Sie kühlen die Suppe.
2025. 그들은 음료를 식힐 것이다. - Sie werden das Getränk kühlen.
2026. 식힐까? - Soll ich es kühlen?
2027. 네, 식혀줘. - Ja, bitte kühlen Sie es.
2028. 22. 명사 단어들 외우기, 필수 10개 동사의 단어들을 가지고 50문장 연습하기 - 22. Lernen Sie Substantivwörter auswendig, üben Sie 50 Sätze mit den 10 wichtigsten Verbwörtern
2029. 물 - Wasser
2030. 주스 - Saft
2031. 아이스크림 - Eiscreme
2032. 얼음 - Eis
2033. 초콜릿 - Schokolade
2034. 버터 - Butter
2035. 밀가루 - Mehl
2036. 반죽 - Teig
2037. 소스 - Soße
2038. 떡 - Reiskuchen
2039. 만두 - Knödel
2040. 쿠키 - Keks
2041. 벽 - Wand
2042. 그림 - Gemälde

2043. 문 - Tür
2044. 집 - Haus
2045. 건물 - Gebäude
2046. 사과 - entschuldigen
2047. 옷 - Kleidung
2048. 선물 - Geschenk
2049. 잡초 - Unkraut
2050. 번호 - Nummer
2051. 당첨자 - Gewinner
2052. 책 - Buch
2053. USB - USB
2054. 카드 - Karte
2055. 설탕 - Zucker
2056. 소금 - Salz
2057. 향신료 - Gewürz
2058. 얼리다 - zum Einfrieren
2059. 나는 물을 얼렸다. - Ich habe Wasser eingefroren.
2060. 너는 주스를 얼린다. - Du frierst Saft ein.
2061. 그는 아이스크림을 얼릴 것이다. - Er wird Eiscreme einfrieren.
2062. 얼릴까? - Soll ich es einfrieren?
2063. 네, 얼려. - Ja, frieren Sie es ein.
2064. 녹이다 - Zum Schmelzen
2065. 나는 얼음을 녹였다. - Ich habe das Eis geschmolzen.
2066. 너는 초콜릿을 녹인다. - Du schmilzt die Schokolade.
2067. 그녀는 버터를 녹일 것이다. - Sie wird die Butter schmelzen.
2068. 녹일까? - Sollen wir sie schmelzen?
2069. 네, 녹여. - Ja, schmelzen Sie sie.
2070. 저미다 - Umrühren
2071. 나는 밀가루를 저었다. - Ich habe das Mehl gerührt.
2072. 너는 반죽을 저민다. - Du wirst den Teig rühren.
2073. 그는 소스를 저을 것이다. - Er wird die Soße rühren.
2074. 저을까? - Sollen wir rühren?
2075. 네, 저어. - Ja, rühren.
2076. 빚다 - zu machen

2077. 나는 떡을 빚었다. - Ich habe Reiskuchen gemacht.
2078. 너는 만두를 빚는다. - Du wirst Knödel machen.
2079. 그녀는 쿠키를 빚을 것이다. - Sie wird Kekse backen.
2080. 빚을까? - Sollen wir backen?
2081. 네, 빚어. - Ja, backen.
2082. 칠하다 - Anmalen
2083. 나는 벽을 칠했다. - Ich habe die Wand gemalt.
2084. 너는 그림을 칠한다. - Sie malen das Bild.
2085. 그들은 문을 칠할 것이다. - Sie werden die Tür streichen.
2086. 칠할까? - Sollen wir malen?
2087. 네, 칠해. - Ja, streichen Sie sie.
2088. 철거하다 - Abreißen
2089. 나는 오래된 집을 철거했다. - Ich habe das alte Haus abgerissen.
2090. 너는 벽을 철거한다. - Du reißt die Wand ab.
2091. 그는 건물을 철거할 것이다. - Er wird das Gebäude abreißen.
2092. 철거할까? - Sollen wir es abreißen?
2093. 네, 철거해. - Ja, abreißen.
2094. 고르다 - Zu pflücken
2095. 나는 사과를 골랐다. - Ich habe einen Apfel gepflückt.
2096. 너는 옷을 고른다. - Du wählst die Kleidung aus.
2097. 그녀는 선물을 고를 것이다. - Sie wird ein Geschenk aussuchen.
2098. 고를까? - Sollen wir pflücken?
2099. 네, 골라. - Ja, pflücken.
2100. 뽑다 - Zupfen
2101. 나는 잡초를 뽑았다. - Ich habe das Unkraut gezupft.
2102. 너는 번호를 뽑는다. - Du ziehst die Zahlen.
2103. 그들은 당첨자를 뽑을 것이다. - Sie werden den Gewinner ziehen.
2104. 뽑을까? - Sollen wir ziehen?
2105. 네, 뽑아. - Ja, rupfen.
2106. 빼다 - Subtrahieren
2107. 나는 책을 뺐다. - Ich habe das Buch subtrahiert.
2108. 너는 USB를 뺀다. - Du ziehst den USB-Stick ab.
2109. 그는 카드를 뺄 것이다. - Er wird die Karte subtrahieren.
2110. 뺄까? - Soll ich subtrahieren?

2111. 네, 빼. - Ja, subtrahieren.
2112. 추가하다 - Zugeben
2113. 나는 설탕을 추가했다. - Ich habe Zucker hinzugefügt.
2114. 너는 소금을 추가한다. - Du fügst Salz hinzu.
2115. 그녀는 향신료를 추가할 것이다. - Sie wird Gewürze hinzufügen.
2116. 추가할까? - Soll ich sie dazugeben?
2117. 네, 추가해줘. - Ja, bitte fügen Sie es hinzu.
2118. 23. 명사 단어들 외우기, 필수 10개 동사의 단어들을 가지고 50문장 연습하기 - 23. Lernen Sie Substantivwörter auswendig, üben Sie 50 Sätze mit den 10 wichtigsten Verbwörtern
2119. 램프 - Lampe
2120. 플래시 - blinken
2121. 빛 - leuchten
2122. 목록 - Liste
2123. 옵션 - Option
2124. 장점 - Vorteile
2125. 가지 - Eipflanze
2126. 장단점 - Vor- und Nachteile
2127. 결과 - Ergebnis
2128. 자료 - Daten
2129. 파일 - Datei
2130. 개 - Hund
2131. 요소 - Element
2132. 아이디어 - Idee
2133. 기계 - Maschine
2134. 문제 - Problem
2135. 시스템 - System
2136. 의자 - Stuhl
2137. 화면 - Bildschirm
2138. 테이블 - Tisch
2139. 옷 - Kleidung
2140. 종이 - Papier
2141. 지도 - Karte
2142. 매트 - Matte

2143. 책 - Buch
2144. 포스터 - Poster
2145. 숨다 - verstecken
2146. 나는 숨었다. - Ich verstecke mich.
2147. 너는 숨는다. - Sie verstecken sich.
2148. 그들은 숨을 것이다. - Sie werden sich verstecken.
2149. 숨을까? - Sollen wir uns verstecken?
2150. 네, 숨어. - Ja, verstecken.
2151. 비추다 - Anzünden
2152. 나는 램프를 비췄다. - Ich habe die Lampe angezündet.
2153. 너는 플래시를 비춘다. - Du leuchtest den Blitz.
2154. 그는 빛을 비출 것이다. - Er wird das Licht leuchten.
2155. 비출까? - Soll ich leuchten?
2156. 네, 비춰. - Ja, leuchten.
2157. 나열하다 - Auflisten
2158. 나는 목록을 나열했다. - Ich habe die Liste aufgelistet.
2159. 너는 옵션을 나열한다. - Du listest die Optionen auf.
2160. 그녀는 장점을 나열할 것이다. - Sie wird die Vorteile auflisten.
2161. 나열할까? - Sollen wir auflisten?
2162. 네, 나열해. - Ja, auflisten.
2163. 대조하다 - kontrastieren
2164. 나는 두 가지를 대조했다. - Ich habe zwei Dinge gegenübergestellt.
2165. 너는 장단점을 대조한다. - Sie stellen die Vor- und Nachteile gegenüber.
2166. 그는 결과를 대조할 것이다. - Er wird die Ergebnisse kontrastieren.
2167. 색깔 다른가? - Sind die Farben unterschiedlich?
2168. 예, 다르다. - Ja, sie sind unterschiedlich.
2169. 정렬하다 - Zu sortieren
2170. 너는 자료를 정렬했다. - Sie haben die Materialien sortiert.
2171. 그는 목록을 정렬한다. - Er wird die Liste sortieren.
2172. 그녀는 파일을 정렬할 것이다. - Sie wird die Akten sortieren.
2173. 순서 맞나요? - Ist das in Ordnung?
2174. 네, 맞아요. - Ja, das ist sie.
2175. 결합하다 - Kombinieren

2176. 그는 두 개를 결합했다. - Er wird zwei Dinge kombinieren.
2177. 그녀는 요소를 결합한다. - Sie wird die Elemente kombinieren.
2178. 우리는 아이디어를 결합할 것이다. - Wir werden Ideen kombinieren.
2179. 같이 할까요? - Sollen wir es zusammen tun?
2180. 좋아요. - Ich bin gut.
2181. 분해하다 - Demontieren
2182. 그녀는 기계를 분해했다. - Sie hat die Maschine auseinandergenommen.
2183. 우리는 문제를 분해한다. - Wir werden das Problem dekonstruieren.
2184. 당신들은 시스템을 분해할 것이다. - Du wirst das System auseinandernehmen.
2185. 어렵나요? - Ist das schwer?
2186. 아니요. - Nein, das ist es nicht.
2187. 회전하다 - Drehen
2188. 우리는 의자를 회전했다. - Wir haben den Stuhl gedreht.
2189. 당신들은 화면을 회전한다. - Sie werden den Bildschirm drehen.
2190. 그들은 테이블을 회전할 것이다. - Sie werden den Tisch drehen.
2191. 돌릴까요? - Sollen wir uns drehen?
2192. 그래요. - Ja, das werden wir.
2193. 접다 - Falten
2194. 당신들은 옷을 접었다. - Sie falten Kleidung.
2195. 그들은 종이를 접는다. - Sie falten das Papier.
2196. 나는 지도를 접을 것이다. - Ich werde eine Karte falten.
2197. 이걸 접어요? - Falten Sie das?
2198. 네, 접어요. - Ja, ich falte sie.
2199. 펼치다 - Sie falten
2200. 그들은 매트를 펼쳤다. - Sie haben die Matte aufgefaltet.
2201. 나는 책을 펼친다. - Ich falte ein Buch auf.
2202. 너는 포스터를 펼칠 것이다. - Sie würden ein Poster auffalten.
2203. 여기에 놓을까요? - Soll ich es hierhin legen?
2204. 네, 놓아줘 - Ja, legen Sie es dorthin.
2205. 24. 명사 단어들 외우기, 필수 10개 동사의 단어들을 가지고 50문장 연습하기 - 24. Substantivwörter auswendig lernen, 50 Sätze mit den 10 wichtigsten Verbwörtern üben

2206. 깃발 - Fahne
2207. 스카프 - Halstuch
2208. 카펫 - Teppich
2209. 신발끈 - Schnürsenkel
2210. 선물 - Geschenk
2211. 머리 - Kopf
2212. 문제 - problem
2213. 노트 - Zettel
2214. 수수께끼 - Rätsel
2215. 상자 - Schachtel
2216. 책 - Buch
2217. 블록 - Block
2218. 물 - Wasser
2219. 쌀 - Reis
2220. 콩 - Bohne
2221. 병 - Party
2222. 가방 - Tasche
2223. 그릇 - Schale
2224. 통 - Behälter
2225. 바구니 - Korb
2226. 컵 - Tasse
2227. 씨앗 - Samen
2228. 페인트 - Farbe
2229. 장애물 - Hindernis
2230. 줄넘기 - Springseil
2231. 울타리 - Zaun
2232. 말다 - Rollen
2233. 나는 깃발을 말았다. - Ich habe eine Flagge gerollt
2234. 너는 스카프를 말다. - Du rollst ein Halstuch.
2235. 그는 카펫을 말 것이다. - Er wird den Teppich rollen.
2236. 도와줄까요? - Möchtest du, dass ich dir helfe?
2237. 네, 부탁해요. - Ja, bitte.
2238. 묶다 - zubinden
2239. 너는 신발끈을 묶었다. - Du bindest deine Schnürsenkel.

2240. 그는 선물을 묶는다. - Er wird das Geschenk binden.
2241. 그녀는 머리를 묶을 것이다. - Sie wird sich die Haare binden.
2242. 더 조여요? - Fester binden?
2243. 예, 조여요. - Ja, straffen Sie es.
2244. 풀다 - zu lösen
2245. 그는 문제를 풀었다. - Er hat das Problem gelöst.
2246. 그녀는 노트를 푼다. - Sie wird ihre Notizen lösen.
2247. 우리는 수수께끼를 풀 것이다. - Wir werden das Rätsel lösen.
2248. 어떻게 해요? - Wie machen wir das?
2249. 생각해봐요. - Überlegen Sie es sich.
2250. 쌓다 - stapeln
2251. 그녀는 상자를 쌓았다. - Sie stapelt die Kisten.
2252. 우리는 책을 쌓는다. - Wir stapeln Bücher.
2253. 당신들은 블록을 쌓을 것이다. - Du wirst Klötze stapeln.
2254. 높게 쌓을까요? - Sollen wir sie hoch stapeln?
2255. 조심해요. - Sei vorsichtig.
2256. 쏟다 - zu schütten
2257. 우리는 물을 쏟았다. - Wir haben Wasser verschüttet.
2258. 당신들은 쌀을 쏟는다. - Ihr verschüttet Reis.
2259. 그들은 콩을 쏟을 것이다. - Sie werden Bohnen verschütten.
2260. 다 쏟았어요? - Hast du alles verschüttet?
2261. 다 쏟았어요. - Ich habe alles verschüttet.
2262. 채우다 - auffüllen
2263. 당신들은 병을 채웠다. - Sie füllen die Flasche.
2264. 그들은 가방을 채운다. - Sie füllen die Tasche.
2265. 나는 그릇을 채울 것이다. - Ich werde die Schüssel füllen.
2266. 가득할까요? - Wird sie voll sein?
2267. 가득해요. - Sie ist voll.
2268. 비우다 - Zu leeren
2269. 그들은 통을 비웠다. - Sie haben das Fass geleert.
2270. 나는 바구니를 비운다. - Ich werde den Korb leeren.
2271. 너는 컵을 비울 것이다. - Du wirst den Becher leeren.
2272. 이것도 비울까요? - Sollen wir diesen auch leeren?
2273. 네, 비워요. - Ja, leeren Sie ihn.

2274. 뿌리다 - Zum Säen
2275. 나는 씨앗을 뿌렸다. - Ich habe die Samen gesät.
2276. 너는 물을 뿌린다. - Du sprenkelst Wasser.
2277. 그는 페인트를 뿌릴 것이다. - Er wird Farbe streuen.
2278. 여기에요? - Und hier?
2279. 여기에요. - Ja, hier.
2280. 건너뛰다 - Überspringen
2281. 너는 장애물을 건너뛰었다. - Du hast die Hürde übersprungen.
2282. 그는 줄넘기를 한다. - Er wird Seil springen.
2283. 그녀는 울타리를 건너뛸 것이다. - Sie wird den Zaun überspringen.
2284. 저기로 갈까요? - Sollen wir dorthin gehen?
2285. 저기로 가요. - Lass uns da rübergehen.
2286. 기울이다 - Umkippen
2287. 나는 병을 기울였다. - Ich habe die Flasche gekippt.
2288. 너는 컵을 기울인다. - Du kippst die Tasse.
2289. 그는 그릇을 기울일 것이다. - Er wird die Schale kippen.
2290. 컵을 기울여? - Die Tasse kippen?
2291. 예, 기울여줘. - Ja, kippen Sie sie.
2292. 25. 명사 단어들 외우기, 필수 10개 동사의 단어들을 가지고 50문장 연습하기 - 25. Substantivwörter auswendig lernen, 50 Sätze mit den 10 wichtigsten Verbalwörtern üben
2293. 버튼 - Knopf
2294. 스위치 - Schalter
2295. 페달 - Pedal
2296. 스티커 - Aufkleber
2297. 라벨 - Etikett
2298. 포스터 - Poster
2299. 사진 - Bild
2300. 메모 - Memo
2301. 공지 - Benachrichtigung
2302. 선 - Zeile
2303. 원 - ein
2304. 사각형 - Platz
2305. 글자 - Brief

2306. 오류 - Fehler
2307. 데이터 - Daten
2308. 이름 - Name
2309. 주소 - Adresse
2310. 번호 - Nummer
2311. 비용 - Kosten
2312. 합계 - Summe
2313. 예산 - Haushalt
2314. 별 - Stern
2315. 사과 - entschuldigen
2316. 페이지 - Seite
2317. 결과 - Ergebnis
2318. 날씨 - wetter
2319. 승자 - sieger
2320. 프로젝트 - projekt
2321. 누르다 - zu drücken
2322. 나는 버튼을 눌렀다. - Ich habe den Knopf gedrückt.
2323. 너는 스위치를 누른다. - Du drückst den Schalter.
2324. 그녀는 페달을 누를 것이다. - Sie wird das Pedal drücken.
2325. 스위치 누를까? - Soll ich den Schalter drücken?
2326. 네, 눌러. - Ja, drücken Sie ihn.
2327. 떼다 - abziehen
2328. 나는 스티커를 뗐다. - Ich habe den Aufkleber abgezogen.
2329. 너는 라벨을 뗀다. - Du nimmst den Aufkleber ab.
2330. 우리는 포스터를 뗄 것이다. - Wir nehmen das Plakat ab.
2331. 라벨 떼어도 돼? - Kann ich den Aufkleber abziehen?
2332. 그래, 떼. - Ja, abziehen.
2333. 붙이다 - zu kleben
2334. 나는 사진을 붙였다. - Ich habe das Bild geklebt.
2335. 너는 메모를 붙인다. - Sie kleben Zettel.
2336. 당신들은 공지를 붙일 것이다. - Sie werden einen Zettel aufkleben.
2337. 메모 붙일까? - Soll ich einen Zettel einkleben?
2338. 예, 붙여. - Ja, kleben.
2339. 긋다 - eine Linie ziehen

2340. 나는 선을 그었다. - Ich habe eine Linie gezeichnet.
2341. 너는 원을 그린다. - Sie werden einen Kreis zeichnen.
2342. 그들은 사각형을 그을 것이다. - Sie werden ein Quadrat zeichnen.
2343. 선 긋기 좋아? - Zeichnen Sie gerne Linien?
2344. 네, 좋아. - Ja, gut.
2345. 지우다 - ausradieren
2346. 나는 글자를 지웠다. - Ich habe die Buchstaben ausradiert.
2347. 너는 오류를 지운다. - Du löschst den Fehler.
2348. 그는 데이터를 지울 것이다. - Er wird die Daten ausradieren.
2349. 오류 지울까? - Soll ich den Fehler löschen?
2350. 그래, 지워. - Ja, löschen.
2351. 적다 - Zum Aufschreiben
2352. 나는 이름을 적었다. - Ich schreibe den Namen auf.
2353. 너는 주소를 적는다. - Du schreibst die Adresse auf.
2354. 그녀는 번호를 적을 것이다. - Sie wird die Nummer aufschreiben.
2355. 주소 적어 줄래? - Kannst du die Adresse aufschreiben?
2356. 좋아, 적어. - Okay, notieren Sie sie.
2357. 계산하다 - berechnen
2358. 나는 비용을 계산했다. - Ich habe die Kosten berechnet.
2359. 너는 합계를 계산한다. - Du berechnest die Summe.
2360. 우리는 예산을 계산할 것이다. - Wir werden das Budget berechnen.
2361. 합계 계산할까? - Sollen wir die Summe ausrechnen?
2362. 네, 계산해. - Ja, wir werden rechnen.
2363. 세다 - Zählen
2364. 나는 별을 셌다. - Ich habe die Sterne gezählt.
2365. 너는 사과를 센다. - Du zählst Äpfel.
2366. 당신들은 페이지를 셀 것이다. - Du zählst Seiten.
2367. 사과 몇 개야? - Wie viele Äpfel?
2368. 지금 세. - Zähle jetzt.
2369. 추측하다 - Raten
2370. 나는 결과를 추측했다. - Ich habe das Ergebnis erraten.
2371. 너는 날씨를 추측한다. - Sie erraten das Wetter.
2372. 그들은 승자를 추측할 것이다. - Sie werden den Gewinner erraten.
2373. 날씨 어때? - Wie ist das Wetter?

2374. 비 올까 봐. - Ich glaube, es wird regnen.
2375. 가정하다 - Annehmen
2376. 나는 그가 올 것이라고 가정했다. - Ich nahm an, dass er kommen würde.
2377. 너는 그녀가 승리할 것이라고 가정한다. - Du gehst davon aus, dass sie gewinnen wird.
2378. 우리는 프로젝트가 성공할 것이라고 가정할 것이다. - Wir gehen davon aus, dass das Projekt erfolgreich sein wird.
2379. 그녀가 승리할까? - Wird sie gewinnen?
2380. 아마 그럴것이다. - Sie wird wahrscheinlich gewinnen.
2381. 26. 명사 단어들 외우기, 필수 10개 동사의 단어들을 가지고 50문장 연습하기 - 26. Lernen Sie Substantivwörter auswendig, üben Sie 50 Sätze mit den geforderten 10 Verbwörtern
2382. 상황 - Situation
2383. 의도 - Absicht
2384. 결과 - Ergebnis
2385. 계획 - Plan
2386. 날짜 - Datum
2387. 장소 - Standort
2388. 요청 - Anfrage
2389. 제안 - Vorschlag
2390. 계약 - Vertrag
2391. 의견 - Stellungnahme
2392. 변경사항 - Änderungen
2393. 조언 - Beratung
2394. 문제 - Problem
2395. 프로젝트 - Projekt
2396. 해결책 - Lösung
2397. 주제 - Thema
2398. 모드 - Modus
2399. 파일 - Datei
2400. 형식 - formular
2401. 데이터 - Daten
2402. 이슈 - Ausgabe

2403. 포인트 - punkt
2404. 질문 - Frage
2405. 호출 - Aufruf
2406. 온도 - Temperatur
2407. 볼륨 - Lautstärke
2408. 속도 - Geschwindigkeit
2409. 판단하다 - zu Beurteilen
2410. 나는 상황을 판단했다. - Ich habe die Situation beurteilt.
2411. 너는 그의 의도를 판단한다. - Sie beurteilen seine Absichten.
2412. 그녀는 결과를 판단할 것이다. - Sie wird das Ergebnis beurteilen.
2413. 옳은 거야? - Ist es richtig?
2414. 판단해 봐. - Herr Richter.
2415. 확정하다 - Abschließen
2416. 나는 계획을 확정했다. - Ich habe den Plan fertiggestellt.
2417. 너는 날짜를 확정한다. - Sie werden das Datum festlegen.
2418. 그들은 장소를 확정할 것이다. - Sie werden den Veranstaltungsort bestätigen.
2419. 날짜 확정됐어? - Steht das Datum fest?
2420. 예, 됐어. - Ja, wir sind bereit.
2421. 승인하다 - zu genehmigen
2422. 나는 요청을 승인했다. - Ich genehmige den Antrag.
2423. 너는 제안을 승인한다. - Sie genehmigen den Vorschlag.
2424. 우리는 계약을 승인할 것이다. - Wir werden den Vertrag genehmigen.
2425. 제안 승인할까? - Sollen wir den Antrag genehmigen?
2426. 네, 승인해. - Ja, genehmigen Sie ihn.
2427. 반영하다 - zu reflektieren
2428. 나는 의견을 반영했다. - Ich habe die Kommentare berücksichtigt.
2429. 너는 변경사항을 반영한다. - Sie werden die Änderungen berücksichtigen.
2430. 그는 조언을 반영할 것이다. - Er wird die Hinweise berücksichtigen.
2431. 의견 반영됐어? - Haben Sie reflektiert?
2432. 예, 반영됐어. - Ja, es wurde reflektiert.
2433. 접근하다 - Herangehen
2434. 나는 문제에 접근했다. - Ich bin an das Problem herangegangen.

2435. 너는 프로젝트에 접근한다. - Sie gehen an das Projekt heran.
2436. 그녀는 해결책에 접근할 것이다. - Sie wird die Lösung angehen.
2437. 해결책 찾았어? - Haben Sie eine Lösung gefunden?
2438. 찾는 중이야. - Ich bin auf der Suche nach ihr.
2439. 전환하다 - Umschalten
2440. 나는 주제를 전환했다. - Ich habe das Thema gewechselt.
2441. 너는 모드를 전환한다. - Du wechselst den Modus.
2442. 우리는 계획을 전환할 것이다. - Wir werden die Pläne wechseln.
2443. 모드 바꿀까? - Sollen wir den Modus wechseln?
2444. 네, 바꿔. - Ja, wechseln.
2445. 변환하다 - umwandeln
2446. 나는 파일을 변환했다. - Ich habe die Datei konvertiert.
2447. 너는 형식을 변환한다. - Sie konvertieren ein Format.
2448. 그들은 데이터를 변환할 것이다. - Sie werden die Daten konvertieren.
2449. 형식 맞춰줄래? - Können Sie sie formatieren?
2450. 좋아, 맞출게. - Okay, ich werde es formatieren.
2451. 조명하다 - zu beleuchten
2452. 나는 이슈를 조명했다. - Ich beleuchte den Punkt.
2453. 너는 포인트를 조명한다. - Sie beleuchten einen Punkt.
2454. 그녀는 주제를 조명할 것이다. - Sie wird das Thema beleuchten.
2455. 주제 뭘까? - Was ist das Thema?
2456. 곧 알려줄게. - Das werde ich Ihnen gleich sagen.
2457. 응답하다 - Zu antworten
2458. 나는 질문에 응답했다. - Ich habe auf die Frage geantwortet.
2459. 너는 요청에 응답한다. - Sie antworten auf die Aufforderung.
2460. 우리는 호출에 응답할 것이다. - Wir werden auf die Aufforderung antworten.
2461. 답변 줄 수 있어? - Können Sie mir eine Antwort geben?
2462. 네, 할 수 있어. - Ja, das kann ich.
2463. 조절하다 - zu regulieren
2464. 나는 온도를 조절했다. - Ich habe die Temperatur eingestellt.
2465. 너는 볼륨을 조절한다. - Sie stellen die Lautstärke ein.
2466. 그들은 속도를 조절할 것이다. - Sie stellen die Geschwindigkeit ein.
2467. 볼륨 낮출까? - Soll ich die Lautstärke leiser stellen?

2468. 네, 낮춰 줘. - Ja, bitte stellen Sie sie leiser.
2469. 27. 명사 단어들 외우기, 필수 10개 동사의 단어들을 가지고 50문장 연습하기 - 27. Nomenwörter auswendig lernen, 50 Sätze mit den 10 wichtigsten Verbwörtern üben
2470. 시스템 - System
2471. 드론 - Drohne
2472. 로봇 - Roboter
2473. 프로젝트 - Projekt
2474. 팀 - Mannschaft
2475. 회사 - Unternehmen
2476. 가게 - speichern
2477. 사이트 - Website
2478. 카페 - Cafe
2479. 주문 - Bestellung
2480. 신청 - Anwendung
2481. 문제 - problem
2482. 기술 - technologie
2483. 능력 - fähigkeit
2484. 경험 - Erfahrung
2485. 지식 - Wissen
2486. 사업 - Geschäft
2487. 영역 - Bereich
2488. 시장 - Markt
2489. 비용 - Kosten
2490. 규모 - Maßstab
2491. 지출 - Ausgaben
2492. 매출 - Verkauf
2493. 노력 - Aufwand
2494. 효율 - Wirkungsgrad
2495. 제어하다 - zur Kontrolle
2496. 나는 시스템을 제어했다. - Ich kontrolliere das System.
2497. 너는 드론을 제어한다. - Sie steuern die Drohne.
2498. 우리는 로봇을 제어할 것이다. - Wir werden den Roboter steuern.
2499. 드론 조종해 봤어? - Haben Sie schon einmal eine Drohne geflogen?

2500. 아니, 안 해봤어. - Nein, habe ich nicht.
2501. 관리하다 - zu managen
2502. 나는 프로젝트를 관리했다. - Ich habe das Projekt geleitet.
2503. 너는 팀을 관리한다. - Du leitest das Team.
2504. 그는 회사를 관리할 것이다. - Er wird das Unternehmen leiten.
2505. 팀 잘 돼가? - Wie läuft es mit dem Team?
2506. 네, 잘 돼. - Ja, es läuft gut.
2507. 운영하다 - Zu leiten
2508. 나는 가게를 운영했다. - Ich habe den Laden geleitet.
2509. 너는 사이트를 운영한다. - Du leitest die Baustelle.
2510. 그녀는 카페를 운영할 것이다. - Sie wird das Café leiten.
2511. 사이트 잘 운영돼? - Läuft die Website gut?
2512. 예, 잘 돼. - Ja, sie läuft gut.
2513. 처리하다 - zu bearbeiten
2514. 나는 주문을 처리했다. - Ich habe die Bestellung bearbeitet.
2515. 너는 신청을 처리한다. - Du bearbeitest den Antrag.
2516. 우리는 문제를 처리할 것이다. - Wir werden uns um das Problem kümmern.
2517. 신청 처리됐어? - Haben Sie den Antrag bearbeitet?
2518. 네, 처리됐어. - Ja, er ist bearbeitet.
2519. 처리하다 - zu bearbeiten
2520. 나는 주문을 처리했다. - Ich habe den Auftrag bearbeitet.
2521. 너는 신청을 처리한다. - Du bearbeitest den Antrag.
2522. 그는 문제를 처리할 것이다. - Er wird sich um das Problem kümmern.
2523. 신청 처리됐어? - Haben Sie den Antrag bearbeitet?
2524. 됐어. - Es ist erledigt.
2525. 발전하다 - Vorankommen
2526. 그녀는 기술을 발전시켰다. - Sie hat ihre Fähigkeiten entwickelt.
2527. 우리는 능력을 발전시킨다. - Wir entwickeln unsere Fähigkeiten.
2528. 당신들은 시스템을 발전시킬 것이다. - Sie werden das System weiterentwickeln.
2529. 기술 좋아졌니? - Hast du deine Fähigkeiten weiterentwickelt?
2530. 네, 좋아. - Ja, das ist gut.

2531. 성장하다 - wachsen
2532. 그들은 빠르게 성장했다. - Sie wachsen schnell.
2533. 나는 경험을 성장시킨다. - Ich wachse an Erfahrung.
2534. 너는 지식을 성장시킬 것이다. - Sie werden an Wissen wachsen.
2535. 경험 많아졌어? - Sind Sie an Erfahrung gewachsen?
2536. 많아. - Ich habe eine Menge.
2537. 확장하다 - zu erweitern
2538. 나는 사업을 확장했다. - Ich habe mein Geschäft erweitert.
2539. 너는 영역을 확장한다. - Du wirst dein Gebiet erweitern.
2540. 그는 시장을 확장할 것이다. - Er wird den Markt erweitern.
2541. 시장 크니? - Ist der Markt groß?
2542. 네, 크다. - Ja, er ist groß.
2543. 축소하다 - Zu schrumpfen
2544. 그녀는 비용을 축소했다. - Sie hat ihre Kosten gesenkt.
2545. 우리는 규모를 축소한다. - Wir schrumpfen.
2546. 당신들은 지출을 축소할 것이다. - Sie werden Ihre Ausgaben kürzen.
2547. 비용 줄었어? - Haben Sie die Kosten gesenkt?
2548. 네, 줄었어. - Ja, sie sind gesunken.
2549. 증가하다 - zu erhöhen
2550. 그들은 매출을 증가시켰다. - Sie haben den Umsatz gesteigert.
2551. 나는 노력을 증가시킨다. - Ich erhöhe den Aufwand.
2552. 너는 효율을 증가시킬 것이다. - Sie erhöhen die Effizienz.
2553. 매출 올랐어? - Sind die Verkäufe gestiegen?
2554. 네, 올랐어. - Ja, sie sind gestiegen.
2555. 28. 명사 단어들 외우기, 필수 10개 동사의 단어들을 가지고 50문장 연습하기 - 28. Nomen auswendig lernen, 50 Sätze mit den 10 wichtigsten Verben üben
2556. 오류 - Fehler
2557. 리스크 - Risiko
2558. 부채 - Fan
2559. 앱 - App
2560. 소프트웨어 - Software
2561. 기술 - Technik
2562. 기계 - Maschine

2563. 아이디어 - Idee
2564. 제품 - Produkt
2565. 예술작품 - Kunstwerk
2566. 콘텐츠 - Inhalt
2567. 비전 - vision
2568. 해결책 - Lösung
2569. 정보 - informationen
2570. 답 - antwort
2571. 우주 - universum
2572. 신세계 - neue welt
2573. 바다 - Ozean
2574. 시장 - markt
2575. 사건 - Ereignis
2576. 현상 - Phänomen
2577. 도움 - helfen
2578. 지원 - unterstützen
2579. 협력 - Zusammenarbeit
2580. 계획 - planen
2581. 전략 - Strategie
2582. 제안 - Vorschlag
2583. 조건 - Bedingung
2584. 요청 - Antrag
2585. 감소하다 - Reduzieren
2586. 나는 오류를 감소시켰다. - Ich reduziere Fehler.
2587. 너는 리스크를 감소시킨다. - Sie reduzieren das Risiko.
2588. 그는 부채를 감소시킬 것이다. - Er wird die Schulden reduzieren.
2589. 리스크 적어졌어? - Weniger Risiko?
2590. 적어. - Weniger.
2591. 개발하다 - Zu entwickeln
2592. 그녀는 앱을 개발했다. - Sie hat eine App entwickelt.
2593. 우리는 소프트웨어를 개발한다. - Wir entwickeln Software.
2594. 당신들은 기술을 개발할 것이다. - Ihr entwickelt Technologie.
2595. 앱 나왔어? - Ist die App draußen?
2596. 나왔어. - Sie ist raus.

2597. 발명하다 - Zu erfinden
2598. 그들은 기계를 발명했다. - Sie haben eine Maschine erfunden.
2599. 나는 아이디어를 발명한다. - Ich erfinde eine Idee.
2600. 너는 제품을 발명할 것이다. - Sie werden ein Produkt erfinden.
2601. 기계 새로운 거야? - Ist die Maschine neu?
2602. 새로워. - Neu.
2603. 창조하다 - Zu erschaffen
2604. 나는 예술작품을 창조했다. - Ich schaffe ein Kunstwerk.
2605. 너는 콘텐츠를 창조한다. - Du wirst einen Inhalt schaffen.
2606. 그는 비전을 창조할 것이다. - Er wird eine Vision schaffen.
2607. 콘텐츠 재밌어? - Ist der Inhalt lustig?
2608. 재밌어. - Es ist lustig.
2609. 찾아내다 - um herauszufinden
2610. 그녀는 해결책을 찾아냈다. - Sie hat eine Lösung gefunden.
2611. 우리는 정보를 찾아낸다. - Wir finden Informationen.
2612. 당신들은 답을 찾아낼 것이다. - Sie werden die Antwort finden.
2613. 정보 찾았어? - Hast du die Information gefunden?
2614. 찾았어. - Ich habe sie gefunden.
2615. 탐사하다 - zu erforschen
2616. 그들은 우주를 탐사했다. - Sie erforschten das Universum.
2617. 나는 신세계를 탐사한다. - Ich erforsche neue Welten.
2618. 너는 바다를 탐사할 것이다. - Du wirst den Ozean erforschen.
2619. 우주 멋져? - Ist der Weltraum cool?
2620. 멋져. - Es ist cool.
2621. 조사하다 - zu erforschen
2622. 나는 시장을 조사했다. - Ich habe den Markt untersucht.
2623. 너는 사건을 조사한다. - Du wirst den Fall untersuchen.
2624. 그는 현상을 조사할 것이다. - Er wird das Phänomen untersuchen.
2625. 사건 해결됐어? - Ist der Fall gelöst?
2626. 해결돼. - Er ist gelöst.
2627. 청하다 - Um Hilfe bitten
2628. 그녀는 도움을 청했다. - Sie hat um Hilfe gebeten.
2629. 우리는 지원을 청한다. - Wir bitten um Hilfe.
2630. 당신들은 협력을 청할 것이다. - Sie werden gebeten, zu kooperieren.

2631. 도움 필요해? - Brauchen Sie Hilfe?
2632. 필요해. - Ja, ich brauche sie.
2633. 제안하다 - Vorschlagen
2634. 그들은 계획을 제안했다. - Sie haben einen Plan vorgeschlagen.
2635. 나는 아이디어를 제안한다. - Ich schlage eine Idee vor.
2636. 너는 전략을 제안할 것이다. - Sie werden eine Strategie vorschlagen.
2637. 아이디어 있어? - Haben Sie eine Idee?
2638. 있어. - Ich habe eine.
2639. 승낙하다 - Annehmen
2640. 나는 제안을 승낙했다. - Ich akzeptiere den Vorschlag.
2641. 너는 조건을 승낙한다. - Sie akzeptieren die Bedingungen.
2642. 그는 요청을 승낙할 것이다. - Er wird den Antrag annehmen.
2643. 조건 괜찮아? - Sind die Bedingungen in Ordnung?
2644. 괜찮아. - Ja, alles in Ordnung.
2645. 29. 명사 단어들 외우기, 필수 10개 동사의 단어들을 가지고 50문장 연습하기 - 29. Lernen Sie Substantivwörter auswendig, üben Sie 50 Sätze mit den geforderten 10 Verbwörtern
2646. 문제 - Problem
2647. 주제 - Thema
2648. 해결책 - Lösung
2649. 의견 - Meinung
2650. 친구 - Freund
2651. 여행 - Reise
2652. 부모님 - Eltern
2653. 조언 - Beratung
2654. 위험 - Gefahr
2655. 소식 - Nachrichten
2656. 정보 - Informationen
2657. 변화 - ändern
2658. 사랑 - Liebe
2659. 마음 - Geist
2660. 진심 - Aufrichtigkeit
2661. 문서 - Dokument
2662. 이미지 - Bild

2663. 자료 - Daten
2664. 표 - Diagramm
2665. 보고서 - Bericht
2666. 그래프 - Grafik
2667. 부분 - teilzeitarbeit
2668. 문장 - Satz
2669. 영상 - Video
2670. 장면 - Szene
2671. 답 - Antwort
2672. 장소 - Standort
2673. 주소 - Adresse
2674. 토론하다 - diskutieren
2675. 그는 어제 문제에 대해 토론했다. - Er hat das Problem gestern besprochen.
2676. 그녀는 지금 중요한 주제를 토론한다. - Sie bespricht jetzt wichtige Themen.
2677. 우리는 내일 해결책을 토론할 것이다. - Wir werden die Lösung morgen besprechen.
2678. 의견 있어? - Haben Sie eine Meinung?
2679. 네, 있어. - Ja, die habe ich.
2680. 설득하다 - überreden
2681. 그녀는 친구를 여행 가기로 설득했다. - Sie hat ihre Freundin überredet, auf die Reise zu gehen.
2682. 나는 지금 부모님을 설득한다. - Ich überrede jetzt meine Eltern.
2683. 너는 내일 그들을 설득할 것이다. - Du wirst sie morgen überreden.
2684. 설득됐어? - Überzeugt?
2685. 응, 됐어. - Ja, ich bin überzeugt.
2686. 조언하다 - zu beraten
2687. 그들은 나에게 좋은 조언을 해주었다. - Sie haben mir einen guten Rat gegeben.
2688. 나는 지금 친구에게 조언한다. - Ich berate meinen Freund jetzt.
2689. 너는 내일 조언을 할 것이다. - Sie werden morgen einen Rat geben.
2690. 조언 필요해? - Brauchen Sie einen Rat?
2691. 필요해, 고마워. - Ich brauche ihn, danke.

2692. 경고하다 - warnen
2693. 그녀는 위험에 대해 경고했다. - Sie hat ihn vor der Gefahr gewarnt.
2694. 우리는 지금 위험을 경고한다. - Wir warnen jetzt vor der Gefahr.
2695. 당신들은 내일 그들을 경고할 것이다. - Sie werden sie morgen warnen.
2696. 경고 들었어? - Hast du die Warnung gehört?
2697. 네, 들었어. - Ja, ich habe sie gehört.
2698. 알리다 - informieren
2699. 그는 어제 소식을 알렸다. - Er hat die Nachricht gestern bekannt gegeben.
2700. 그녀는 지금 정보를 알린다. - Sie teilt die Information jetzt mit.
2701. 우리는 내일 변화를 알릴 것이다. - Wir werden die Änderung morgen bekannt geben.
2702. 소식 알아? - Kennen Sie die Neuigkeit?
2703. 아니, 몰라. - Nein, ich weiß es nicht.
2704. 고백하다 - zu gestehen
2705. 그녀는 그에게 사랑을 고백했다. - Sie hat ihm ihre Liebe gestanden.
2706. 나는 지금 마음을 고백한다. - Ich bekenne jetzt mein Herz.
2707. 너는 내일 진심을 고백할 것이다. - Du wirst ihm morgen dein Herz gestehen.
2708. 고백할 거야? - Wirst du beichten?
2709. 응, 할 거야. - Ja, das werde ich.
2710. 붙여넣다 - zum Einfügen
2711. 그는 문서에 이미지를 붙여넣었다. - Er hat das Bild in das Dokument eingefügt.
2712. 그녀는 지금 자료에 표를 붙여넣는다. - Sie fügt jetzt eine Tabelle in das Dokument ein.
2713. 우리는 내일 보고서에 그래프를 붙여넣을 것이다. - Wir fügen das Diagramm morgen in den Bericht ein.
2714. 완성됐어? - Sind Sie schon fertig?
2715. 거의 다 됐어. - Fast fertig.
2716. 잘라내다 - Ausschneiden
2717. 그들은 불필요한 부분을 잘라냈다. - Sie schneiden die unnötigen Teile heraus.

2718. 나는 지금 문서에서 문장을 잘라낸다. - Ich schneide jetzt Sätze aus dem Dokument aus.
2719. 너는 내일 영상에서 장면을 잘라낼 것이다. - Sie werden morgen Szenen aus dem Video schneiden.
2720. 줄일 필요 있어? - Müssen Sie etwas herausschneiden?
2721. 응, 있어. - Ja, das muss ich.
2722. 검색하다 - Zu suchen
2723. 그녀는 정보를 검색했다. - Sie suchte nach Informationen.
2724. 나는 지금 자료를 검색한다. - Ich suche jetzt nach Material.
2725. 너는 내일 답을 검색할 것이다. - Du wirst morgen nach Antworten suchen.
2726. 정보 찾고 있어? - Suchst du nach Informationen?
2727. 찾고 있어. - Ich bin auf der Suche danach.
2728. 찾아보다 - Zu suchen
2729. 그는 옛 친구를 찾아보았다. - Er hat seinen alten Freund aufgesucht.
2730. 그녀는 지금 문서를 찾아본다. - Sie sucht jetzt nach dem Dokument.
2731. 우리는 내일 그 장소를 찾아볼 것이다. - Wir werden morgen nach dem Ort suchen.
2732. 주소 찾았어? - Hast du die Adresse gefunden?
2733. 아직 못 찾았어. - Nein, ich habe sie noch nicht gefunden.
2734. 30. 명사 단어들 외우기, 필수 10개 동사의 단어들을 가지고 50문장 연습하기 - 30. Lernen Sie die Substantivwörter auswendig, üben Sie 50 Sätze mit den 10 wichtigsten Verbwörtern
2735. 리더 - Führer
2736. 메뉴 - Speisekarte
2737. 색상 - Farbe
2738. 프로젝트 - Projekt
2739. 계획 - planen
2740. 아이디어 - Idee
2741. 스케줄 - Zeitplan
2742. 예약 - Reservierung
2743. 보안 - Sicherheit
2744. 비밀번호 - Kennwort
2745. 규칙 - Regel

2746. 입장 - Eingang
2747. 영향력 - Beeinflussung
2748. 제한 - begrenzen
2749. 프로세스 - Prozess
2750. 시스템 - System
2751. 웹사이트 - Website
2752. 기능 - Funktion
2753. 계정 - Konto
2754. 서비스 - Dienst
2755. 알림 - Alarm
2756. 옵션 - Option
2757. 컴퓨터 - Computer
2758. 인터넷 - Internet
2759. 기기 - Gerät
2760. 부분 - Teilzeitjob
2761. 요소 - Element
2762. 구성 - Zusammensetzung
2763. 선택하다 - Auswählen
2764. 그들은 새 리더를 선택했다. - Sie haben einen neuen Leser gewählt.
2765. 나는 지금 메뉴를 선택한다. - Ich wähle jetzt das Menü.
2766. 너는 내일 색상을 선택할 것이다. - Sie werden morgen eine Farbe wählen.
2767. 쉽게 고를 수 있어? - Ist es einfach, eine auszuwählen?
2768. 네, 쉬워. - Ja, es ist leicht.
2769. 구상하다 - sich etwas vorstellen
2770. 그녀는 새 프로젝트를 구상했다. - Sie hat sich ein neues Projekt ausgedacht.
2771. 나는 지금 계획을 구상한다. - Ich stelle mir jetzt einen Plan vor.
2772. 우리는 내일 아이디어를 구상할 것이다. - Wir werden morgen eine Idee haben.
2773. 아이디어 있어? - Haben Sie schon eine Idee?
2774. 응, 많아. - Ja, ich habe viele.
2775. 변경하다 - zu ändern
2776. 그는 계획을 변경했다. - Er hat seine Pläne geändert.

2777. 그녀는 지금 스케줄을 변경한다. - Sie ändert jetzt ihren Plan.
2778. 당신들은 내일 예약을 변경할 것이다. - Ihr werdet morgen einen neuen Termin machen.
2779. 날짜 바꿀래? - Willst du den Termin ändern?
2780. 그래, 바꿀래. - Ja, ich werde ihn ändern.
2781. 강화하다 - Verschärfung
2782. 그들은 보안을 강화했다. - Sie haben die Sicherheit erhöht.
2783. 나는 지금 비밀번호를 강화한다. - Ich verstärke jetzt mein Passwort.
2784. 너는 내일 규칙을 강화할 것이다. - Sie werden morgen die Regeln verschärfen.
2785. 보안 더 필요해? - Brauchen Sie mehr Sicherheit?
2786. 네, 필요해. - Ja, ich brauche sie.
2787. 약화하다 - zu schwächen
2788. 그녀는 입장을 약화시켰다. - Sie hat ihre Position geschwächt.
2789. 우리는 지금 영향력을 약화시킨다. - Wir schwächen jetzt unseren Einfluss.
2790. 당신들은 내일 제한을 약화시킬 것이다. - Morgen werden Sie die Beschränkungen aufweichen.
2791. 영향 줄어들었어? - Weniger Einfluss?
2792. 응, 줄었어. - Ja, er hat sich verringert.
2793. 최적화하다 - Optimieren
2794. 그는 프로세스를 최적화했다. - Er hat den Prozess optimiert.
2795. 그녀는 지금 시스템을 최적화한다. - Sie optimiert jetzt das System.
2796. 우리는 내일 웹사이트를 최적화할 것이다. - Wir werden morgen die Website optimieren.
2797. 성능 좋아졌어? - Ist die Leistung besser?
2798. 많이 좋아졌어. - Sie ist viel besser.
2799. 활성화하다 - zu aktivieren
2800. 그들은 기능을 활성화했다. - Sie haben die Funktion aktiviert.
2801. 나는 지금 계정을 활성화한다. - Ich aktiviere das Konto jetzt.
2802. 너는 내일 서비스를 활성화할 것이다. - Sie werden den Dienst morgen aktivieren.
2803. 작동하나요? - Funktioniert er?
2804. 응, 잘 돼. - Ja, es funktioniert.

2805. 비활성화하다 - zu deaktivieren
2806. 그녀는 알림을 비활성화했다. - Sie hat die Benachrichtigungen deaktiviert.
2807. 우리는 지금 옵션을 비활성화한다. - Wir deaktivieren die Option jetzt.
2808. 당신들은 내일 기능을 비활성화할 것이다. - Ihr werdet die Funktion morgen deaktivieren.
2809. 더 이상 안 나와? - Sie wird nicht mehr erscheinen?
2810. 아니, 안 나와. - Nein, das wird sie nicht.
2811. 연결하다 - zum Verbinden
2812. 나는 컴퓨터를 연결했다. - Ich habe meinen Computer angeschlossen.
2813. 너는 인터넷을 연결한다. - Du verbindest das Internet.
2814. 그는 기기를 연결할 것이다. - Er wird das Gerät anschließen.
2815. 연결 됐어? - Sind Sie verbunden?
2816. 됐어. - Erledigt.
2817. 분리하다 - Trennen
2818. 그녀는 두 부분을 분리했다. - Sie trennt die beiden Teile.
2819. 우리는 요소들을 분리한다. - Wir trennen die Elemente.
2820. 당신들은 구성을 분리할 것이다. - Du wirst die Komposition trennen.
2821. 분리해야 해? - Müssen wir trennen?
2822. 해야 해. - Sie sollten.
2823. 31. 명사 단어들 외우기, 필수 10개 동사의 단어들을 가지고 50문장 연습하기 - 31. Lernen Sie Substantivwörter auswendig, üben Sie 50 Sätze mit den 10 wichtigsten Verbwörtern
2824. 가구 - Möbel
2825. 모델 - Modell
2826. 장난감 - Spielzeug
2827. 기계 - Maschine
2828. 구조 - Struktur
2829. 시스템 - System
2830. 선물 - Geschenk
2831. 상품 - Waren
2832. 박스 - Schachtel
2833. 편지 - Brief
2834. 패키지 - Paket

2835. 상자 - Schachtel
2836. 볼륨 - Volumen
2837. 뚜껑 - Deckel
2838. 핸들 - Griff
2839. 페이지 - Seite
2840. 채널 - Kanal
2841. 장 - Seite
2842. 종이 - Papier
2843. 천 - Stoff
2844. 나무 - Baum
2845. 국물 - Suppe
2846. 음료 - Getränk
2847. 소스 - Soße
2848. 요리 - Kochen
2849. 스무디 - Smoothie
2850. 케이크 - Kuchen
2851. 목욕 - Bad
2852. 온천 - Spa
2853. 조립하다 - zusammenbauen
2854. 그들은 가구를 조립했다. - Sie bauen die Möbel zusammen.
2855. 나는 모델을 조립한다. - Ich baue das Modell zusammen.
2856. 너는 장난감을 조립할 것이다. - Sie werden das Spielzeug zusammenbauen.
2857. 도와줄까? - Soll ich Ihnen helfen?
2858. 좋아. - Ja, gerne.
2859. 해체하다 - Demontieren
2860. 그녀는 기계를 해체했다. - Sie hat die Maschine demontiert.
2861. 우리는 구조를 해체한다. - Wir demontieren die Struktur.
2862. 당신들은 시스템을 해체할 것이다. - Du wirst das System demontieren.
2863. 해체 필요해? - Müssen Sie demontieren?
2864. 필요해. - Ich brauche es.
2865. 포장하다 - Zum Einpacken
2866. 나는 선물을 포장했다. - Ich habe das Geschenk eingepackt.

2867. 너는 상품을 포장한다. - Du wirst die Ware einpacken.
2868. 그는 박스를 포장할 것이다. - Er wird die Kisten einpacken.
2869. 끝났어? - Bist du fertig?
2870. 아직. - Nein, noch nicht.
2871. 개봉하다 - Zu öffnen
2872. 그녀는 편지를 개봉했다. - Sie hat den Brief geöffnet.
2873. 우리는 패키지를 개봉한다. - Wir packen das Paket aus.
2874. 당신들은 상자를 개봉할 것이다. - Du machst die Schachtel auf.
2875. 열어볼까? - Sollen wir es öffnen?
2876. 열어봐. - Öffnen Sie es.
2877. 돌리다 - drehen
2878. 그들은 볼륨을 돌렸다. - Sie drehten die Lautstärke.
2879. 나는 뚜껑을 돌린다. - Ich drehe den Deckel.
2880. 너는 핸들을 돌릴 것이다. - Sie werden den Griff drehen.
2881. 돌려야 돼? - Muss ich ihn drehen?
2882. 응, 돼. - Ja, das können Sie.
2883. 넘기다 - umblättern
2884. 그녀는 페이지를 넘겼다. - Sie blättert die Seite um.
2885. 우리는 채널을 넘긴다. - Wir blättern den Kanal um.
2886. 당신들은 장을 넘길 것이다. - Du wirst das Kapitel umblättern.
2887. 넘길까? - Sollen wir es umblättern?
2888. 넘겨. - Umblättern.
2889. 자르다 - Zum Schneiden
2890. 나는 종이를 자르다. - Ich schneide das Papier.
2891. 너는 천을 자른다. - Du schneidest den Stoff.
2892. 그는 나무를 자를 것이다. - Er wird Holz schneiden.
2893. 자를까? - Sollen wir schneiden?
2894. 자르자. - Lass uns schneiden.
2895. 저다 - Umrühren
2896. 그녀는 국물을 저었다. - Sie rührt die Brühe um.
2897. 우리는 음료를 젓는다. - Wir rühren das Getränk.
2898. 당신들은 소스를 저을 것이다. - Ihr werdet die Soße umrühren.
2899. 더 저을까? - Sollen wir noch etwas rühren?
2900. 응, 저어. - Ja, rühren.

2901. 맛보다 - Schmecken
2902. 그들은 새 요리를 맛보았다. - Sie haben das neue Gericht probiert.
2903. 나는 스무디를 맛본다. - Ich probiere den Smoothie.
2904. 너는 케이크를 맛볼 것이다. - Du wirst den Kuchen probieren.
2905. 맛있어? - Ist er lecker?
2906. 맛있어. - Er ist köstlich.
2907. 목욕하다 - zu baden
2908. 그녀는 긴 목욕을 했다. - Sie hat ein langes Bad genommen.
2909. 우리는 온천에서 목욕한다. - Wir baden in den heißen Quellen.
2910. 당신들은 집에서 목욕할 것이다. - Du wirst zu Hause baden.
2911. 뜨거워? - Ist es heiß?
2912. 적당해. - Es ist genau richtig.
2913. 32. 명사 단어들 외우기, 필수 10개 동사의 단어들을 가지고 50문장 연습하기 - 32. Lernen Sie Substantivwörter auswendig, üben Sie 50 Sätze mit den Wörtern der 10 wichtigsten Verben
2914. 샤워 - duschen
2915. 드레스 - anziehen
2916. 유니폼 - Uniform
2917. 옷 - Kleidung
2918. 잠옷 - Schlafanzug
2919. 신발 - Schuhe
2920. 코트 - Mantel
2921. 파티복 - Partykleidung
2922. 운동복 - Sportbekleidung
2923. 머리 - Kopf
2924. 고양이 - Katze
2925. 말 - Wort
2926. 방 - Zimmer
2927. 트리 - Baum
2928. 집 - Haus
2929. 문서 - Dokument
2930. 보고서 - bericht
2931. 이메일 - E-Mail
2932. 그림 - Gemälde

2933. 스케치 - Skizze
2934. 만화 - Comicbuch
2935. 길 - Straße
2936. 눈길 - Linie der Vision
2937. 정글 - Dschungel
2938. 샤워하다 - zu duschen
2939. 나는 아침에 샤워했다. - Ich habe am Morgen geduscht.
2940. 너는 지금 샤워한다. - Du duschst jetzt.
2941. 그는 저녁에 샤워할 것이다. - Er wird am Abend duschen.
2942. 빨리 할까? - Sollen wir es schnell machen?
2943. 빨리 해. - Mach es schnell.
2944. 입다 - Anziehen
2945. 그녀는 드레스를 입었다. - Sie hat das Kleid angezogen.
2946. 우리는 유니폼을 입는다. - Wir tragen Uniformen.
2947. 당신들은 새 옷을 입을 것이다. - Ihr werdet neue Kleider tragen.
2948. 예뻐? - Ist es schön?
2949. 예뻐. - Ja, es ist schön.
2950. 벗다 - ausziehen
2951. 그들은 잠옷을 벗었다. - Sie haben ihre Pyjamas ausgezogen.
2952. 나는 신발을 벗는다. - Ich ziehe meine Schuhe aus.
2953. 너는 코트를 벗을 것이다. - Du wirst deinen Mantel ausziehen.
2954. 춥지 않아? - Ist dir nicht kalt?
2955. 괜찮아. - Nein, es geht mir gut.
2956. 갈아입다 - umziehen
2957. 그녀는 파티복으로 갈아입었다. - Sie hat ihre Partykleidung angezogen.
2958. 우리는 운동복으로 갈아입는다. - Wir werden unsere Sportkleidung anziehen.
2959. 당신들은 편안한 옷으로 갈아입을 것이다. - Du ziehst dir bequeme Kleidung an.
2960. 빨리 할 수 있어? - Kannst du das schnell machen?
2961. 할 수 있어. - Ich schaffe es.
2962. 빗다 - zu kämmen
2963. 나는 머리를 빗었다. - Ich habe mein Haar gekämmt.

2964. 너는 고양이를 빗는다. - Du bürstest die Katze.
2965. 그는 말을 빗을 것이다. - Er wird das Pferd kämmen.
2966. 도와줄까? - Willst du, dass ich dir helfe?
2967. 좋아. - Ja, gerne.
2968. 꾸미다 - Zum Dekorieren
2969. 그녀는 방을 꾸몄다. - Sie hat ihr Zimmer geschmückt.
2970. 우리는 트리를 꾸민다. - Wir schmücken den Baum.
2971. 당신들은 집을 꾸밀 것이다. - Du wirst das Haus schmücken.
2972. 예쁘게 할까? - Sollen wir es hübsch machen?
2973. 그래, 예쁘게. - Ja, verschönern.
2974. 단장하다 - sich herausputzen
2975. 그들은 축제에 맞춰 단장했다. - Sie haben sich für das Fest herausgeputzt.
2976. 나는 면접에 맞춰 단장한다. - Ich mache mich schick für ein Vorstellungsgespräch.
2977. 너는 결혼식에 맞춰 단장할 것이다. - Du wirst dich für die Hochzeit in Schale werfen.
2978. 준비 됐어? - Sind Sie bereit?
2979. 됐어. - Ja, ich bin bereit.
2980. 교정하다 - Korrekturlesen
2981. 그녀는 문서를 교정했다. - Sie hat das Dokument korrekturgelesen.
2982. 우리는 보고서를 교정한다. - Wir lesen den Bericht Korrektur.
2983. 당신들은 이메일을 교정할 것이다. - Ihr werdet die E-Mail korrekturlesen.
2984. 오류 있어? - Irgendwelche Fehler?
2985. 없어. - Nein.
2986. 채색하다 - Zum Ausmalen
2987. 나는 그림에 채색했다. - Ich habe das Bild ausgemalt.
2988. 너는 스케치를 채색한다. - Du wirst die Skizze ausmalen.
2989. 그는 만화를 채색할 것이다. - Er wird den Cartoon ausmalen.
2990. 끝났어? - Bist du fertig?
2991. 거의. - Fast.
2992. 헤치다 - absichern
2993. 그녀는 길을 헤쳤다. - Sie hat sich einen Weg gebahnt.

2994. 우리는 눈길을 헤친다. - Wir pflügen durch den Schnee.
2995. 당신들은 정글을 헤칠 것이다. - Ihr werdet es durch den Dschungel schaffen.
2996. 힘들어? - Schwierig?
2997. 좀 힘들어. - Es ist ein bisschen hart.
2998. 33. 명사 단어들 외우기, 필수 10개 동사의 단어들을 가지고 50문장 연습하기 - 33. Lernen Sie Substantivwörter auswendig, üben Sie 50 Sätze mit den Wörtern der 10 wichtigsten Verben
2999. 팬케이크 - Pfannkuchen
3000. 책장 - Bücherregal
3001. 매트 - Matte
3002. 공원 - Park
3003. 해변 - Strand
3004. 산길 - Bergpfad
3005. 줄넘기 - Springseil
3006. 장애물 - Hindernis
3007. 역사 - Geschichte
3008. 수학 - Mathe
3009. 과학 - Wissenschaft
3010. 기술 - Technik
3011. 레시피 - Rezept
3012. 노래 - singen
3013. 시 - Stadt
3014. 공식 - offiziell
3015. 단어 - Wort
3016. 시장 - Markt
3017. 문화 - Kultur
3018. 생태계 - Ökosystem
3019. 우주 - Universum
3020. 인간 마음 - menschlicher Geist
3021. 심해 - Tiefsee
3022. 방법 - Verfahren
3023. 화학 반응 - chemische Reaktion
3024. 생물학적 실험 - biologisches Experiment

3025. 제품 - Produkt
3026. 능력 - Fähigkeit
3027. 뒤집다 - umzudrehen
3028. 그들은 팬케이크를 뒤집었다. - Sie haben die Pfannkuchen umgedreht.
3029. 나는 책장을 뒤집는다. - Ich drehe das Bücherregal um.
3030. 너는 매트를 뒤집을 것이다. - Du wirst die Matte umdrehen.
3031. 잘 됐어? - Ist es gut gelaufen?
3032. 잘 됐어. - Ja, es lief gut.
3033. 뛰다 - zu rennen
3034. 그녀는 공원을 뛰었다. - Sie rannte durch den Park.
3035. 우리는 해변을 뛴다. - Wir sind am Strand gelaufen.
3036. 당신들은 산길을 뛸 것이다. - Ihr werdet auf den Bergpfaden laufen.
3037. 피곤해? - Bist du müde?
3038. 아니, 괜찮아. - Nein, mir geht's gut.
3039. 점프하다 - Zu springen
3040. 나는 높이 점프했다. - Ich bin hoch gesprungen.
3041. 너는 줄넘기를 점프한다. - Du wirst Seil springen.
3042. 그는 장애물을 점프할 것이다. - Er wird über die Hürde springen.
3043. 할 수 있어? - Schaffst du das?
3044. 할 수 있어. - Ich kann es tun.
3045. 공부하다 - studieren
3046. 그녀는 역사를 공부했다. - Sie hat Geschichte studiert.
3047. 우리는 수학을 공부한다. - Wir studieren Mathe.
3048. 당신들은 과학을 공부할 것이다. - Ihr werdet Naturwissenschaften studieren.
3049. 어려워? - Ist das schwierig?
3050. 조금 어려워. - Ein bisschen schwierig.
3051. 익히다 - zu beherrschen
3052. 그들은 새로운 기술을 익혔다. - Sie haben eine neue Fähigkeit gemeistert.
3053. 나는 레시피를 익힌다. - Ich beherrsche ein Rezept.
3054. 너는 노래를 익힐 것이다. - Sie werden das Lied meistern.
3055. 쉬워? - Ist es leicht?

3056. 쉬워. - Es ist leicht.
3057. 암기하다 - Auswendig lernen
3058. 그녀는 시를 암기했다. - Sie hat das Gedicht auswendig gelernt.
3059. 우리는 공식을 암기한다. - Wir lernen Formeln auswendig.
3060. 당신들은 단어를 암기할 것이다. - Du wirst die Wörter auswendig lernen.
3061. 외웠어? - Hast du es auswendig gelernt?
3062. 외웠어. - Ich habe es auswendig gelernt.
3063. 연구하다 - studieren
3064. 나는 시장을 연구했다. - Ich habe den Markt studiert.
3065. 너는 문화를 연구한다. - Du studierst die Kultur.
3066. 그는 생태계를 연구할 것이다. - Er wird das Ökosystem studieren.
3067. 발견했어? - Haben Sie es gefunden?
3068. 발견했어. - Ich habe es gefunden.
3069. 탐구하다 - zu erforschen
3070. 그녀는 우주를 탐구했다. - Sie erforschte das Universum.
3071. 우리는 인간 마음을 탐구한다. - Wir erforschen den menschlichen Geist.
3072. 당신들은 심해를 탐구할 것이다. - Du wirst die Tiefsee erforschen.
3073. 무엇을 탐구해? - Was erforschen?
3074. 심해를 탐구해. - Die Tiefsee erforschen.
3075. 실험하다 - zu experimentieren
3076. 나는 새로운 방법을 실험했다. - Ich habe mit einer neuen Methode experimentiert.
3077. 너는 화학 반응을 실험한다. - Du wirst mit chemischen Reaktionen experimentieren.
3078. 그는 생물학적 실험을 할 것이다. - Er wird ein biologisches Experiment durchführen.
3079. 성공했어? - Warst du erfolgreich?
3080. 네, 성공했어. - Ja, es war erfolgreich.
3081. 시험하다 - zu testen
3082. 그들은 제품을 시험했다. - Sie haben das Produkt getestet.
3083. 나는 내 능력을 시험한다. - Ich teste meine Fähigkeiten.
3084. 너는 새 기술을 시험할 것이다. - Sie werden Ihre neuen Fähigkeiten

testen.
3085. 어때? - Wie läuft's?
3086. 잘 작동해. - Es funktioniert gut.
3087. 34. 명사 단어들 외우기, 필수 10개 동사의 단어들을 가지고 50문장 연습하기 - 34. Nomen auswendig lernen, 50 Sätze mit den 10 wichtigsten Verben üben
3088. 친구 - Freund
3089. 대화 - Gespräch
3090. 주제 - Thema
3091. 세계 평화 - Weltfrieden
3092. 팀 - Mannschaft
3093. 가족 - Familie
3094. 다국어 - mehrsprachig
3095. 질문 - Frage
3096. 퀴즈 - Quiz
3097. 인터뷰 질문 - Interview-Fragen
3098. 사건 - Veranstaltung
3099. 독립 기념일 - vierte
3100. 업적 - Errungenschaften
3101. 졸업 - Hochschulabschluss
3102. 승진 - Beförderung
3103. 생일 - Geburtstag
3104. 영웅 - Held
3105. 역사적 사건 - historisches Ereignis
3106. 인물 - Charakter
3107. 사람 - Person
3108. 학생 - Schüler
3109. 노력 - Anstrengung
3110. 성취 - Leistung
3111. 성공 - Erfolg
3112. 실수 - Fehler
3113. 부정적 행동 - negatives Verhalten
3114. 불공정 - unfair
3115. 대화하다 - Umgekehrt

3116. 그녀는 친구와 깊은 대화를 했다. - Sie hatte ein tiefes Gespräch mit ihrer Freundin.
3117. 우리는 중요한 주제에 대해 대화한다. - Wir sprechen über wichtige Themen.
3118. 당신들은 세계 평화에 대해 대화할 것이다. - Sie werden über den Weltfrieden sprechen.
3119. 흥미로워? - Interessant?
3120. 매우 흥미로워. - Sehr interessant.
3121. 소통하다 - zu kommunizieren
3122. 나는 팀과 효과적으로 소통했다. - Ich habe effektiv mit meinem Team kommuniziert.
3123. 너는 가족과 소통한다. - Sie kommunizieren mit Ihrer Familie.
3124. 그는 다국어로 소통할 것이다. - Er wird in mehreren Sprachen kommunizieren.
3125. 쉬워? - Ist das leicht?
3126. 노력이 필요해. - Es erfordert Anstrengung.
3127. 답하다 - zu antworten
3128. 그들은 내 질문에 답했다. - Sie haben meine Frage beantwortet.
3129. 나는 퀴즈에 답한다. - Ich beantworte das Quiz.
3130. 너는 인터뷰 질문에 답할 것이다. - Sie beantworten Interviewfragen.
3131. 준비됐어? - Sind Sie bereit?
3132. 예, 준비됐어. - Ja, ich bin bereit.
3133. 기념하다 - zu gedenken
3134. 그녀는 중요한 사건을 기념했다. - Sie gedachte eines wichtigen Ereignisses.
3135. 우리는 독립 기념일을 기념한다. - Wir feiern den Unabhängigkeitstag.
3136. 당신들은 업적을 기념할 것이다. - Du wirst eine Errungenschaft feiern.
3137. 언제야? - Wann ist er?
3138. 내일이야. - Morgen.
3139. 경축하다 - zu feiern
3140. 나는 졸업을 경축했다. - Ich habe meinen Schulabschluss gefeiert.
3141. 너는 승진을 경축한다. - Du wirst deine Beförderung feiern.
3142. 그는 생일을 경축할 것이다. - Er wird seinen Geburtstag feiern.

3143. 파티 할 거야? - Wirst du feiern?
3144. 그래, 파티할 거야. - Ja, wir werden feiern.
3145. 추모하다 - Zum Gedenken
3146. 그녀는 영웅을 추모했다. - Sie hat dem Helden ein Denkmal gesetzt.
3147. 우리는 역사적 사건을 추모한다. - Wir gedenken historischer Ereignisse.
3148. 당신들은 위대한 인물을 추모할 것이다. - Du wirst einer großen Person ein Denkmal setzen.
3149. 슬픈 날이야? - Ist es ein trauriger Tag?
3150. 네, 매우 슬퍼. - Ja, sehr traurig.
3151. 위로하다 - zu trösten
3152. 나는 친구를 위로했다. - Ich habe meinen Freund getröstet.
3153. 너는 슬픈 이를 위로한다. - Du tröstest die traurige Person.
3154. 그는 가족을 위로할 것이다. - Er wird seine Familie trösten.
3155. 괜찮아졌어? - Fühlst du dich besser?
3156. 조금 나아졌어. - Ich fühle mich ein wenig besser.
3157. 격려하다 - aufmuntern
3158. 그들은 서로를 격려했다. - Sie haben sich gegenseitig ermutigt.
3159. 나는 너를 격려한다. - Ich ermutige dich.
3160. 너는 팀을 격려할 것이다. - Du wirst das Team ermutigen.
3161. 힘낼래? - Wirst du sie anfeuern?
3162. 네, 힘낼게! - Ja, ich werde dich aufmuntern!
3163. 칭찬하다 - Zu loben
3164. 그녀는 학생의 노력을 칭찬했다. - Sie lobt die Leistung des Schülers.
3165. 우리는 성취를 칭찬한다. - Wir loben Leistungen.
3166. 당신들은 성공을 칭찬할 것이다. - Du wirst deinen Erfolg loben.
3167. 잘했어? - Warst du gut?
3168. 너무 잘했어! - Du hast es sehr gut gemacht!
3169. 비난하다 - Zu kritisieren
3170. 나는 실수를 비난했다. - Ich habe den Fehler getadelt.
3171. 너는 부정적 행동을 비난한다. - Sie werden negatives Verhalten verurteilen.
3172. 그는 불공정을 비난할 것이다. - Er wird die Ungerechtigkeit anprangern.

3173. 그게 맞아? - Ist das richtig?
3174. 아니, 잘못됐어. - Nein, es ist falsch.
3175. 35. 명사 단어들 외우기, 필수 10개 동사의 단어들을 가지고 50문장 연습하기 - 35. Lernen Sie Substantivwörter auswendig, üben Sie 50 Sätze mit den 10 wichtigsten Verbwörtern
3176. 정책 - Politik
3177. 아이디어 - Idee
3178. 계획 - Plan
3179. 동료 - Kollege
3180. 리더 - Leiter
3181. 파트너 - Partner
3182. 경고 - Warnung
3183. 조언 - Ratschlag
3184. 위험 - Gefahr
3185. 변경사항 - Änderungen
3186. 결정 - Entscheidung
3187. 결과 - Ergebnis
3188. 회의 일정 - Sitzungstermin
3189. 이벤트 - Veranstaltung
3190. 변경 - ändern
3191. 데이터 - Daten
3192. 시스템 - System
3193. 기계 - Maschine
3194. 스케줄 - Zeitplan
3195. 전략 - Strategie
3196. 규칙 - Regel
3197. 방침 - Richtlinie
3198. 기회 - Gelegenheit
3199. 자원 - Ressource
3200. 정보 - Informationen
3201. 계약 - Vertrag
3202. 멤버십 - Mitgliedschaft
3203. 라이선스 - Lizenzen
3204. 비판하다 - zu kritisieren

3205. 그들은 정책을 비판했다. - Sie kritisieren die Politik.
3206. 나는 아이디어를 비판한다. - Ich kritisiere die Idee.
3207. 너는 계획을 비판할 것이다. - Sie werden den Plan kritisieren.
3208. 개선 필요해? - Muss er verbessert werden?
3209. 네, 필요해. - Ja, das ist nötig.
3210. 신뢰하다 - Zu vertrauen
3211. 그녀는 동료를 신뢰했다. - Sie vertraute ihrer Mitarbeiterin.
3212. 우리는 리더를 신뢰한다. - Wir vertrauen unseren Führungskräften.
3213. 당신들은 파트너를 신뢰할 것이다. - Sie werden Ihrem Partner vertrauen.
3214. 믿을 수 있어? - Können Sie ihnen vertrauen?
3215. 물론이야. - Ja, natürlich.
3216. 주의하다 - Zu beherzigen
3217. 나는 경고를 주의했다. - Ich habe die Warnung beherzigt.
3218. 너는 조언을 주의한다. - Sie beherzigen den Rat.
3219. 그는 위험을 주의할 것이다. - Er wird sich vor der Gefahr hüten.
3220. 조심해야 해? - Soll ich vorsichtig sein?
3221. 예, 조심해. - Ja, sei vorsichtig.
3222. 통보하다 - benachrichtigen
3223. 그들은 변경사항을 통보했다. - Sie haben die Änderung mitgeteilt.
3224. 나는 결정을 통보한다. - Ich werde die Entscheidung mitteilen.
3225. 너는 결과를 통보할 것이다. - Sie werden das Ergebnis mitteilen.
3226. 알려줄 거야? - Werden Sie mich informieren?
3227. 네, 알려줄게. - Ja, ich werde Sie informieren.
3228. 공지하다 - ankündigen
3229. 그녀는 회의 일정을 공지했다. - Sie hat das Treffen angekündigt.
3230. 우리는 이벤트를 공지한다. - Wir werden das Ereignis ankündigen.
3231. 당신들은 변경을 공지할 것이다. - Sie werden die Änderung ankündigen.
3232. 언제 시작해? - Wann beginnt sie?
3233. 내일 시작해. - Wir fangen morgen an.
3234. 조작하다 - Manipulieren
3235. 나는 데이터를 조작했다. - Ich habe die Daten manipuliert.
3236. 너는 시스템을 조작한다. - Du manipulierst das System.

3237. 그는 기계를 조작할 것이다. - Er wird die Maschine bedienen.
3238. 쉬워? - Ist das leicht?
3239. 아니, 어려워. - Nein, es ist schwierig.
3240. 조정하다 - Zu koordinieren
3241. 그들은 계획을 조정했다. - Sie haben ihre Pläne koordiniert.
3242. 나는 스케줄을 조정한다. - Ich passe den Zeitplan an.
3243. 너는 전략을 조정할 것이다. - Sie werden Ihre Strategie anpassen.
3244. 변경됐어? - Hat sie sich geändert?
3245. 네, 변경됐어. - Ja, sie hat sich geändert.
3246. 적용하다 - anwenden
3247. 그녀는 규칙을 적용했다. - Sie hat die Regel angewendet.
3248. 우리는 정책을 적용한다. - Wir wenden die Regel an.
3249. 당신들은 방침을 적용할 것이다. - Sie werden die Richtlinie anwenden.
3250. 필요해? - Brauchen Sie sie?
3251. 네, 필요해. - Ja, ich brauche sie.
3252. 활용하다 - Ausnutzen
3253. 나는 기회를 활용했다. - Ich habe die Möglichkeit genutzt.
3254. 너는 자원을 활용한다. - Du wirst die Ressourcen nutzen.
3255. 그는 정보를 활용할 것이다. - Er wird die Informationen nutzen.
3256. 유용해? - Nützlich?
3257. 매우 유용해. - Es ist sehr nützlich.
3258. 갱신하다 - zu erneuern
3259. 그들은 계약을 갱신했다. - Sie haben den Vertrag verlängert.
3260. 나는 멤버십을 갱신한다. - Ich erneuere meine Mitgliedschaft.
3261. 너는 라이선스를 갱신할 것이다. - Sie werden Ihren Führerschein verlängern.
3262. 필요한 거야? - Brauchen Sie ihn?
3263. 예, 필요해. - Ja, ich brauche ihn.
3264. 36. 명사 단어들 외우기, 필수 10개 동사의 단어들을 가지고 50문장 연습하기 - 36. Nomen auswendig lernen, 50 Sätze mit den 10 wichtigsten Verben üben
3265. 소프트웨어 - Software
3266. 시스템 - System
3267. 하드웨어 - Hardware

3268. 파일 - Datei
3269. 아이콘 - Symbol
3270. 이미지 - Bild
3271. 그룹 - Gruppe
3272. 경로 - Route
3273. 계획 - Plan
3274. 위험 - Gefahr
3275. 루틴(습관) - Routine (Gewohnheit)
3276. 지루함 - Langeweile
3277. 문제 - Problem
3278. 책임 - Verantwortung
3279. 현장 - Website
3280. 도둑 - Dieb
3281. 꿈 - Traum
3282. 목표 - Ziel
3283. 고양이 - katze
3284. 행복 - Glück
3285. 성공 - Erfolg
3286. 순간 - Moment
3287. 기회 - Gelegenheit
3288. 장면 - Szene
3289. 변화 - Veränderung
3290. 상황 - Situation
3291. 필요 - notwendig
3292. 업그레이드하다 - aufrüsten
3293. 그녀는 소프트웨어를 업그레이드했다. - Sie hat ihre Software aufgerüstet.
3294. 우리는 시스템을 업그레이드한다. - Wir aktualisieren das System.
3295. 당신들은 하드웨어를 업그레이드할 것이다. - Ihr werdet die Hardware aufrüsten.
3296. 더 좋아질까? - Wird sie besser sein?
3297. 분명히 그래. - Ich bin sicher, das wird es.
3298. 드래그하다 - Zum Ziehen
3299. 나는 파일을 드래그했다. - Ich habe eine Datei gezogen.

3300. 너는 아이콘을 드래그한다. - Du hast ein Symbol gezogen.
3301. 그는 이미지를 드래그할 것이다. - Er wird Bilder ziehen.
3302. 쉬운 일이야? - Ist das einfach?
3303. 네, 매우 쉬워. - Ja, sehr einfach.
3304. 이탈하다 - zu verlassen
3305. 그들은 그룹에서 이탈했다. - Sie sind von der Gruppe abgewichen.
3306. 나는 경로에서 이탈한다. - Ich weiche vom Weg ab.
3307. 너는 계획에서 이탈할 것이다. - Sie werden von dem Plan abweichen.
3308. 계획 변경해? - Den Plan ändern?
3309. 네, 변경해. - Ja, ändern Sie ihn.
3310. 탈출하다 - zu entkommen
3311. 그녀는 위험에서 탈출했다. - Sie ist vor der Gefahr geflohen.
3312. 우리는 루틴에서 탈출한다. - Wir fliehen vor der Routine.
3313. 당신들은 지루함에서 탈출할 것이다. - Du wirst der Langeweile entkommen.
3314. 벗어날 수 있어? - Kannst du entkommen?
3315. 예, 벗어날 수 있어. - Ja, du kannst entkommen.
3316. 도망치다 - fliehen vor
3317. 나는 문제에서 도망쳤다. - Ich laufe vor Problemen davon.
3318. 너는 책임에서 도망친다. - Du läufst vor der Verantwortung davon.
3319. 그는 현장에서 도망칠 것이다. - Er wird vor der Szene weglaufen.
3320. 두려워? - Hast du Angst?
3321. 아니, 두렵지 않아. - Nein, ich habe keine Angst.
3322. 추격하다 - Zu jagen
3323. 그들은 도둑을 추격했다. - Sie haben den Dieb gejagt.
3324. 나는 꿈을 추격한다. - Ich jage Träume.
3325. 너는 목표를 추격할 것이다. - Du wirst dein Ziel verfolgen.
3326. 따라잡을 수 있어? - Kannst du es einholen?
3327. 네, 할 수 있어. - Ja, das kann ich.
3328. 쫓다 - Jagen
3329. 그녀는 고양이를 쫓았다. - Sie jagte die Katze.
3330. 우리는 행복을 쫓는다. - Wir jagen das Glück.
3331. 당신들은 성공을 쫓을 것이다. - Du wirst dem Erfolg hinterherjagen.
3332. 성공할까? - Wirst du Erfolg haben?

3333. 네, 분명히 성공해. - Ja, du wirst auf jeden Fall Erfolg haben.
3334. 포착하다 - ergreifen
3335. 나는 순간을 포착했다. - Ich habe den Moment ergriffen.
3336. 너는 기회를 포착한다. - Du ergreifst die Gelegenheit.
3337. 그는 장면을 포착할 것이다. - Er wird die Szene festhalten.
3338. 멋진 사진이야? - Ist das ein schönes Foto?
3339. 네, 정말 멋져. - Ja, es ist wirklich schön.
3340. 감지하다 - Spüren
3341. 나는 변화를 감지했다. - Ich habe eine Veränderung gespürt.
3342. 너는 위험을 감지한다. - Du spürst die Gefahr.
3343. 그는 기회를 감지할 것이다. - Er wird eine Gelegenheit wittern.
3344. 뭔가 느껴져? - Spürst du etwas?
3345. 네, 뭔가 느껴져. - Ja, ich spüre etwas.
3346. 인지하다 - wahrnehmen
3347. 그녀는 문제를 인지했다. - Sie hat ein Problem wahrgenommen.
3348. 우리는 상황을 인지한다. - Wir nehmen eine Situation wahr.
3349. 당신들은 필요를 인지할 것이다. - Du wirst die Notwendigkeit erkennen.
3350. 알고 있어? - Erkennst du es?
3351. 네, 알고 있어. - Ja, ich bin mir dessen bewusst.
3352. 37. 명사 단어들 외우기, 필수 10개 동사의 단어들을 가지고 50문장 연습하기 - 37. Lernen Sie Substantivwörter auswendig, üben Sie 50 Sätze mit den 10 wichtigsten Verbalwörtern
3353. 핵심 - Kern
3354. 진실 - Wahrheit
3355. 해결책 - Lösung
3356. 발표 - Präsentation
3357. 기타 - usw.
3358. 스피치(말) - Rede (Wörter)
3359. 영어 - Englisch
3360. 코딩 - Codierung
3361. 요리 - Kochen
3362. 게임 - Spiel
3363. 악기 - Instrument

3364. 기술 - Technik
3365. 환경 - Umwelt
3366. 변화 - ändern
3367. 도전 - Herausforderung
3368. 규칙 - Regel
3369. 조건 - Bedingung
3370. 기준 - Standard
3371. 칼 - Messer
3372. 배트 - Schläger
3373. 막대기 - Stange
3374. 공 - Ball
3375. 종이비행기 - Papierflugzeug
3376. 주사위 - Würfel
3377. 손 - Hand
3378. 기회 - Gelegenheit
3379. 아기 - Baby
3380. 강아지 - Welpe
3381. 책 - Buch
3382. 파악하다 - zu ergreifen
3383. 우리는 핵심을 파악했다. - Wir begreifen den Kern.
3384. 당신들은 진실을 파악한다. - Sie begreifen die Wahrheit.
3385. 그들은 해결책을 파악할 것이다. - Sie werden die Lösung herausfinden.
3386. 이해했어? - Verstehen Sie das?
3387. 네, 이해했어. - Ja, ich verstehe.
3388. 연습하다 - zum Üben
3389. 나는 발표를 연습했다. - Ich habe meinen Vortrag geübt.
3390. 너는 기타를 연습한다. - Du übst die Gitarre.
3391. 그는 스피치를 연습할 것이다. - Er wird seine Rede üben.
3392. 열심히 하고 있니? - Übst du fleißig?
3393. 응, 열심히 해. - Ja, ich übe fleißig.
3394. 숙달하다 - zu beherrschen
3395. 그녀는 영어를 숙달했다. - Sie hat Englisch gemeistert.
3396. 우리는 코딩을 숙달한다. - Wir beherrschen das Programmieren.

3397. 당신들은 요리를 숙달할 것이다. - Ihr werdet das Kochen meistern.
3398. 잘하게 됐어? - Bist du gut darin geworden?
3399. 네, 잘하게 됐어. - Ja, ich habe es gemeistert.
3400. 마스터하다 - meistern
3401. 우리는 게임을 마스터했다. - Wir haben das Spiel gemeistert.
3402. 당신들은 악기를 마스터한다. - Sie beherrschen ein Instrument.
3403. 그들은 기술을 마스터할 것이다. - Sie werden eine Fertigkeit beherrschen.
3404. 전문가야? - Sind Sie ein Experte?
3405. 네, 전문가야. - Ja, sie sind Experten.
3406. 적응하다 - sich anpassen
3407. 나는 새 환경에 적응했다. - Ich habe mich an die neue Umgebung angepasst.
3408. 너는 변화에 적응한다. - Sie passen sich dem Wandel an.
3409. 그는 도전에 적응할 것이다. - Er wird sich an die Herausforderung anpassen.
3410. 괜찮아지고 있어? - Wirst du besser?
3411. 네, 괜찮아지고 있어. - Ja, ich werde besser.
3412. 순응하다 - sich anpassen
3413. 그녀는 규칙에 순응했다. - Sie hat sich an die Regeln angepasst.
3414. 우리는 조건에 순응한다. - Wir passen uns den Bedingungen an.
3415. 당신들은 기준에 순응할 것이다. - Sie werden sich an die Normen anpassen.
3416. 쉽게 따라가? - Es fällt dir leicht zu folgen?
3417. 응, 쉽게 따라가. - Ja, ich folge leicht.
3418. 휘두르다 - schwingen
3419. 나는 칼을 휘두렀다. - Ich habe das Schwert geschwungen.
3420. 너는 배트를 휘두른다. - Du schwingst den Schläger.
3421. 그는 막대기를 휘두를 것이다. - Er wird einen Stock schwingen.
3422. 잘 할 수 있어? - Kannst du es gut machen?
3423. 네, 잘 할 수 있어. - Ja, ich kann es gut.
3424. 던지다 - werfen
3425. 그녀는 공을 던졌다. - Sie hat den Ball geworfen.
3426. 우리는 종이비행기를 던진다. - Wir werfen Papierflugzeuge.

3427. 당신들은 주사위를 던질 것이다. - Du wirst den Würfel werfen.
3428. 멀리 갈까? - Wird er weit fliegen?
3429. 응, 멀리 갈 거야. - Ja, er wird weit fliegen.
3430. 잡다 - fangen
3431. 그는 공을 잡았다. - Er hat den Ball gefangen.
3432. 너는 손을 잡는다. - Ihr haltet euch an den Händen.
3433. 그녀는 기회를 잡을 것이다. - Sie wird ein Risiko eingehen.
3434. 공 잡을래? - Wirst du den Ball fangen?
3435. 네, 잡을게. - Ja, ich werde ihn fangen.
3436. 눕히다 - hinlegen
3437. 나는 아기를 눕혔다. - Ich habe das Baby hingelegt.
3438. 우리는 강아지를 눕힌다. - Wir haben den Welpen hingelegt.
3439. 당신들은 책을 눕힐 것이다. - Du wirst das Buch hinlegen.
3440. 아기 재울래? - Willst du das Baby ins Bett bringen?
3441. 네, 지금 할게. - Ja, ich werde es jetzt tun.
3442. 38. 명사 단어들 외우기, 필수 10개 동사의 단어들을 가지고 50문장 연습하기 - 38. Substantivwörter auswendig lernen, 50 Sätze mit den 10 wichtigsten Verbalwörtern üben
3443. 인형 - Puppe
3444. 모형 - Modell
3445. 자전거 - Fahrrad
3446. 음식 - Essen
3447. 책 - Buch
3448. 차 - Auto
3449. 창문 - Fenster
3450. 문 - Tür
3451. 상자 - Schachtel
3452. 가방 - Tasche
3453. 불 - Feuer
3454. 컴퓨터 - Computer
3455. 텔레비전 - Fernsehen
3456. 라디오 - Radio
3457. 등 - usw.
3458. 엔진 - Motor

3459. 방 - Raum
3460. 길 - Straße
3461. 화면 - Bildschirm
3462. 눈 - Auge
3463. 그림 - Gemälde
3464. 감정 - Gefühl
3465. 실력 - Können
3466. 성과 - Ergebnis
3467. 세우다 - aufstellen
3468. 그녀는 인형을 세웠다. - Sie hat die Puppe aufgestellt.
3469. 그들은 모형을 세운다. - Sie haben ein Modell aufgestellt.
3470. 나는 자전거를 세울 것이다. - Ich werde ein Fahrrad aufstellen.
3471. 모형 세울까? - Sollen wir ein Modell aufstellen?
3472. 좋아, 세우자. - Okay, stellen wir es auf.
3473. 덮다 - zudecken
3474. 우리는 음식을 덮었다. - Wir haben das Essen abgedeckt.
3475. 당신은 책을 덮는다. - Sie decken das Buch zu.
3476. 그들은 차를 덮을 것이다. - Sie decken das Auto zu.
3477. 이불 덮을래? - Willst du die Steppdecke abdecken?
3478. 아니, 괜찮아. - Nein, das ist schon in Ordnung.
3479. 열다 - zu öffnen
3480. 그녀는 창문을 열었다. - Sie hat das Fenster geöffnet.
3481. 나는 문을 연다. - Ich öffne die Tür.
3482. 우리는 상자를 열 것이다. - Wir werden die Schachtel öffnen.
3483. 문 열까? - Soll ich die Tür öffnen?
3484. 네, 열어줘. - Ja, öffne sie für mich.
3485. 닫다 - Zu schließen
3486. 그는 책을 닫았다. - Er hat das Buch geschlossen.
3487. 그녀는 상자를 닫는다. - Sie macht die Schachtel zu.
3488. 너는 가방을 닫을 것이다. - Du wirst die Tasche schließen.
3489. 창문 닫을래? - Wirst du das Fenster schließen?
3490. 네, 닫을게. - Ja, ich schließe es.
3491. 켜다 - Einschalten
3492. 우리는 불을 켰다. - Wir haben das Licht angemacht.

3493. 당신들은 컴퓨터를 켠다. - Ihr schaltet den Computer ein.
3494. 그들은 텔레비전을 켤 것이다. - Sie werden den Fernseher einschalten.
3495. 불 켤까? - Sollen wir das Licht einschalten?
3496. 좋아, 켜자. - Okay, schalten wir es ein.
3497. 끄다 - ausmachen
3498. 나는 라디오를 껐다. - Ich habe das Radio ausgeschaltet.
3499. 그녀는 등을 끈다. - Sie hat das Licht ausgeschaltet.
3500. 그는 차의 엔진을 끌 것이다. - Er wird den Motor des Autos ausmachen.
3501. 등 끌래? - Willst du das Licht ausmachen?
3502. 네, 끌게. - Ja, ich schalte es aus.
3503. 밝히다 - erhellen
3504. 그녀는 방을 밝혔다. - Sie hat das Zimmer erhellt.
3505. 우리는 등을 밝힌다. - Wir machen die Lichter an.
3506. 당신들은 길을 밝힐 것이다. - Du wirst den Weg beleuchten.
3507. 더 밝게 할까? - Sollen wir es heller machen?
3508. 그래, 좋아. - Ja, gut.
3509. 어둡게 하다 - Verdunkeln
3510. 그는 화면을 어둡게 했다. - Er hat den Bildschirm verdunkelt.
3511. 너는 방을 어둡게 한다. - Du verdunkelst den Raum.
3512. 그녀는 불빛을 어둡게 할 것이다. - Sie wird das Licht abdunkeln.
3513. 조명 낮출까? - Soll ich das Licht abdunkeln?
3514. 네, 부탁해. - Ja, bitte.
3515. 가리다 - zudecken
3516. 나는 눈을 가렸다. - Ich habe meine Augen abgedeckt.
3517. 우리는 창문을 가린다. - Wir decken die Fenster ab.
3518. 그들은 그림을 가릴 것이다. - Sie werden das Bild verdecken.
3519. 이걸로 가릴까? - Sollen wir es damit abdecken?
3520. 좋아, 그게 좋겠어. - Okay, das wäre gut.
3521. 보이다 - zu zeigen
3522. 그녀는 감정을 보였다. - Sie zeigte Emotionen.
3523. 그는 실력을 보인다. - Er zeigt Können.
3524. 너는 성과를 보일 것이다. - Du wirst Leistung zeigen.

3525. 잘 보였어? - Habe ich gut ausgesehen?
3526. 응, 완벽해. - Ja, es ist perfekt.
3527. 39. 명사 단어들 외우기, 필수 10개 동사의 단어들을 가지고 50문장 연습하기 - 39. Lernen Sie Substantivwörter auswendig, üben Sie 50 Sätze mit den Wörtern der 10 wichtigsten Verben
3528. 요리 - Kochen
3529. 음료 - Getränk
3530. 디저트 - Nachspeise
3531. 천 - Tuch
3532. 표면 - Oberfläche
3533. 소재 - Material
3534. 마음 - Geist
3535. 주제 - Thema
3536. 문제 - Problem
3537. 피아노 - Klavier
3538. 드럼 - Trommel
3539. 기타 - usw.
3540. 문 - Tür
3541. 탁자 - Tisch
3542. 어깨 - Schulter
3543. 벌레 - Wanze
3544. 머리 - Kopf
3545. 등 - usw.
3546. 눈 - Auge
3547. 손 - Hand
3548. 팔 - acht
3549. 창문 - Fenster
3550. 거울 - Spiegel
3551. 바닥 - Boden
3552. 마당 - Hof
3553. 길 - Straße
3554. 침대 - Bett
3555. 소파 - Sofa
3556. 해먹 - Hängematte

3557. 맛보다 - zum Probieren
3558. 우리는 새로운 요리를 맛보았다. - Wir haben ein neues Gericht probiert.
3559. 당신들은 음료를 맛본다. - Sie probieren ein Getränk.
3560. 그들은 디저트를 맛볼 것이다. - Sie werden das Dessert probieren.
3561. 맛 좀 볼래? - Möchten Sie eine Kostprobe?
3562. 네, 감사해. - Ja, danke.
3563. 만지다 - anfassen
3564. 그는 부드러운 천을 만졌다. - Er berührte den weichen Stoff.
3565. 그녀는 표면을 만진다. - Sie berührt die Oberfläche.
3566. 나는 새로운 소재를 만질 것이다. - Ich werde ein neues Material berühren.
3567. 이거 만져도 돼? - Darf ich das anfassen?
3568. 네, 괜찮아. - Ja, das ist in Ordnung.
3569. 건드리다 - anfassen
3570. 나는 그의 마음을 건드렸다. - Ich habe sein Herz berührt.
3571. 우리는 주제를 건드린다. - Wir berühren ein Thema.
3572. 당신들은 문제를 건드릴 것이다. - Du wirst das Thema berühren.
3573. 이걸 건드려도 될까? - Darf ich das anfassen?
3574. 아니, 말아줘. - Nein, bitte nicht.
3575. 치다 - anschlagen
3576. 그녀는 피아노를 쳤다. - Sie spielt auf dem Klavier.
3577. 그는 드럼을 친다. - Er spielt das Schlagzeug.
3578. 너는 기타를 칠 것이다. - Du wirst die Gitarre spielen.
3579. 음악 칠까? - Sollen wir Musik machen?
3580. 좋아, 시작해. - Okay, fang an.
3581. 두드리다 - Anklopfen
3582. 그녀는 문을 두드렸다. - Sie klopfte an die Tür.
3583. 우리는 탁자를 두드린다. - Wir klopfen auf den Tisch.
3584. 그들은 어깨를 두드릴 것이다. - Sie werden dir auf die Schulter klopfen.
3585. 더 두드려 볼까? - Sollen wir noch mehr klopfen?
3586. 아니, 됐어. - Nein, danke.
3587. 긁다 - zum Kratzen

3588. 나는 벌레 물린 곳을 긁었다. - Ich habe den Insektenstich aufgekratzt.
3589. 그는 머리를 긁는다. - Er kratzt sich am Kopf.
3590. 그녀는 등을 긁을 것이다. - Sie wird sich am Rücken kratzen.
3591. 여기 긁어줄까? - Willst du, dass ich mich hier kratze?
3592. 네, 부탁해. - Ja, bitte.
3593. 문지르다 - zum Reiben
3594. 그녀는 눈을 문지렀다. - Sie reibt sich die Augen.
3595. 우리는 손을 문지른다. - Wir reiben uns die Hände.
3596. 너는 팔을 문지를 것이다. - Du wirst deinen Arm reiben.
3597. 더 문지를까? - Sollen wir noch mehr reiben?
3598. 아니, 괜찮아. - Nein, ist schon gut.
3599. 닦다 - Zum Wischen
3600. 그는 창문을 닦았다. - Er hat das Fenster abgewischt.
3601. 그녀는 거울을 닦는다. - Sie wischt den Spiegel.
3602. 우리는 바닥을 닦을 것이다. - Wir werden den Boden wischen.
3603. 이제 닦을까? - Sollen wir jetzt wischen?
3604. 좋아, 해줘. - Okay, mach es.
3605. 쓸다 - Zum Wischen
3606. 나는 바닥을 쓸었다. - Ich habe den Boden gekehrt.
3607. 당신들은 마당을 쓴다. - Ihr fegt den Hof.
3608. 그들은 길을 쓸 것이다. - Sie werden den Weg fegen.
3609. 계속 쓸까? - Soll ich weiterfegen?
3610. 네, 계속해. - Ja, machen Sie weiter.
3611. 눕다 - sich hinlegen
3612. 그녀는 침대에 누웠다. - Sie hat sich auf das Bett gelegt.
3613. 너는 소파에 눕는다. - Du legst dich auf die Couch.
3614. 그는 해먹에 누울 것이다. - Er wird sich in die Hängematte legen.
3615. 이제 누울까? - Sollen wir uns jetzt hinlegen?
3616. 응, 편해. - Ja, ich fühle mich wohl.
3617. 40. 명사 단어들 외우기, 필수 10개 동사의 단어들을 가지고 50문장 연습하기 - 40. Lernen Sie Substantivwörter auswendig, üben Sie 50 Sätze mit den Wörtern der 10 wichtigsten Verben
3618. 새벽 - Morgengrauen

3619. 잠 - schlafen
3620. 꿈 - träumen
3621. 손 - Hand
3622. 얼굴 - Gesicht
3623. 발 - Fuß
3624. 물 - Wasser
3625. 샤워 - Dusche
3626. 아이 - Kind
3627. 친구 - Freund
3628. 사람 - Person
3629. 기금 - Fonds
3630. 옷 - Kleidung
3631. 돈 - Geld
3632. 책 - Buch
3633. 장난감 - Spielzeug
3634. 컴퓨터 - Computer
3635. 프로젝트 - Projekt
3636. 학생 - Schüler
3637. 이벤트 - Veranstaltung
3638. 깨다 - Aufwachen
3639. 우리는 새벽에 깼다. - Wir sind im Morgengrauen aufgewacht.
3640. 그는 잠에서 깬다. - Er wacht aus dem Schlaf auf.
3641. 그녀는 꿈에서 깰 것이다. - Sie wird aus ihrem Traum aufwachen.
3642. 벌써 깼어? - Bist du schon wach?
3643. 아니, 아직이야. - Nein, noch nicht.
3644. 잠들다 - Einschlafen
3645. 그는 빠르게 잠들었다. - Er schlief schnell ein.
3646. 그녀는 조용히 잠든다. - Sie schläft leise ein.
3647. 우리는 일찍 잠들 것이다. - Wir werden früh zu Bett gehen.
3648. 잘 수 있을까? - Kannst du schlafen?
3649. 응, 잘 수 있어. - Ja, ich kann schlafen.
3650. 씻다 - sich zu waschen
3651. 나는 얼굴을 씻었다. - Ich habe mein Gesicht gewaschen.
3652. 당신들은 손을 씻는다. - Du wäschst deine Hände.

3653. 그들은 발을 씻을 것이다. - Sie werden sich die Füße waschen.
3654. 손 씻었어? - Hast du deine Hände gewaschen?
3655. 네, 씻었어. - Ja, ich habe sie gewaschen.
3656. 목욕하다 - zu baden
3657. 그녀는 긴 목욕을 했다. - Sie hat ein langes Bad genommen.
3658. 우리는 따뜻한 물에 목욕한다. - Wir baden in warmem Wasser.
3659. 너는 편안하게 목욕할 것이다. - Du wirst ein entspannendes Bad nehmen.
3660. 목욕할 시간이야? - Ist es Zeit für ein Bad?
3661. 그래, 지금이야. - Ja, jetzt ist es Zeit.
3662. 샤워하다 - eine Dusche nehmen
3663. 그는 아침에 샤워했다. - Er hat am Morgen geduscht.
3664. 그녀는 빠르게 샤워한다. - Sie duscht schnell.
3665. 우리는 저녁에 샤워할 것이다. - Wir werden am Abend duschen.
3666. 샤워 해야 하나? - Soll ich duschen?
3667. 응, 해야 해. - Ja, das muss ich.
3668. 달래다 - zu beruhigen
3669. 나는 울고 있는 아이를 달랬다. - Ich habe das weinende Kind besänftigt.
3670. 그는 친구를 달랜다. - Er wird seinen Freund trösten.
3671. 그녀는 슬픈 사람을 달랠 것이다. - Sie wird die traurige Person trösten.
3672. 조금 달랠까? - Soll ich sie trösten?
3673. 네, 부탁해. - Ja, bitte.
3674. 미소짓다 - zu lächeln
3675. 그녀는 따뜻하게 미소지었다. - Sie hat warm gelächelt.
3676. 우리는 서로에게 미소짓는다. - Wir lächeln uns gegenseitig an.
3677. 너는 행복을 느끼며 미소질 것이다. - Du lächelst vor Glück.
3678. 미소질래? - Wirst du lächeln?
3679. 응, 물론이지. - Ja, natürlich.
3680. 기부하다 - zu spenden
3681. 그녀는 기금을 기부했다. - Sie hat das Geld gespendet.
3682. 우리는 옷을 기부한다. - Wir spenden Kleidung.
3683. 당신들은 돈을 기부할 것이다. - Ihr werdet Geld spenden.

3684. 기부 할래? - Willst du spenden?
3685. 네, 할래. - Ja, ich werde es tun.
3686. 기증하다 - spenden
3687. 나는 책을 기증했다. - Ich habe die Bücher gespendet.
3688. 너는 장난감을 기증한다. - Du wirst ein Spielzeug spenden.
3689. 그는 컴퓨터를 기증할 것이다. - Er wird seinen Computer spenden.
3690. 책 줄까? - Soll ich ihm das Buch geben?
3691. 네, 줘. - Ja, gib es ihm.
3692. 후원하다 - Sponsern
3693. 그들은 프로젝트를 후원했다. - Sie haben das Projekt gesponsert.
3694. 나는 학생을 후원한다. - Ich sponsere einen Schüler.
3695. 너는 이벤트를 후원할 것이다. - Sie werden eine Veranstaltung sponsern.
3696. 후원할래? - Wollen Sie Sponsor werden?
3697. 네, 할래. - Ja, ich will.
3698. 41. 명사 단어들 외우기, 필수 10개 동사의 단어들을 가지고 50문장 연습하기 - 41. Nomen auswendig lernen, 50 Sätze mit den 10 wichtigsten Verben üben
3699. 친구 - Freund
3700. 팀 - Mannschaft
3701. 프로그램 - Programm
3702. 동료 - Kollege
3703. 파트너 - Partner
3704. 조직 - Gruppe
3705. 목표 - Ziel
3706. 커뮤니티 - Gemeinde
3707. 회의 - Treffen
3708. 워크숍(공동 연수) - Workshop (gemeinsame Ausbildung)
3709. 세미나 - Seminar
3710. 파티 - Partei
3711. 모임 - Klasse
3712. 이벤트 - Veranstaltung
3713. 프로젝트 - Projekt
3714. 논의 - Argument

3715. 결정 - Entscheidung
3716. 분쟁 - Streitfall
3717. 협상 - Verhandlung
3718. 문제해결 - Problemlösung
3719. 대화 - Gespräch
3720. 논쟁 - Argumentation
3721. 계획 - Planen
3722. 작업 - Arbeit
3723. 집중 - Konzentration
3724. 싸움 - kämpfen
3725. 오해 - Missverständnis
3726. 지원하다 - unterstützen
3727. 그녀는 친구를 지원했다. - Sie hat ihre Freundin unterstützt.
3728. 우리는 팀을 지원한다. - Wir unterstützen das Team.
3729. 당신들은 프로그램을 지원할 것이다. - Sie werden das Programm unterstützen.
3730. 도울까? - Willst du helfen?
3731. 네, 도와줘. - Ja, helfen Sie mir.
3732. 협력하다 - Zusammenarbeiten
3733. 나는 동료와 협력했다. - Ich habe mit einem Kollegen zusammengearbeitet.
3734. 너는 파트너와 협력한다. - Sie arbeiten mit Ihrem Partner zusammen.
3735. 그는 조직과 협력할 것이다. - Er wird mit der Organisation zusammenarbeiten.
3736. 같이 할래? - Willst du dich uns anschließen?
3737. 네, 할래. - Ja, ich werde es tun.
3738. 협동하다 - Zusammenarbeiten
3739. 그들은 공동의 목표를 위해 협동했다. - Sie kooperieren für ein gemeinsames Ziel.
3740. 나는 팀과 협동한다. - Ich arbeite mit dem Team zusammen.
3741. 너는 커뮤니티와 협동할 것이다. - Du wirst mit der Gemeinschaft zusammenarbeiten.
3742. 협력할까? - Sollen wir zusammenarbeiten?
3743. 네, 해. - Ja, das werde ich.

3744. 참석하다 - teilnehmen
3745. 그녀는 회의에 참석했다. - Sie hat an der Sitzung teilgenommen.
3746. 우리는 워크숍에 참석한다. - Wir werden an dem Workshop teilnehmen.
3747. 당신들은 세미나에 참석할 것이다. - Sie werden an dem Seminar teilnehmen.
3748. 갈까? - Sollen wir gehen?
3749. 네, 가자. - Ja, lasst uns gehen.
3750. 불참하다 - Abwesend sein
3751. 나는 파티에 불참했다. - Ich habe nicht an der Party teilgenommen.
3752. 너는 모임에 불참한다. - Du wirst das Treffen verpassen.
3753. 그는 이벤트에 불참할 것이다. - Er wird bei der Veranstaltung abwesend sein.
3754. 안 갈래? - Willst du nicht hingehen?
3755. 네, 안 갈래. - Nein, ich werde nicht hingehen.
3756. 관여하다 - Sie waren beteiligt an
3757. 그들은 프로젝트에 관여했다. - Sie waren an dem Projekt beteiligt.
3758. 나는 논의에 관여한다. - Ich bin an der Diskussion beteiligt.
3759. 너는 결정에 관여할 것이다. - Sie werden an der Entscheidung beteiligt sein.
3760. 참여할래? - Werden Sie beteiligt sein?
3761. 네, 할래. - Ja, ich werde es tun.
3762. 개입하다 - sich einmischen
3763. 그녀는 분쟁에 개입했다. - Sie hat sich in den Streit eingemischt.
3764. 우리는 협상에 개입한다. - Wir intervenieren bei der Verhandlung.
3765. 당신들은 문제해결에 개입할 것이다. - Sie werden sich in das Problem einmischen.
3766. 도울까? - Soll ich helfen?
3767. 네, 도와줘. - Ja, helfen Sie mir.
3768. 참견하다 - sich einmischen
3769. 나는 그들의 대화에 참견했다. - Ich habe mich in ihr Gespräch eingemischt.
3770. 너는 논쟁에 참견한다. - Du mischst dich in den Streit ein.
3771. 그는 계획에 참견할 것이다. - Er wird sich in den Plan einmischen.

3772. 끼어들까? - Soll ich mich einmischen?
3773. 아니, 말아줘. - Nein, bitte nicht.
3774. 방해하다 - zu unterbrechen
3775. 그들은 작업을 방해했다. - Sie haben die Arbeit unterbrochen.
3776. 나는 집중을 방해한다. - Ich bin eine Ablenkung.
3777. 너는 회의를 방해할 것이다. - Sie stören die Sitzung.
3778. 멈출까? - Sollen wir aufhören?
3779. 네, 멈춰. - Ja, aufhören.
3780. 저지하다 - zu vereiteln
3781. 그녀는 계획을 저지했다. - Sie hat den Plan durchkreuzt.
3782. 우리는 싸움을 저지한다. - Wir werden den Streit beenden.
3783. 당신들은 오해를 저지할 것이다. - Du wirst das Missverständnis beenden.
3784. 막을까? - Aufhören?
3785. 네, 막아. - Ja, aufhören.
3786. 42. 명사 단어들 외우기, 필수 10개 동사의 단어들을 가지고 50문장 연습하기 - 42. Lernen Sie Substantivwörter auswendig, üben Sie 50 Sätze mit den 10 wichtigsten Verbwörtern
3787. 길 - Straße
3788. 진입 - eingeben
3789. 문제 - Problem
3790. 출구 - aussteigen
3791. 소리 - klingen
3792. 소음 - Lärm
3793. 광고 - Anzeige
3794. 속도 - Geschwindigkeit
3795. 사용 - verwenden
3796. 접근 - Zugang
3797. 시간 - Stunde
3798. 조건 - Bedingung
3799. 선택 - auswählen
3800. 가능성 - Möglichkeit
3801. 규칙 - Regel
3802. 행동 - Aktion

3803. 자유 - Freiheit
3804. 감정 - Gefühl
3805. 충동 - impuls
3806. 성장 - Wachstum
3807. 정보 - Informationen
3808. 사실 - aktuell
3809. 증거 - Nachweis
3810. 패턴 - Muster
3811. 위험 - Gefahr
3812. 기회 - Gelegenheit
3813. 상황 - Situation
3814. 개념 - Konzept
3815. 진실 - Wahrheit
3816. 중요성 - Bedeutung
3817. 가치 - Wert
3818. 막다 - zu blockieren
3819. 그는 길을 막았다. - Er versperrt den Weg.
3820. 그녀는 진입을 막는다. - Sie blockiert den Eingang.
3821. 우리는 문제를 막을 것이다. - Wir werden das Problem beseitigen.
3822. 출구 막혔나요? - Ist der Ausgang blockiert?
3823. 네, 막혔어요. - Ja, er ist blockiert.
3824. 차단하다 - Zu blockieren
3825. 그녀는 소리를 차단했다. - Sie hat den Lärm blockiert.
3826. 우리는 소음을 차단한다. - Wir werden den Lärm blockieren.
3827. 당신들은 광고를 차단할 것이다. - Ihr werdet die Werbung blockieren.
3828. 소음 차단 됐나요? - Ist der Lärm blockiert?
3829. 네, 됐어요. - Ja, alles in Ordnung.
3830. 제한하다 - begrenzen
3831. 그는 속도를 제한했다. - Er hat seine Geschwindigkeit begrenzt.
3832. 그녀는 사용을 제한한다. - Sie begrenzt ihren Gebrauch.
3833. 우리는 접근을 제한할 것이다. - Wir werden den Zugang beschränken.
3834. 시간 제한 있나요? - Gibt es ein Zeitlimit?
3835. 네, 있어요. - Ja, das gibt es.

3836. 제약하다 - einschränken
3837. 그녀는 조건을 제약했다. - Sie schränkte die Bedingungen ein.
3838. 우리는 선택을 제약한다. - Wir schränken die Auswahl ein.
3839. 당신들은 가능성을 제약할 것이다. - Du wirst die Möglichkeiten einschränken.
3840. 조건 제약 있나요? - Schränken Sie die Bedingungen ein?
3841. 네, 있어요. - Ja, die gibt es.
3842. 구속하다 - einschränken
3843. 그는 규칙을 구속했다. - Er schränkt die Regeln ein.
3844. 그녀는 행동을 구속한다. - Sie schränkt das Verhalten ein.
3845. 우리는 자유를 구속할 것이다. - Wir werden die Freiheit einschränken.
3846. 자유 구속됐나요? - Erlöste Freiheit?
3847. 네, 됐어요. - Ja, das ist es.
3848. 억제하다 - zu zügeln
3849. 그녀는 감정을 억제했다. - Sie hat ihre Gefühle gezügelt.
3850. 우리는 충동을 억제한다. - Wir werden Impulse zügeln.
3851. 당신들은 성장을 억제할 것이다. - Du wirst dein Wachstum hemmen.
3852. 감정 억제되나요? - Unterdrückt ihr eure Emotionen?
3853. 네, 되요. - Ja, das tun sie.
3854. 검증하다 - zu verifizieren
3855. 그는 정보를 검증했다. - Er hat die Informationen überprüft.
3856. 그녀는 사실을 검증한다. - Sie verifiziert die Fakten.
3857. 우리는 증거를 검증할 것이다. - Wir werden die Beweise verifizieren.
3858. 사실 검증됐나요? - Haben Sie die Fakten verifiziert?
3859. 네, 됐어요. - Ja, das ist in Ordnung.
3860. 식별하다 - zu identifizieren
3861. 그녀는 패턴을 식별했다. - Sie identifiziert ein Muster.
3862. 우리는 위험을 식별한다. - Wir identifizieren Risiken.
3863. 당신들은 기회를 식별할 것이다. - Ihr werdet Chancen identifizieren.
3864. 위험 식별됐나요? - Risiko identifiziert?
3865. 네, 됐어요. - Ja, wir sind gut.
3866. 이해하다 - zu verstehen
3867. 그는 문제를 이해했다. - Er versteht das Problem.
3868. 그녀는 상황을 이해한다. - Sie versteht die Situation.

3869. 우리는 개념을 이해할 것이다. - Wir werden das Konzept verstehen.
3870. 상황 이해돼요? - Verstehst du die Situation?
3871. 네, 이해돼요. - Ja, ich verstehe.
3872. 깨닫다 - erkennen
3873. 그녀는 진실을 깨달았다. - Sie hat die Wahrheit erkannt.
3874. 우리는 중요성을 깨닫는다. - Wir erkennen die Bedeutung.
3875. 당신들은 가치를 깨달을 것이다. - Sie werden den Wert erkennen.
3876. 진실 깨달았나요? - Hast du die Wahrheit erkannt?
3877. 네, 깨달았어요. - Ja, ich habe sie erkannt.
3878. 43. 명사 단어들 외우기, 필수 10개 동사의 단어들을 가지고 50문장 연습하기 - 43. Substantivwörter auswendig lernen, 50 Sätze mit den Wörtern der 10 wichtigsten Verben üben
3879. 변화 - ändern
3880. 실수 - Fehler
3881. 기회 - Gelegenheit
3882. 규칙 - Regel
3883. 세부사항 - Einzelheiten
3884. 절차 - Verfahren
3885. 기술 - Technik
3886. 발표 - Präsentation
3887. 공연 - anzeigen
3888. 언어 - Sprache
3889. 전략 - Strategie
3890. 게임 - Spiel
3891. 악기 - Instrument
3892. 분야 - Feld
3893. 집 - Haus
3894. 프로젝트 - Projekt
3895. 시스템 - System
3896. 팀 - Mannschaft
3897. 네트워크 - Netzwerk
3898. 관계 - beziehung
3899. 영상 - Video
3900. 콘텐츠 - Inhalte

3901. 제품 - Produkt
3902. 물건 - Sache
3903. 아이디어 - Idee
3904. 에너지 - Energie
3905. 기계 - Maschine
3906. 시설 - Einrichtung
3907. 알아차리다 - bemerken
3908. 그는 변화를 알아차렸다. - Er hat die Veränderung bemerkt.
3909. 그녀는 실수를 알아차린다. - Sie bemerkt Fehler.
3910. 우리는 기회를 알아차릴 것이다. - Wir werden die Gelegenheit erkennen.
3911. 실수 알아차렸나요? - Haben Sie den Fehler bemerkt?
3912. 네, 알아차렸어요. - Ja, ich habe ihn bemerkt.
3913. 숙지하다 - Vertraut sein mit
3914. 그녀는 규칙을 숙지했다. - Sie hat sich mit den Regeln vertraut gemacht.
3915. 우리는 세부사항을 숙지한다. - Wir machen uns mit den Details vertraut.
3916. 당신들은 절차를 숙지할 것이다. - Sie werden sich mit dem Verfahren vertraut machen.
3917. 규칙 숙지됐나요? - Kennen Sie die Regeln?
3918. 네, 숙지됐어요. - Ja, ich habe sie auswendig gelernt.
3919. 연습하다 - zu üben
3920. 그는 기술을 연습했다. - Er hat die Technik geübt.
3921. 그녀는 발표를 연습한다. - Sie hat ihren Vortrag geübt.
3922. 우리는 공연을 연습할 것이다. - Wir werden die Aufführung üben.
3923. 발표 연습했나요? - Habt ihr eure Präsentation geübt?
3924. 네, 연습했어요. - Ja, wir haben geübt.
3925. 숙달하다 - zu beherrschen
3926. 그녀는 언어를 숙달했다. - Sie hat die Sprache gemeistert.
3927. 우리는 기술을 숙달한다. - Wir beherrschen eine Fähigkeit.
3928. 당신들은 전략을 숙달할 것이다. - Sie werden die Strategie beherrschen.
3929. 기술 숙달됐나요? - Beherrschst du die Fähigkeit?

3930. 네, 숙달됐어요. - Ja, ich habe sie gemeistert.
3931. 마스터하다 - beherrschen
3932. 그는 게임을 마스터했다. - Er hat das Spiel gemeistert.
3933. 그녀는 악기를 마스터한다. - Sie beherrscht das Instrument.
3934. 우리는 분야를 마스터할 것이다. - Wir werden die Disziplin beherrschen.
3935. 악기 마스터했나요? - Hast du das Instrument gemeistert?
3936. 네, 마스터했어요. - Ja, ich habe es gemeistert.
3937. 설계하다 - Entwerfen
3938. 그녀는 집을 설계했다. - Sie hat das Haus entworfen.
3939. 우리는 프로젝트를 설계한다. - Wir werden ein Projekt entwerfen.
3940. 당신들은 시스템을 설계할 것이다. - Sie werden ein System entwerfen.
3941. 프로젝트 설계됐나요? - Ist das Projekt entworfen?
3942. 네, 설계됐어요. - Ja, es ist entworfen.
3943. 구축하다 - Zu bauen
3944. 그는 팀을 구축했다. - Er baut ein Team auf.
3945. 그녀는 네트워크를 구축한다. - Sie baut ein Netzwerk auf.
3946. 우리는 관계를 구축할 것이다. - Wir werden eine Beziehung aufbauen.
3947. 네트워크 구축됐나요? - Ist das Netzwerk aufgebaut?
3948. 네, 구축됐어요. - Ja, es ist aufgebaut.
3949. 제작하다 - zu produzieren
3950. 그녀는 영상을 제작했다. - Sie hat ein Video produziert.
3951. 우리는 콘텐츠를 제작한다. - Wir werden Inhalte produzieren.
3952. 당신들은 제품을 제작할 것이다. - Ihr werdet ein Produkt erstellen.
3953. 콘텐츠 제작됐나요? - Ist der Inhalt gebaut?
3954. 네, 제작됐어요. - Ja, er wurde produziert.
3955. 생산하다 - produzieren
3956. 그는 물건을 생산했다. - Er hat Dinge produziert.
3957. 그녀는 아이디어를 생산한다. - Sie produziert Ideen.
3958. 우리는 에너지를 생산할 것이다. - Wir werden Energie produzieren.
3959. 아이디어 생산되나요? - Werden Ideen produziert?
3960. 네, 생산돼요. - Ja, sie werden produziert.
3961. 보수하다 - Zu reparieren

3962. 그녀는 집을 보수했다. - Sie hat das Haus repariert.
3963. 우리는 기계를 보수한다. - Wir reparieren Maschinen.
3964. 당신들은 시설을 보수할 것이다. - Sie werden die Anlage reparieren.
3965. 기계 보수됐나요? - Ist die Maschine repariert?
3966. 네, 보수됐어요. - Ja, sie ist repariert worden.
3967. 44. 명사 단어들 외우기, 필수 10개 동사의 단어들을 가지고 50문장 연습하기 - 44. Lernen Sie Substantivwörter auswendig, üben Sie 50 Sätze mit den 10 wichtigsten Verbwörtern
3968. 차 - Auto
3969. 장비 - Anlage
3970. 시스템 - System
3971. 창문 - Fenster
3972. 바닥 - Fußboden
3973. 가구 - Möbel
3974. 마당 - Hof
3975. 방 - Zimmer
3976. 거리 - Entfernung
3977. 테이블 - Tisch
3978. 유리 - Glas
3979. 집 - Haus
3980. 축제 - Festspiele
3981. 풍경 - Ansicht
3982. 아이디어 - Idee
3983. 디자인 - Entwurf
3984. 옷 - Kleidung
3985. 웹사이트 - Website
3986. 앱 - App
3987. 나무 - Baum
3988. 돌 - Felsen
3989. 얼음 - Eis
3990. 시 - Stadt
3991. 음악 - Musik
3992. 이야기 - Geschichte
3993. 산 - Berg

3994. 계단 - Treppe
3995. 봉우리 - gipfel
3996. 정비하다 - zu warten
3997. 그는 차를 정비했다. - Er hat sein Auto gewartet.
3998. 그녀는 장비를 정비한다. - Sie wartet die Ausrüstung.
3999. 우리는 시스템을 정비할 것이다. - Wir werden das System überholen.
4000. 장비 정비됐나요? - Ist die Anlage gewartet worden?
4001. 네, 정비됐어요. - Ja, sie ist gewartet worden.
4002. 닦다 - zu wischen
4003. 그녀는 창문을 닦았다. - Sie hat die Fenster geputzt.
4004. 우리는 바닥을 닦는다. - Wir wischen den Boden.
4005. 당신들은 가구를 닦을 것이다. - Ihr werdet die Möbel polieren.
4006. 바닥 닦았나요? - Hast du den Boden gewischt?
4007. 네, 닦았어요. - Ja, ich habe ihn gewischt.
4008. 쓸다 - Fegen
4009. 그는 마당을 쓸었다. - Er hat den Hof gefegt.
4010. 그녀는 방을 쓴다. - Sie fegt das Zimmer.
4011. 우리는 거리를 쓸 것이다. - Wir werden die Straße fegen.
4012. 방 쓸었나요? - Hast du das Zimmer gefegt?
4013. 네, 쓸었어요. - Ja, ich habe es gefegt.
4014. 문지르다 - zu schrubben
4015. 그녀는 테이블을 문질렀다. - Sie schrubbte den Tisch.
4016. 우리는 유리를 문지른다. - Wir haben das Glas geschrubbt.
4017. 당신들은 바닥을 문지를 것이다. - Ihr werdet den Boden schrubben.
4018. 유리 문질렀나요? - Hast du das Glas geschrubbt?
4019. 네, 문질렀어요. - Ja, ich habe es geschrubbt.
4020. 장식하다 - zu dekorieren
4021. 그녀는 방을 장식했다. - Sie hat das Zimmer dekoriert.
4022. 우리는 집을 장식한다. - Wir dekorieren das Haus.
4023. 당신들은 축제를 장식할 것이다. - Du wirst das Fest dekorieren.
4024. 장식 좋아해? - Magst du dekorieren?
4025. 네, 좋아해. - Ja, ich mag es.
4026. 스케치하다 - skizzieren
4027. 그는 풍경을 스케치했다. - Er hat die Landschaft skizziert.

4028. 우리는 아이디어를 스케치한다. - Wir skizzieren Ideen.
4029. 그들은 새로운 디자인을 스케치할 것이다. - Sie werden einen neuen Entwurf skizzieren.
4030. 그림 그리기 좋아해? - Zeichnest du gerne?
4031. 응, 좋아해. - Ja, ich mag es.
4032. 디자인하다 - zu entwerfen
4033. 그녀는 옷을 디자인했다. - Sie hat die Kleider entworfen.
4034. 우리는 웹사이트를 디자인한다. - Wir entwerfen Websites.
4035. 당신들은 새로운 앱을 디자인할 것이다. - Ihr wollt eine neue App entwerfen.
4036. 디자인 재밌어? - Macht Design Spaß?
4037. 네, 재밌어. - Ja, es macht Spaß.
4038. 조각하다 - zu schnitzen
4039. 그는 나무를 조각했다. - Er hat Holz geschnitzt.
4040. 우리는 돌을 조각한다. - Wir schnitzen Stein.
4041. 그들은 얼음을 조각할 것이다. - Sie werden Eis schnitzen.
4042. 조각하기 어려워? - Ist es schwer zu schnitzen?
4043. 아니, 쉬워. - Nein, es ist leicht.
4044. 창작하다 - Zu schaffen
4045. 그녀는 시를 창작했다. - Sie schuf ein Gedicht.
4046. 우리는 음악을 창작한다. - Wir erschaffen Musik.
4047. 당신들은 이야기를 창작할 것이다. - Du wirst eine Geschichte erschaffen.
4048. 창작 즐거워? - Macht es dir Spaß, etwas zu erschaffen?
4049. 응, 즐거워. - Ja, ich genieße es.
4050. 오르다 - klettern
4051. 그는 산을 올랐다. - Er hat den Berg bestiegen.
4052. 우리는 계단을 오른다. - Wir steigen die Treppe hinauf.
4053. 그들은 높은 봉우리를 오를 것이다. - Sie werden einen hohen Gipfel erklimmen.
4054. 등산 좋아해? - Klettern Sie gerne?
4055. 네, 좋아해. - Ja, ich mag es.
4056. 45. 명사 단어들 외우기, 필수 10개 동사의 단어들을 가지고 50문장 연습하기 - 45. Lernen Sie Substantivwörter auswendig, üben Sie 50 Sätze

mit den 10 wichtigsten Verbwörtern
4057. 영어 실력 - Englischkenntnisse
4058. 기술 - Technik
4059. 통신 - Kommunikation
4060. 계획 - planen
4061. 방향 - Richtung
4062. 생각 - Gedanken
4063. 디자인 - Gestaltung
4064. 구조 - struktur
4065. 아이디어 - Idee
4066. 부품 - Teil
4067. 재료 - inhaltsstoff
4068. 시스템 - System
4069. 일정 - Zeitplan
4070. 프로젝트 - projekt
4071. 알람 - alarm
4072. 규칙 - Regel
4073. 비밀번호 - Kennwort
4074. 기기 - Gerät
4075. 컴퓨터 - Computer
4076. 설정 - Einstellung
4077. 데이터 - Daten
4078. 기계 - Maschine
4079. 프로그램 - Programm
4080. 장치 - Gerät
4081. 앱 - App
4082. 기능 - Funktion
4083. 향상하다 - zu verbessern
4084. 그녀는 영어 실력을 향상시켰다. - Sie hat ihr Englisch verbessert.
4085. 우리는 기술을 향상시킨다. - Wir verbessern unsere Fähigkeiten.
4086. 당신들은 통신을 향상시킬 것이다. - Sie werden Ihre Kommunikation verbessern.
4087. 실력 늘었어? - Haben Sie Ihre Fähigkeiten verbessert?
4088. 응, 늘었어. - Ja, ich habe mich verbessert.

4089. 변화하다 - zu ändern
4090. 나는 계획을 변화했다. - Ich habe meine Pläne geändert.
4091. 너는 방향을 변화한다. - Sie werden die Richtung ändern.
4092. 그는 생각을 변화할 것이다. - Er wird seine Meinung ändern.
4093. 계획 바꿀래? - Willst du deine Pläne ändern?
4094. 네, 바꿀래. - Ja, ich will mich ändern.
4095. 변형하다 - umwandeln
4096. 그녀는 디자인을 변형했다. - Sie hat den Entwurf umgestaltet.
4097. 우리는 구조를 변형한다. - Wir werden die Struktur transformieren.
4098. 당신들은 아이디어를 변형할 것이다. - Du wirst die Idee transformieren.
4099. 디자인 바뀌었어? - Haben Sie den Entwurf geändert?
4100. 네, 바뀌었어. - Ja, er hat sich verändert.
4101. 대체하다 - zu ersetzen
4102. 그들은 부품을 대체했다. - Sie haben Teile ersetzt.
4103. 나는 재료를 대체한다. - Ich ersetze das Material.
4104. 너는 시스템을 대체할 것이다. - Sie werden das System ersetzen.
4105. 부품 바꿀까? - Sollen wir die Teile ersetzen?
4106. 네, 바꿀까. - Ja, ich werde es ersetzen.
4107. 조율하다 - Zu koordinieren
4108. 그녀는 계획을 조율했다. - Sie hat den Plan koordiniert.
4109. 우리는 일정을 조율한다. - Wir werden den Zeitplan koordinieren.
4110. 당신들은 프로젝트를 조율할 것이다. - Sie werden das Projekt koordinieren.
4111. 일정 맞출 수 있어? - Können Sie den Zeitplan einhalten?
4112. 네, 맞출 수 있어. - Ja, ich kann es schaffen.
4113. 설정하다 - Einrichten
4114. 그들은 시스템을 설정했다. - Sie richten das System ein.
4115. 나는 알람을 설정한다. - Ich stelle den Alarm ein.
4116. 너는 규칙을 설정할 것이다. - Sie würden die Regeln festlegen.
4117. 알람 켤까? - Soll ich den Alarm einschalten?
4118. 네, 켤까. - Ja, schalten wir ihn ein.
4119. 재설정하다 - zurücksetzen
4120. 그녀는 비밀번호를 재설정했다. - Sie hat ihr Passwort zurückgesetzt.

4121. 우리는 기기를 재설정한다. - Wir setzen das Gerät zurück.
4122. 당신들은 계획을 재설정할 것이다. - Ihr werdet den Plan zurücksetzen.
4123. 다시 시작할까? - Sollen wir wieder anfangen?
4124. 네, 시작할까. - Ja, lasst uns beginnen.
4125. 초기화하다 - zum Initialisieren
4126. 그들은 컴퓨터를 초기화했다. - Sie setzen den Computer zurück.
4127. 나는 설정을 초기화한다. - Ich werde die Einstellungen initialisieren.
4128. 너는 데이터를 초기화할 것이다. - Sie werden Ihre Daten initialisieren.
4129. 전부 지울까? - Wollen Sie alles löschen?
4130. 네, 지울까. - Ja, lass uns alles löschen.
4131. 가동하다 - in Betrieb nehmen
4132. 그녀는 기계를 가동했다. - Sie hat die Maschine gestartet.
4133. 우리는 시스템을 가동한다. - Wir werden das System starten.
4134. 당신들은 프로그램을 가동할 것이다. - Du wirst das Programm starten.
4135. 시작할 시간이야? - Ist es Zeit zu starten?
4136. 네, 시작할 시간이야. - Ja, es ist Zeit zu starten.
4137. 작동하다 - zu bedienen
4138. 그들은 장치를 작동했다. - Sie haben das Gerät bedient.
4139. 나는 앱을 작동한다. - Ich werde die App bedienen.
4140. 너는 기능을 작동할 것이다. - Sie werden die Funktion bedienen.
4141. 잘 되고 있어? - Wie läuft's?
4142. 네, 잘 되고 있어. - Ja, es läuft gut.
4143. 46. 명사 단어들 외우기, 필수 10개 동사의 단어들을 가지고 50문장 연습하기 - 46. Nomenwörter auswendig lernen, 50 Sätze mit den 10 wichtigsten Verbwörtern üben
4144. 공부 - studieren
4145. 작업 - arbeiten
4146. 프로그램 - programmieren
4147. 프로젝트 - Projekt
4148. 회의 - Sitzung
4149. 시스템 - System
4150. 연습 - Praxis
4151. 논의 - Argument

4152. 계획 - Plan
4153. 대화 - Gespräch
4154. 이야기 - Geschichte
4155. 이벤트 - Ereignis
4156. 아이디어 - Idee
4157. 전략 - Strategie
4158. 꿈 - Traum
4159. 목표 - Ziel
4160. 작품 - Arbeit
4161. 보고서 - Bericht
4162. 과제 - Auftrag
4163. 준비 - Vorbereitung
4164. 과정 - Prozess
4165. 재개하다 - zur Wiederaufnahme
4166. 그녀는 공부를 재개했다. - Sie hat ihr Studium wieder aufgenommen.
4167. 우리는 작업을 재개한다. - Wir nehmen unsere Arbeit wieder auf.
4168. 당신들은 프로그램을 재개할 것이다. - Sie werden das Programm wieder aufnehmen.
4169. 다시 시작할까? - Sollen wir weitermachen?
4170. 네, 시작하자. - Ja, fangen wir an.
4171. 재시작하다 - wieder aufnehmen
4172. 그는 프로젝트를 재시작했다. - Er hat das Projekt wieder aufgenommen.
4173. 우리는 회의를 재시작한다. - Wir starten das Meeting neu.
4174. 당신들은 시스템을 재시작할 것이다. - Ihr werdet das System neu starten.
4175. 다시 할 준비 됐어? - Sind Sie bereit, es noch einmal zu tun?
4176. 네, 준비 됐어. - Ja, ich bin bereit.
4177. 계속하다 - Weitermachen
4178. 그녀는 연습을 계속했다. - Sie hat weiter geübt.
4179. 우리는 논의를 계속한다. - Wir setzen die Diskussion fort.
4180. 당신들은 계획을 계속할 것이다. - Ihr werdet mit dem Plan weitermachen.
4181. 계속 진행해도 돼? - Können wir weitermachen?

4182. 네, 계속해. - Ja, fahren Sie fort.
4183. 이어가다 - fortsetzen
4184. 그들은 회의를 이어갔다. - Sie setzten das Treffen fort.
4185. 우리는 프로젝트를 이어간다. - Wir setzen das Projekt fort.
4186. 당신들은 대화를 이어갈 것이다. - Sie werden das Gespräch fortsetzen.
4187. 더 할 말 있어? - Ist noch etwas?
4188. 아니, 괜찮아. - Nein, ich danke Ihnen.
4189. 진행하다 - fortfahren
4190. 그녀는 계획을 진행했다. - Sie fuhr mit dem Plan fort.
4191. 우리는 작업을 진행한다. - Wir werden mit der Aufgabe fortfahren.
4192. 당신들은 프로그램을 진행할 것이다. - Du wirst mit dem Programm fortfahren.
4193. 잘 되고 있어? - Wie geht es voran?
4194. 네, 잘 되고 있어. - Ja, es läuft gut.
4195. 전개하다 - sich entfalten
4196. 그는 이야기를 전개했다. - Er hat die Geschichte entwickelt.
4197. 우리는 계획을 전개한다. - Wir entwickeln einen Plan.
4198. 당신들은 이벤트를 전개할 것이다. - Du wirst ein Ereignis entfalten.
4199. 어떻게 될까? - Wie wird es ablaufen?
4200. 잘 될 거야. - Es wird klappen.
4201. 구현하다 - Umsetzen
4202. 그녀는 아이디어를 구현했다. - Sie hat die Idee umgesetzt.
4203. 우리는 전략을 구현한다. - Wir werden die Strategie umsetzen.
4204. 당신들은 시스템을 구현할 것이다. - Du wirst das System umsetzen.
4205. 실행 가능해? - Können Sie das tun?
4206. 네, 가능해. - Ja, es ist möglich.
4207. 실현하다 - Umsetzen
4208. 그들은 꿈을 실현했다. - Sie haben ihren Traum verwirklicht.
4209. 우리는 목표를 실현한다. - Wir verwirklichen unsere Ziele.
4210. 당신들은 계획을 실현할 것이다. - Sie werden Ihre Pläne verwirklichen.
4211. 꿈 이뤄질까? - Werden meine Träume wahr werden?
4212. 네, 이뤄질 거야. - Ja, sie werden wahr werden.
4213. 완성하다 - Zu Ende bringen

4214. 그녀는 작품을 완성했다. - Sie hat ihre Arbeit beendet.
4215. 우리는 보고서를 완성한다. - Wir werden den Bericht fertigstellen.
4216. 당신들은 프로젝트를 완성할 것이다. - Sie werden das Projekt abschließen.
4217. 다 됐어? - Sind Sie fertig?
4218. 네, 다 됐어. - Ja, ich bin fertig.
4219. 완료하다 - zu beenden
4220. 그는 과제를 완료했다. - Er hat die Aufgabe abgeschlossen.
4221. 우리는 준비를 완료한다. - Wir werden die Vorbereitungen abschließen.
4222. 당신들은 과정을 완료할 것이다. - Du wirst den Kurs abschließen.
4223. 끝났어? - Sind Sie fertig?
4224. 네, 끝났어. - Ja, ich bin fertig.
4225. 47. 명사 단어들 외우기, 필수 10개 동사의 단어들을 가지고 50문장 연습하기 - 47. Substantivwörter auswendig lernen, 50 Sätze mit den Wörtern der 10 wichtigsten Verben üben
4226. 회의 - Sitzung
4227. 세션(시간, 기간) - Sitzung (Zeit, Dauer)
4228. 서비스 - Dienstleistung
4229. 프로젝트 - Projekt
4230. 논의 - Argumente
4231. 작업 - Arbeit
4232. 연구 - Forschung
4233. 프로그램 - Programm
4234. 기계 - Maschine
4235. 계획 - planen
4236. 프로세스(처리기) - Prozess (Handler)
4237. 활동 - Tätigkeit
4238. 결정 - Entscheidung
4239. 발표 - Präsentation
4240. 공부 - Studie
4241. 노래 - singen
4242. 게임 - spielen
4243. 기록 - aufnehmen

4244. 사진 - Bild
4245. 문서 - dokumentieren
4246. 경험 - erleben
4247. 지식 - Wissen
4248. 자원 - Ressource
4249. 종료하다 - end(quit)
4250. 그들은 회의를 종료했다. - Sie haben die Sitzung beendet.
4251. 우리는 세션을 종료한다. - Wir beenden die Sitzung.
4252. 당신들은 서비스를 종료할 것이다. - Sie werden den Dienst abschalten.
4253. 이제 끝낼까? - Sollen wir es jetzt beenden?
4254. 네, 끝내자. - Ja, lassen Sie uns beenden.
4255. 마무리하다 - zum Abschluss bringen
4256. 그녀는 프로젝트를 마무리했다. - Sie hat das Projekt abgeschlossen.
4257. 우리는 논의를 마무리한다. - Wir schließen unsere Diskussion ab.
4258. 당신들은 작업을 마무리할 것이다. - Ihr werdet eure Arbeit abschließen.
4259. 모두 정리됐어? - Ist alles organisiert?
4260. 네, 정리됐어. - Ja, es ist alles organisiert.
4261. 개시하다 - zu initiieren
4262. 그는 연구를 개시했다. - Er hat die Studie eröffnet.
4263. 우리는 회의를 개시한다. - Wir eröffnen das Treffen.
4264. 당신들은 프로그램을 개시할 것이다. - Sie werden ein Programm initiieren.
4265. 시작해도 괜찮아? - Können wir loslegen?
4266. 네, 시작해. - Ja, fangen Sie an.
4267. 발동하다 - zu aktivieren
4268. 그녀는 기계를 발동했다. - Sie hat die Maschine aktiviert.
4269. 우리는 계획을 발동한다. - Wir werden einen Plan auslösen.
4270. 당신들은 프로세스를 발동할 것이다. - Sie werden den Prozess auslösen.
4271. 작동할까? - Wird es funktionieren?
4272. 네, 작동할 거야. - Ja, es wird funktionieren.
4273. 정지하다 - Anhalten

4274. 그들은 작업을 정지했다. - Sie haben die Aufgabe gestoppt.
4275. 우리는 활동을 정지한다. - Wir stoppen eine Aktivität.
4276. 당신들은 프로젝트를 정지할 것이다. - Sie werden das Projekt stoppen.
4277. 멈출 시간이야? - Ist es an der Zeit, aufzuhören?
4278. 네, 멈출 시간이야. - Ja, es ist an der Zeit, aufzuhören.
4279. 보류하다 - In die Warteschleife stellen
4280. 그녀는 결정을 보류했다. - Sie hat ihre Entscheidung auf Eis gelegt.
4281. 우리는 계획을 보류한다. - Wir haben den Plan auf Eis gelegt.
4282. 당신들은 발표를 보류할 것이다. - Sie werden die Präsentation auf Eis legen.
4283. 조금 기다릴까? - Sollen wir warten?
4284. 네, 기다리겠습니다. - Ja, wir werden warten.
4285. 중단하다 - Zu unterbrechen
4286. 나는 공부를 중단했다. - Ich habe mein Studium unterbrochen.
4287. 너는 노래를 중단한다. - Du wirst aufhören zu singen.
4288. 그는 게임을 중단할 것이다. - Er wird aufhören, das Spiel zu spielen.
4289. 멈출까? - Wird er aufhören?
4290. 아니, 안 멈출 거야. - Nein, ich werde nicht aufhören.
4291. 중지하다 - aufhören
4292. 그녀는 작업을 중지했다. - Sie hat aufgehört zu arbeiten.
4293. 우리는 회의를 중지한다. - Wir sagen das Treffen ab.
4294. 당신들은 프로젝트를 중지할 것이다. - Ihr wollt das Projekt stoppen.
4295. 중지할까? - Sollen wir aufhören?
4296. 아니, 안 할 거야. - Nein, das werden wir nicht.
4297. 보관하다 - Um die
4298. 그들은 기록을 보관했다. - Sie bewahren Aufzeichnungen auf.
4299. 나는 사진을 보관한다. - Ich bewahre Fotos auf.
4300. 너는 문서를 보관할 것이다. - Sie werden Dokumente aufbewahren.
4301. 보관해둘까? - Soll ich sie aufbewahren?
4302. 아니, 안 해도 돼. - Nein, das müssen Sie nicht.
4303. 축적하다 - Ansammeln
4304. 그녀는 경험을 축적했다. - Sie sammelte Erfahrungen.
4305. 우리는 지식을 축적한다. - Wir häufen Wissen an.

4306. 당신들은 자원을 축적할 것이다. - Sie werden Ressourcen anhäufen.
4307. 축적할까? - Sollen wir akkumulieren?
4308. 아니, 필요 없어. - Nein, das brauchen wir nicht.
4309. 48. 명사 단어들 외우기, 필수 10개 동사의 단어들을 가지고 50문장 연습하기 - 48. Lernen Sie Substantivwörter auswendig, üben Sie 50 Sätze mit den Wörtern der 10 wichtigsten Verben
4310. 용기 - Mut
4311. 능력 - Fähigkeit
4312. 진심 - Aufrichtigkeit
4313. 구덩이 - Grube
4314. 정원 - Garten
4315. 채널 - Kanal
4316. 휴식 - Erholung
4317. 휴가 - Urlaub
4318. 창문 - Fenster
4319. 장난감 - Spielzeug
4320. 장벽 - Schranke
4321. 저녁 - Abendessen
4322. 식사 - Mahlzeit
4323. 평화 - Frieden
4324. 변화 - ändern
4325. 음식 - Essen
4326. 책 - Buch
4327. 우산 - regenschirm
4328. 기회 - Gelegenheit
4329. 쓰레기 - müll
4330. 선물 - Geschenk
4331. 위험 - Gefahr
4332. 논쟁 - streit
4333. 책임 - Verantwortung
4334. 보이다 - zeigen
4335. 나는 용기를 보였다. - Ich zeige Mut
4336. 너는 능력을 보인다. - Du zeigst Kompetenz
4337. 그는 진심을 보일 것이다. - Er wird Aufrichtigkeit zeigen.

4338. 보여줄까? - Soll ich sie zeigen?
4339. 아니, 괜찮아. - Nein, das ist schon in Ordnung.
4340. 소리치다 - schreien
4341. 그녀는 기쁨을 소리쳤다. - Sie hat vor Freude geschrien.
4342. 우리는 승리를 소리친다. - Wir schreien den Sieg.
4343. 당신들은 이름을 소리칠 것이다. - Du wirst deinen Namen schreien.
4344. 소리쳐도 돼? - Darf ich schreien?
4345. 아니, 조용히 해. - Nein, sei still.
4346. 파다 - zu DIG
4347. 그들은 구덩이를 팠다. - Sie haben eine Grube gegraben.
4348. 나는 정원을 파낸다. - Ich grabe einen Garten.
4349. 너는 채널을 파낼 것이다. - Sie werden einen Kanal graben.
4350. 계속 파도 될까? - Soll ich weiter graben?
4351. 아니, 그만 파. - Nein, hör auf zu graben.
4352. 쉬다 - Ausruhen
4353. 그녀는 잠시 쉬었다. - Sie hat sich eine Weile ausgeruht.
4354. 우리는 휴식을 취한다. - Wir machen eine Pause.
4355. 당신들은 휴가를 취할 것이다. - Ihr nehmt euch eine Auszeit.
4356. 잠깐 쉴까? - Sollen wir eine Pause machen?
4357. 아니, 계속할게. - Nein, ich werde weitermachen.
4358. 부수다 - zerbrechen
4359. 그는 창문을 부쉈다. - Er hat das Fenster eingeschlagen.
4360. 그녀는 장난감을 부수고 있다. - Sie zerschlägt ihr Spielzeug.
4361. 우리는 장벽을 부술 것이다. - Wir werden die Barriere durchbrechen.
4362. 부술까요? - Sollen wir sie zerbrechen?
4363. 그래, 부셔요. - Ja, brechen wir sie.
4364. 요리하다 - zu kochen
4365. 나는 저녁을 요리했다. - Ich habe das Abendessen gekocht.
4366. 너는 요리하고 있다. - Du kochst.
4367. 그는 식사를 요리할 것이다. - Er wird das Essen kochen.
4368. 뭐 요리할까? - Was soll ich kochen?
4369. 간단한 거로 해. - Etwas Einfaches.
4370. 원하다 - wollen
4371. 그녀는 휴식을 원했다. - Sie wollte sich ausruhen.

4372. 우리는 평화를 원한다. - Wir wollen Frieden.
4373. 당신들은 변화를 원할 것이다. - Ihr wollt eine Veränderung.
4374. 무엇을 원해요? - Was wollt ihr?
4375. 조용한 시간이요. - Etwas Zeit für Ruhe.
4376. 가져오다 - zu bringen
4377. 그들은 음식을 가져왔다. - Sie haben Essen mitgebracht.
4378. 나는 책을 가져온다. - Ich bringe ein Buch.
4379. 너는 우산을 가져올 것이다. - Du bringst den Regenschirm.
4380. 가져올까요? - Soll ich ihn mitbringen?
4381. 네, 부탁해요. - Ja, bitte.
4382. 가져가다 - Nimm ihn.
4383. 그녀는 기회를 가져갔다. - Sie ist ein Risiko eingegangen.
4384. 우리는 쓰레기를 가져간다. - Wir nehmen den Müll mit.
4385. 당신들은 선물을 가져갈 것이다. - Du wirst das Geschenk nehmen.
4386. 가져갈게요? - Du nimmst es?
4387. 좋아요, 가져가세요. - Okay, nimm es.
4388. 회피하다 - zu vermeiden
4389. 나는 위험을 회피했다. - Ich habe die Gefahr vermieden.
4390. 너는 논쟁을 회피하고 있다. - Du gehst dem Streit aus dem Weg.
4391. 그는 책임을 회피할 것이다. - Er wird sich vor der Verantwortung drücken.
4392. 회피해야 하나요? - Soll ich ausweichen?
4393. 아니요, 마주해요. - Nein, sieh es ein.
4394. 49. 명사 단어들 외우기, 필수 10개 동사의 단어들을 가지고 50문장 연습하기 - 49. Lernen Sie die Substantivwörter auswendig, üben Sie 50 Sätze mit den Wörtern der 10 wichtigsten Verben
4395. 기쁨 - Vergnügen
4396. 어려움 - Schwierigkeit
4397. 성공 - Erfolg
4398. 추위 - Kälte
4399. 성취감 - Leistung
4400. 도움 - Hilfe
4401. 지원 - Unterstützung
4402. 협력 - Zusammenarbeit

4403. 결과 - Ergebnis
4404. 여행 - Reise
4405. 실패 - Misserfolg
4406. 어둠 - Dunkelheit
4407. 위험 - Gefahr
4408. 문제 - Problem
4409. 슬픔 - Traurigkeit
4410. 과학 - Wissenschaft
4411. 예술 - Kunst
4412. 취미 - Hobby
4413. 주말 - Wochenende
4414. 선생님 - Lehrer
4415. 부모님 - Eltern
4416. 리더 - Leiter
4417. 상황 - Situation
4418. 경험하다 - zu erleben
4419. 그녀는 기쁨을 경험했다. - Sie erlebte Freude.
4420. 우리는 어려움을 경험하고 있다. - Wir erleben Schwierigkeiten.
4421. 당신들은 성공을 경험할 것이다. - Sie werden Erfolg erleben.
4422. 경험해 볼래요? - Willst du ihn erleben?
4423. 예, 해보고 싶어요. - Ja, ich würde es gerne ausprobieren.
4424. 느끼다 - fühlen
4425. 그는 기쁨을 느꼈다. - Er fühlte Freude.
4426. 나는 추위를 느낀다. - Ich fühle Kälte.
4427. 너는 성취감을 느낄 것이다. - Du wirst das Gefühl haben, etwas erreicht zu haben.
4428. 행복해요? - Sind Sie glücklich?
4429. 네, 매우 그래요. - Ja, sehr sogar.
4430. 약속하다 - Zu versprechen
4431. 그녀는 도움을 약속했다. - Sie hat versprochen zu helfen.
4432. 우리는 지원을 약속한다. - Wir versprechen Unterstützung.
4433. 당신들은 협력을 약속할 것이다. - Sie versprechen zu kooperieren.
4434. 늦지 않겠죠? - Sie werden nicht zu spät kommen, oder?
4435. 아니요, 시간 맞출게요. - Nein, ich werde pünktlich sein.

4436. 기대하다 - zu erwarten
4437. 그들은 좋은 결과를 기대했다. - Sie erwarteten ein gutes Ergebnis.
4438. 나는 여행을 기대한다. - Ich erwarte zu reisen.
4439. 너는 성공을 기대할 것이다. - Sie würden einen Erfolg erwarten.
4440. 설레나요? - Sind Sie aufgeregt?
4441. 네, 정말로요. - Ja, sehr.
4442. 두려워하다 - Angst zu haben
4443. 나는 실패를 두려워했다. - Ich hatte Angst vor dem Versagen.
4444. 너는 어둠을 두려워한다. - Du hast Angst vor der Dunkelheit.
4445. 그는 위험을 두려워할 것이다. - Er hat Angst vor dem Risiko.
4446. 겁나나요? - Hast du auch Angst?
4447. 조금요, 괜찮아요. - Ein bisschen, aber es ist in Ordnung.
4448. 웃어대다 - es wegzulachen
4449. 그녀는 문제를 웃어넘겼다. - Sie hat über das Problem gelacht.
4450. 우리는 슬픔을 웃어낸다. - Wir lachen über unseren Kummer.
4451. 당신들은 어려움을 웃어넘길 것이다. - Du wirst über deine Schwierigkeiten lachen.
4452. 웃을 수 있어요? - Kannst du lachen?
4453. 네, 물론이죠. - Ja, natürlich.
4454. 관심가지다 - interessiert sein an
4455. 그는 과학에 관심을 가졌다. - Er hat sich für die Wissenschaft interessiert.
4456. 나는 예술에 관심을 가진다. - Ich interessiere mich für Kunst.
4457. 너는 새 취미에 관심을 가질 것이다. - Sie werden sich für ein neues Hobby interessieren.
4458. 관심 있어요? - Sind Sie interessiert?
4459. 네, 많이요. - Ja, sehr.
4460. 휴식하다 - ausruhen
4461. 그들은 주말에 휴식했다. - Sie haben sich am Wochenende ausgeruht.
4462. 나는 지금 휴식한다. - Ich ruhe mich jetzt aus.
4463. 너는 여행 후 휴식할 것이다. - Sie werden sich nach der Reise ausruhen.
4464. 쉬고 싶어요? - Willst du dich ausruhen?

4465. 예, 필요해요. - Ja, ich habe es nötig.
4466. 존경하다 - zu ehren
4467. 나는 선생님을 존경했다. - Ich habe meinen Lehrer respektiert.
4468. 너는 부모님을 존경한다. - Du respektierst deine Eltern.
4469. 그는 리더를 존경할 것이다. - Er wird den Anführer respektieren.
4470. 존경해요? - Respektierst du sie?
4471. 네, 존경해요. - Ja, ich bewundere sie.
4472. 절망하다 - zu verzweifeln
4473. 그녀는 실패에 절망했다. - Sie verzweifelte am Misserfolg.
4474. 우리는 상황을 절망한다. - Wir verzweifeln an der Situation.
4475. 당신들은 결과에 절망할 것이다. - Sie werden am Ergebnis verzweifeln.
4476. 희망이 있어? - Gibt es noch Hoffnung?
4477. 네, 여전히 있어. - Ja, es gibt sie noch.
4478. 50. 명사 단어들 외우기, 필수 10개 동사의 단어들을 가지고 50문장 연습하기 - 50. Lernen Sie Substantivwörter auswendig, üben Sie 50 Sätze mit den 10 wichtigsten Verbwörtern
4479. 대회 - Wettbewerb
4480. 경기 - Spiel
4481. 시합 - Spiel
4482. 도전 - herausfordern
4483. 시험 - Test
4484. 어린 시절 - Kindheit
4485. 추억 - Erinnerung
4486. 순간 - Moment
4487. 도움 - Hilfe
4488. 정보 - Informationen
4489. 지원 - Unterstützung
4490. 조심 - sorgfältig
4491. 성실 - Aufrichtigkeit
4492. 주의 - Vorsicht
4493. 사업 - Geschäft
4494. 집 - Haus
4495. 작업 - Arbeit

4496. 자격 - Qualifizierung
4497. 기술 - Technik
4498. 능력 - Fähigkeit
4499. 강좌 - Vortrag
4500. 프로그램 - Programm
4501. 관계 - Beziehung
4502. 건강 - Gesundheit
4503. 균형 - Gleichgewicht
4504. 전통 - Tradition
4505. 환경 - Umwelt
4506. 문화 - Kultur
4507. 승리하다 - zu gewinnen
4508. 그는 대회에서 승리했다. - Er hat den Wettbewerb gewonnen.
4509. 나는 경기를 승리한다. - Ich habe das Spiel gewonnen.
4510. 너는 시합을 승리할 것이다. - Du wirst das Spiel gewinnen.
4511. 기분 좋아요? - Fühlst du dich gut?
4512. 네, 매우 좋아요. - Ja, ich fühle mich sehr gut.
4513. 패배하다 - Zu verlieren
4514. 그들은 경기에서 패배했다. - Sie haben das Spiel verloren.
4515. 나는 도전에서 패배한다. - Ich verliere die Herausforderung.
4516. 너는 시험에서 패배할 것이다. - Sie werden den Test verlieren.
4517. 괜찮아요? - Geht es dir gut?
4518. 네, 괜찮아요. - Ja, mir geht's gut.
4519. 회상하다 - in Erinnerungen schwelgen
4520. 나는 어린 시절을 회상했다. - Ich schwelge in Erinnerungen an meine Kindheit.
4521. 너는 좋은 추억을 회상한다. - Du schwelgst in schönen Erinnerungen.
4522. 그는 행복한 순간을 회상할 것이다. - Er wird sich an glückliche Momente erinnern.
4523. 추억 나눌래? - Willst du in Erinnerungen schwelgen?
4524. 네, 좋아요. - Ja, das würde ich gerne tun.
4525. 구하다 - um Hilfe zu bitten
4526. 그녀는 도움을 구했다. - Sie hat um Hilfe gebeten.
4527. 우리는 정보를 구한다. - Wir suchen nach Informationen.

4528. 당신들은 지원을 구할 것이다. - Sie werden um Unterstützung bitten.
4529. 도와줄까요? - Soll ich Ihnen helfen?
4530. 네, 부탁해요. - Ja, bitte.
4531. 당부하다 - bitten um
4532. 그는 조심을 당부했다. - Er bat um Vorsicht.
4533. 나는 성실을 당부한다. - Ich bitte um Aufrichtigkeit.
4534. 너는 주의를 당부할 것이다. - Sie werden um Zurückhaltung bitten.
4535. 약속해요? - Versprechen Sie das?
4536. 네, 약속해요. - Ja, ich verspreche es.
4537. 계약하다 - Einen Vertrag abschließen
4538. 그들은 사업에 계약했다. - Sie haben einen Vertrag über das Geschäft abgeschlossen.
4539. 나는 집을 계약한다. - Ich schließe einen Vertrag für ein Haus ab.
4540. 너는 작업을 계약할 것이다. - Sie werden einen Vertrag für einen Job abschließen.
4541. 성공할까요? - Wird es klappen?
4542. 네, 분명해요. - Ja, ich bin sicher.
4543. 인증하다 - Bescheinigen
4544. 그녀는 자격을 인증했다. - Sie hat ihre Qualifikationen zertifiziert.
4545. 우리는 기술을 인증한다. - Wir bescheinigen Fähigkeiten.
4546. 당신들은 능력을 인증할 것이다. - Sie werden Ihre Fähigkeiten zertifizieren.
4547. 준비됐나요? - Sind Sie bereit?
4548. 네, 완벽해요. - Ja, perfekt.
4549. 등록하다 - zur Anmeldung
4550. 나는 강좌에 등록했다. - Ich bin für einen Kurs eingeschrieben.
4551. 너는 대회에 등록한다. - Sie melden sich für den Wettbewerb an.
4552. 그는 프로그램에 등록할 것이다. - Er wird sich für das Programm anmelden.
4553. 참여할래? - Willst du mitmachen?
4554. 네, 신나요. - Ja, ich bin begeistert.
4555. 유지하다 - Aufrechterhalten
4556. 그들은 관계를 유지했다. - Sie haben ihre Beziehung aufrechterhalten.

4557. 나는 건강을 유지한다. - Ich erhalte meine Gesundheit.
4558. 너는 균형을 유지할 것이다. - Sie werden das Gleichgewicht halten.
4559. 쉽나요? - Ist das leicht?
4560. 네, 쉬어요. - Ja, es ist leicht.
4561. 보존하다 - zu bewahren
4562. 그녀는 전통을 보존했다. - Sie bewahrte die Tradition.
4563. 우리는 환경을 보존한다. - Wir bewahren die Umwelt.
4564. 당신들은 문화를 보존할 것이다. - Ihr werdet die Kultur bewahren.
4565. 중요하죠? - Das ist wichtig, nicht wahr?
4566. 네, 매우 중요해요. - Ja, es ist sehr wichtig.
4567. 51. 명사 단어들 외우기, 필수 10개 동사의 단어들을 가지고 50문장 연습하기 - 51. Lernen Sie Substantivwörter auswendig, üben Sie 50 Sätze mit den 10 wichtigsten Verbwörtern
4568. 차 - Auto
4569. 옷 - Kleidung
4570. 신발 - Schuhe
4571. 자동차 - Auto
4572. 방 - Zimmer
4573. 집 - Haus
4574. 제품 - Produkt
4575. 앱 - app
4576. 게임 - Spiel
4577. 계획 - plan
4578. 정보 - Informationen
4579. 사실 - aktuell
4580. 편지 - Brief
4581. 상품 - Waren
4582. 초대장 - Einladung
4583. 신호 - Signal
4584. 데이터 - Daten
4585. 메시지 - Nachricht
4586. 뉴스 - Nachrichten
4587. 프로그램 - Programm
4588. 쇼 - anzeigen

4589. 영화 - Film
4590. 음악 - Musik
4591. 콘서트 - Konzert
4592. 조건 - Bedingung
4593. 계약 - Vertrag
4594. 가격 - Preis
4595. 목표 - Ziel
4596. 방침 - Politik
4597. 세척하다 - zu waschen
4598. 그는 차를 세척했다. - Er hat das Auto gewaschen.
4599. 나는 옷을 세척한다. - Ich wasche meine Kleidung.
4600. 너는 신발을 세척할 것이다. - Du wirst deine Schuhe waschen.
4601. 깨끗해졌나요? - Sind sie sauber?
4602. 네, 반짝반짝해요. - Ja, sie glänzen.
4603. 개조하다 - Zu renovieren
4604. 그는 자동차를 개조했다. - Er hat das Auto renoviert.
4605. 나는 방을 개조한다. - Ich werde das Zimmer renovieren.
4606. 너는 집을 개조할 것이다. - Du wirst das Haus renovieren.
4607. 새로워 보이나요? - Sieht es neu aus?
4608. 네, 완전히 달라요. - Ja, es ist ganz anders.
4609. 출시하다 - Auf den Markt bringen
4610. 그녀는 새 제품을 출시했다. - Sie hat ein neues Produkt auf den Markt gebracht.
4611. 우리는 앱을 출시한다. - Wir bringen eine App heraus.
4612. 당신들은 게임을 출시할 것이다. - Ihr wollt ein Spiel auf den Markt bringen.
4613. 관심 있어요? - Bist du daran interessiert?
4614. 네, 궁금해요. - Ja, ich bin interessiert.
4615. 비밀하다 - Geheimnisvoll sein
4616. 그들은 계획을 비밀했다. - Sie hielten ihre Pläne geheim.
4617. 나는 정보를 비밀한다. - Ich halte Informationen geheim.
4618. 너는 사실을 비밀할 것이다. - Sie werden die Tatsache geheim halten.
4619. 알고 싶어요? - Möchten Sie es wissen?

4620. 아니요, 괜찮아요. - Nein, danke.
4621. 발송하다 - zu versenden
4622. 그녀는 편지를 발송했다. - Sie hat den Brief verschickt.
4623. 우리는 상품을 발송한다. - Wir verschicken die Ware.
4624. 당신들은 초대장을 발송할 것이다. - Ihr werdet die Einladungen verschicken.
4625. 받았어요? - Habt ihr sie erhalten?
4626. 네, 잘 받았어요. - Ja, ich habe ihn gut erhalten.
4627. 송출하다 - übermitteln
4628. 그는 신호를 송출했다. - Er hat ein Signal gesendet.
4629. 나는 데이터를 송출한다. - Ich sende Daten.
4630. 너는 메시지를 송출할 것이다. - Du wirst eine Nachricht senden.
4631. 작동하나요? - Funktioniert das?
4632. 네, 잘 되요. - Ja, es funktioniert.
4633. 방송하다 - Senden
4634. 그들은 뉴스를 방송했다. - Sie senden die Nachrichten.
4635. 나는 프로그램을 방송한다. - Ich sende ein Programm.
4636. 너는 쇼를 방송할 것이다. - Sie werden eine Sendung ausstrahlen.
4637. 볼래요? - Willst du zusehen?
4638. 네, 흥미로워요. - Ja, es ist sehr interessant.
4639. 스트리밍하다 - Streamen
4640. 그녀는 영화를 스트리밍했다. - Sie hat einen Film gestreamt.
4641. 우리는 음악을 스트리밍한다. - Wir streamen Musik.
4642. 당신들은 콘서트를 스트리밍할 것이다. - Ihr werdet ein Konzert streamen.
4643. 즐기나요? - Macht es euch Spaß?
4644. 네, 많이요. - Ja, sehr.
4645. 협상하다 - zu verhandeln
4646. 그는 조건을 협상했다. - Er hat die Bedingungen ausgehandelt.
4647. 나는 계약을 협상한다. - Ich verhandle den Vertrag.
4648. 너는 가격을 협상할 것이다. - Sie werden den Preis aushandeln.
4649. 합의했나요? - Haben wir eine Einigung erzielt?
4650. 네, 도달했어요. - Ja, wir haben eine Einigung erzielt.
4651. 합의하다 - zustimmen

4652. 그들은 목표에 합의했다. - Sie haben sich auf das Ziel geeinigt.
4653. 나는 방침에 합의한다. - Ich werde mich auf eine Politik einigen.
4654. 너는 계획에 합의할 것이다. - Sie werden sich auf den Plan einigen.
4655. 만족해요? - Sind Sie zufrieden?
4656. 네, 완전히요. - Ja, vollkommen.
4657. 52. 명사 단어들 외우기, 필수 10개 동사의 단어들을 가지고 50문장 연습하기 - 52. Substantive auswendig lernen, 50 Sätze mit den 10 wichtigsten Verben üben
4658. 프로젝트 - Projekt
4659. 발전 - Entwicklung
4660. 성공 - Erfolg
4661. 사진 - Bild
4662. 아이디어 - Idee
4663. 경험 - Erfahrung
4664. 건물 - Gebäude
4665. 회의실 - Tagungsraum
4666. 도서관 - Bibliothek
4667. 파티 - Party
4668. 회의 - Tagung
4669. 강당 - Hörsaal
4670. 목록 - Liste
4671. 보고서 - Bericht
4672. 계획 - Plan
4673. 명단 - Liste
4674. 주제 - Thema
4675. 옵션 - Option
4676. 시험 - Test
4677. 비상사태 - Notfall
4678. 경쟁 - konkurrieren
4679. 예산 - Haushalt
4680. 기대 - Erwartung
4681. 목표 - Ziel
4682. 극한 - Grenze
4683. 한계 - Grenze

4684. 정상 - normal
4685. 합의 - Vereinbarung
4686. 결론 - Schlussfolgerung
4687. 기여하다 - Beitragen
4688. 그녀는 프로젝트에 기여했다. - Sie hat zu dem Projekt beigetragen.
4689. 우리는 발전에 기여한다. - Wir tragen zur Entwicklung bei.
4690. 당신들은 성공에 기여할 것이다. - Sie werden zum Erfolg beitragen.
4691. 도움됐나요? - Hat es geholfen?
4692. 네, 많이요. - Ja, sehr.
4693. 공유하다 - Zu teilen
4694. 그는 사진을 공유했다. - Er hat das Foto geteilt.
4695. 나는 아이디어를 공유한다. - Ich teile meine Ideen.
4696. 너는 경험을 공유할 것이다. - Sie werden Ihre Erfahrungen teilen.
4697. 보여줄래요? - Zeigst du es mir?
4698. 네, 기꺼이요. - Ja, das tue ich gerne.
4699. 출입하다 - Betreten und Verlassen
4700. 그들은 건물에 출입했다. - Sie haben das Gebäude betreten.
4701. 나는 회의실에 출입한다. - Ich betrete den Konferenzraum.
4702. 너는 도서관에 출입할 것이다. - Sie werden die Bibliothek betreten.
4703. 허용되나요? - Ist das erlaubt?
4704. 네, 가능해요. - Ja, das dürfen Sie.
4705. 퇴장하다 - Zu gehen
4706. 그녀는 파티에서 퇴장했다. - Sie hat die Party verlassen.
4707. 우리는 회의에서 퇴장한다. - Wir verlassen die Sitzung.
4708. 당신들은 강당에서 퇴장할 것이다. - Sie werden aus dem Saal entlassen.
4709. 끝났나요? - Sind Sie fertig?
4710. 네, 끝났어요. - Ja, es ist vorbei.
4711. 포함하다 - Aufnehmen
4712. 그는 목록에 이름을 포함했다. - Er hat die Namen in die Liste aufgenommen.
4713. 나는 보고서에 결과를 포함한다. - Ich nehme die Ergebnisse in den Bericht auf.
4714. 너는 계획에 이 아이디어를 포함할 것이다. - Sie werden die Idee in

Ihren Plan aufnehmen.
4715. 필요해요? - Ist das notwendig?
4716. 네, 중요해요. - Ja, es ist wichtig.
4717. 배제하다 - ausschließen
4718. 그들은 명단에서 그를 배제했다. - Sie haben ihn von der Liste ausgeschlossen.
4719. 나는 논의에서 주제를 배제한다. - Ich schließe das Thema aus der Diskussion aus.
4720. 너는 제안에서 그 옵션을 배제할 것이다. - Sie werden die Option von dem Vorschlag ausschließen.
4721. 제외되나요? - Ausschließen?
4722. 네, 그렇게 결정했어요. - Ja, das haben wir beschlossen.
4723. 대비하다 - vorbereiten
4724. 그녀는 시험에 대비했다. - Sie hat sich auf die Prüfung vorbereitet.
4725. 우리는 비상사태에 대비한다. - Wir bereiten uns auf Notfälle vor.
4726. 당신들은 경쟁에 대비할 것이다. - Sie werden sich auf den Wettbewerb vorbereiten.
4727. 준비됐나요? - Bist du bereit?
4728. 네, 완벽해요. - Ja, ich bin perfekt.
4729. 초과하다 - zu überschreiten
4730. 그는 예산을 초과했다. - Er hat das Budget überschritten.
4731. 나는 기대를 초과한다. - Ich übertreffe die Erwartungen.
4732. 너는 목표를 초과할 것이다. - Sie werden Ihr Ziel übertreffen.
4733. 문제 있나요? - Gibt es ein Problem?
4734. 아니요, 괜찮아요. - Nein, alles in Ordnung.
4735. 미치다 - Verrückt sein
4736. 그는 극한에 미쳤다. - Er ist bis zum Äußersten verrückt.
4737. 나는 한계에 미친다. - Ich bin verrückt bis zum Äußersten.
4738. 너는 목표에 미칠 것이다. - Du wirst verrückt sein mit deinen Zielen.
4739. 미쳤어? - Bist du verrückt?
4740. 아니, 정상이야. - Nein, das ist normal.
4741. 도달하다 - zu erreichen
4742. 그녀는 정상에 도달했다. - Sie hat den Gipfel erreicht.
4743. 우리는 합의에 도달한다. - Wir erreichen eine Einigung.

4744. 당신들은 결론에 도달할 것이다. - Sie werden zu einem Ergebnis kommen.
4745. 도착했니? - Sind wir da?
4746. 네, 여기야. - Ja, wir sind da.
4747. 53. 명사 단어들 외우기, 필수 10개 동사의 단어들을 가지고 50문장 연습하기 - 53. Nomen auswendig lernen, 50 Sätze mit den 10 wichtigsten Verben üben
4748. 자원 - Ressource
4749. 정보 - Informationen
4750. 지지 - unterstützen
4751. 미래 - Zukunft
4752. 가능성 - Möglichkeit
4753. 세계 - Welt
4754. 새로운 것 - neue Sache
4755. 해결 - lösen
4756. 변화 - ändern
4757. 목표 - Ziel
4758. 계획 - planen
4759. 시험 - testen
4760. 사업 - Geschäft
4761. 노력 - Aufwand
4762. 프로젝트 - Projekt
4763. 결정 - Entscheidung
4764. 방향 - Richtung
4765. 선택 - wählen Sie
4766. 경고 - Warnung
4767. 위험 - Gefahr
4768. 조언 - Hinweis
4769. 세부사항 - Einzelheiten
4770. 결과 - Ergebnis
4771. 작업 - Arbeit
4772. 공부 - studieren
4773. 공원 - park
4774. 생각 - Gedanke

4775. 감정 - Gefühl
4776. 확보하다 - sichern
4777. 그들은 자원을 확보했다. - Sie sichern Ressourcen.
4778. 나는 정보를 확보한다. - Ich sichere Informationen.
4779. 너는 지지를 확보할 것이다. - Sie werden sich Unterstützung sichern.
4780. 준비됐니? - Sind Sie bereit?
4781. 네, 다 됐어. - Ja, ich bin bereit.
4782. 상상하다 - Sich vorstellen
4783. 그녀는 미래를 상상했다. - Sie hat sich die Zukunft vorgestellt.
4784. 우리는 가능성을 상상한다. - Wir stellen uns Möglichkeiten vor.
4785. 당신들은 세계를 상상할 것이다. - Du wirst dir die Welt vorstellen.
4786. 꿈꿔? - Träumen Sie?
4787. 네, 가끔. - Ja, manchmal.
4788. 시도하다 - ausprobieren
4789. 그는 새로운 것을 시도했다. - Er hat etwas Neues ausprobiert.
4790. 나는 해결을 시도한다. - Ich versuche, eine Lösung zu finden.
4791. 너는 변화를 시도할 것이다. - Du wirst versuchen, dich zu ändern.
4792. 해봤어? - Hast du es schon versucht?
4793. 아직 안 해. - Ich habe es noch nicht.
4794. 실패하다 - zu scheitern
4795. 그들은 목표에 실패했다. - Sie sind an ihrem Ziel gescheitert.
4796. 나는 계획에 실패한다. - Ich scheitere am Plan.
4797. 너는 시험에 실패할 것이다. - Sie werden die Prüfung nicht bestehen.
4798. 실패했니? - Haben Sie versagt?
4799. 네, 아쉽게도. - Ja, leider.
4800. 성공하다 - Erfolgreich zu sein
4801. 그녀는 사업에서 성공했다. - Sie hatte Erfolg im Geschäft.
4802. 우리는 노력에서 성공한다. - Wir sind erfolgreich in unseren Unternehmungen.
4803. 당신들은 프로젝트에서 성공할 것이다. - Ihr werdet mit eurem Projekt Erfolg haben.
4804. 성공했어? - Warst du erfolgreich?
4805. 네, 됐어! - Ja, es ist geschafft!
4806. 확신하다 - sicher sein

4807. 그는 결정에 확신했다. - Er war sich seiner Entscheidung sicher.
4808. 나는 방향에 확신한다. - Ich bin mir der Richtung sicher.
4809. 너는 선택에 확신할 것이다. - Du wirst dir deiner Entscheidung sicher sein.
4810. 확실해? - Bist du dir sicher?
4811. 네, 확실해. - Ja, ich bin mir sicher.
4812. 무시하다 - zu ignorieren
4813. 그들은 경고를 무시했다. - Sie haben die Warnung ignoriert.
4814. 나는 위험을 무시한다. - Ich ignoriere das Risiko.
4815. 너는 조언을 무시할 것이다. - Sie werden den Rat ignorieren.
4816. 무시해? - Ignorieren?
4817. 아니, 들어. - Nein, zuhören.
4818. 주목하다 - bemerken
4819. 그녀는 변화에 주목했다. - Sie hat die Veränderung bemerkt.
4820. 우리는 세부사항에 주목한다. - Wir achten auf die Details.
4821. 당신들은 결과에 주목할 것이다. - Sie werden die Ergebnisse bemerken.
4822. 보고 있니? - Schauen Sie zu?
4823. 네, 주목해. - Ja, ich passe auf.
4824. 집중하다 - sich zu konzentrieren
4825. 그는 작업에 집중했다. - Er konzentriert sich auf die Aufgabe.
4826. 나는 목표에 집중한다. - Ich konzentriere mich auf das Ziel.
4827. 너는 공부에 집중할 것이다. - Du wirst dich auf dein Studium konzentrieren.
4828. 집중돼? - Bist du konzentriert?
4829. 네, 잘 돼. - Ja, es läuft gut.
4830. 흩어지다 - sich zerstreuen
4831. 그들은 공원에서 흩어졌다. - Sie haben sich im Park zerstreut.
4832. 나는 생각에 흩어진다. - Ich bin in meinen Gedanken zerstreut.
4833. 너는 감정에 흩어질 것이다. - Du wirst in deinen Gefühlen zerstreut sein.
4834. 헤어졌어? - Haben Sie sich getrennt?
4835. 네, 이제 그래. - Ja, das bin ich jetzt.
4836. 54. 명사 단어들 외우기, 필수 10개 동사의 단어들을 가지고 50문장 연습

하기 - 54. Lernen Sie Substantivwörter auswendig, üben Sie 50 Sätze mit den 10 wichtigsten Verbalwörtern
4837. 자원 - Ressource
4838. 관심 - interessieren
4839. 투자 - investieren
4840. 데이터 - Daten
4841. 시스템 - System
4842. 노력 - Aufwand
4843. 색상 - Farbe
4844. 재료 - inhaltsstoff
4845. 아이디어 - Idee
4846. 문제 - Problem
4847. 과정 - verfahren
4848. 절차 - Verfahren
4849. 계획 - Plan
4850. 상황 - Situation
4851. 설명 - Erklärung
4852. 작업 - Arbeit
4853. 생각 - Gedanke
4854. 보고서 - Bericht
4855. 내용 - Detail
4856. 결과 - Ergebnis
4857. 용어 - Begriffe
4858. 목적 - Zweck
4859. 개념 - Konzept
4860. 주장 - Stellungnahme
4861. 의견 - Stellungnahme
4862. 결론 - Schlussfolgerung
4863. 이론 - Theorie
4864. 가설 - Hypothese
4865. 분산하다 - zu zerstreuen
4866. 그들은 자원을 분산했다. - Sie haben ihre Ressourcen gestreut.
4867. 우리는 관심을 분산한다. - Wir streuen unsere Aufmerksamkeit.
4868. 당신들은 투자를 분산할 것이다. - Sie werden Ihre Investitionen

streuen.
4869. 관심 있어? - Sind Sie interessiert?
4870. 조금 있어. - Ich habe einige.
4871. 통합하다 - Zu integrieren
4872. 그녀는 데이터를 통합했다. - Sie hat die Daten konsolidiert.
4873. 우리는 시스템을 통합한다. - Wir integrieren Systeme.
4874. 당신들은 노력을 통합할 것이다. - Sie werden Ihre Bemühungen integrieren.
4875. 쉬웠어? - War das leicht?
4876. 아니, 어려웠어. - Nein, es war schwierig.
4877. 혼합하다 - zu mischen
4878. 그는 색상을 혼합했다. - Er hat die Farben gemischt.
4879. 나는 재료를 혼합한다. - Ich mische die Zutaten.
4880. 너는 아이디어를 혼합할 것이다. - Du wirst Ideen mischen.
4881. 잘 됐어? - Ist es gut gelaufen?
4882. 네, 잘 됐어. - Ja, es ist gut gelaufen.
4883. 단순화하다 - Vereinfachen
4884. 그들은 문제를 단순화했다. - Sie haben das Problem vereinfacht.
4885. 우리는 과정을 단순화한다. - Wir vereinfachen den Prozess.
4886. 당신들은 절차를 단순화할 것이다. - Ihr werdet den Prozess vereinfachen.
4887. 필요해? - Brauchen Sie das?
4888. 네, 필요해. - Ja, ich brauche es.
4889. 복잡하게 하다 - Zu komplizieren
4890. 그녀는 계획을 복잡하게 했다. - Sie hat den Plan verkompliziert.
4891. 나는 상황을 복잡하게 한다. - Ich verkompliziere die Situation.
4892. 너는 설명을 복잡하게 할 것이다. - Du wirst die Erklärung verkomplizieren.
4893. 문제 있어? - Gibt es ein Problem?
4894. 아니, 괜찮아. - Nein, es geht mir gut.
4895. 간소화하다 - zu vereinfachen
4896. 그는 절차를 간소화했다. - Er hat das Verfahren vereinfacht.
4897. 나는 작업을 간소화한다. - Ich vereinfache die Aufgabe.
4898. 너는 생각을 간소화할 것이다. - Du wirst dein Denken vereinfachen.

4899. 도움 돼? - Ist das hilfreich?
4900. 네, 도움 돼. - Ja, es hilft.
4901. 요약하다 - Zusammenfassen
4902. 그들은 보고서를 요약했다. - Sie fassen den Bericht zusammen.
4903. 우리는 내용을 요약한다. - Wir fassen den Inhalt zusammen.
4904. 당신들은 결과를 요약할 것이다. - Sie werden die Ergebnisse zusammenfassen.
4905. 간단해? - Einfach?
4906. 응, 간단해. - Ja, das ist einfach.
4907. 정의하다 - Definieren
4908. 그녀는 용어를 정의했다. - Sie definiert die Begriffe.
4909. 나는 목적을 정의한다. - Ich definiere den Zweck.
4910. 너는 개념을 정의할 것이다. - Sie werden das Konzept definieren.
4911. 이해했어? - Haben Sie das verstanden?
4912. 네, 이해했어. - Ja, ich habe verstanden.
4913. 반박하다 - zu widerlegen
4914. 그는 주장을 반박했다. - Er hat das Argument widerlegt.
4915. 나는 의견을 반박한다. - Ich widerlege die Meinung.
4916. 너는 결론을 반박할 것이다. - Sie werden die Schlussfolgerung widerlegen.
4917. 확실해? - Sind Sie sich sicher?
4918. 네, 확실해. - Ja, ich bin mir sicher.
4919. 논박하다 - zu widerlegen
4920. 그들은 이론을 논박했다. - Sie haben die Theorie widerlegt.
4921. 우리는 가설을 논박한다. - Wir widerlegen die Hypothese.
4922. 당신들은 주장을 논박할 것이다. - Sie werden die Behauptung widerlegen.
4923. 가능해? - Ist das möglich?
4924. 어렵지만 가능해. - Es ist schwierig, aber es ist möglich.
4925. 55. 명사 단어들 외우기, 필수 10개 동사의 단어들을 가지고 50문장 연습하기 - 55. Lernen Sie die Substantivwörter auswendig, üben Sie 50 Sätze mit den Wörtern der 10 wichtigsten Verben
4926. 문헌 - Literatur
4927. 연구 - Forschung

4928. 전문가 - Experte
4929. 사건 - Veranstaltung
4930. 이슈 - Thema
4931. 사실 - aktuell
4932. 행복 - Glück
4933. 목표 - Ziel
4934. 성공 - Erfolg
4935. 기술 - Technik
4936. 학문 - Stipendium
4937. 경력 - Karriere
4938. 발전 - Entwicklung
4939. 계획 - Plan
4940. 집 - Haus
4941. 사무실 - Büro
4942. 공간 - Raum
4943. 작품 - Arbeit
4944. 데이터 - Daten
4945. 디자인 - Entwurf
4946. 실수 - Fehler
4947. 과정 - Verfahren
4948. 패턴 - Muster
4949. 스타일 - Stil
4950. 방식 - Verfahren
4951. 기법 - Technik
4952. 동작 - Bewegung
4953. 말투 - Sprache
4954. 절차 - Verfahren
4955. 인용하다 - zu zitieren
4956. 그녀는 문헌을 인용했다. - Sie zitiert die Literatur.
4957. 나는 연구를 인용한다. - Ich zitiere eine Studie.
4958. 너는 전문가를 인용할 것이다. - Sie werden einen Experten zitieren.
4959. 필요한 거야? - Ist das notwendig?
4960. 네, 필요해. - Ja, es ist notwendig.
4961. 언급하다 - zu erwähnen

4962. 그는 사건을 언급했다. - Er verweist auf den Fall.
4963. 나는 이슈를 언급한다. - Ich verweise auf den Sachverhalt.
4964. 너는 사실을 언급할 것이다. - Sie werden den Sachverhalt erwähnen.
4965. 언급됐어? - Erwähnt?
4966. 네, 언급됐어. - Ja, es wurde erwähnt.
4967. 추구하다 - zu verfolgen
4968. 그들은 행복을 추구했다. - Sie strebten nach Glück.
4969. 우리는 목표를 추구한다. - Wir verfolgen Ziele.
4970. 당신들은 성공을 추구할 것이다. - Sie werden den Erfolg verfolgen.
4971. 성공했어? - Haben Sie Erfolg?
4972. 아직은 모르겠어. - Ich weiß es noch nicht.
4973. 진보하다 - Fortschritte machen
4974. 그녀는 기술에서 진보했다. - Sie hat Fortschritte in der Technik gemacht.
4975. 나는 학문에서 진보한다. - Ich komme in meinem Studium voran.
4976. 너는 경력에서 진보할 것이다. - Du wirst in deiner Karriere vorankommen.
4977. 어떻게 됐어? - Wie geht es voran?
4978. 잘 되고 있어. - Es geht gut voran.
4979. 후퇴하다 - Rückschritte machen
4980. 그는 발전에서 후퇴했다. - Er zieht sich vom Fortschritt zurück.
4981. 나는 계획에서 후퇴한다. - Ich ziehe mich von dem Plan zurück.
4982. 너는 목표에서 후퇴할 것이다. - Du wirst vor dem Ziel zurückschrecken.
4983. 괜찮아? - Geht es dir gut?
4984. 괜찮아, 다시 해볼게. - Es ist okay, ich versuche es noch einmal.
4985. 리모델링하다 - umgestalten
4986. 그들은 집을 리모델링했다. - Sie haben das Haus umgestaltet.
4987. 우리는 사무실을 리모델링한다. - Wir gestalten das Büro um.
4988. 당신들은 공간을 리모델링할 것이다. - Du wirst deinen Raum umgestalten.
4989. 비쌌어? - War es teuer?
4990. 네, 좀 비쌌어. - Ja, es war ein bisschen teuer.
4991. 복제하다 - zu reproduzieren

4992. 그녀는 작품을 복제했다. - Sie hat ihr Kunstwerk reproduzieren lassen.
4993. 나는 데이터를 복제한다. - Ich reproduziere die Daten.
4994. 너는 디자인을 복제할 것이다. - Du wirst das Design reproduzieren.
4995. 허락됐어? - Dürfen Sie das?
4996. 네, 허락됐어. - Ja, das darf ich.
4997. 반복하다 - Zu wiederholen
4998. 그는 실수를 반복했다. - Er hat seinen Fehler wiederholt.
4999. 나는 과정을 반복한다. - Ich wiederhole den Vorgang.
5000. 너는 패턴을 반복할 것이다. - Du wirst das Muster wiederholen.
5001. 배웠어? - Hast du etwas gelernt?
5002. 네, 배웠어. - Ja, ich habe gelernt.
5003. 모방하다 - Zu imitieren
5004. 그들은 스타일을 모방했다. - Sie ahmten den Stil nach.
5005. 우리는 방식을 모방한다. - Wir imitieren Methoden.
5006. 당신들은 기법을 모방할 것이다. - Ihr werdet die Technik kopieren.
5007. 좋았어? - War es gut?
5008. 응, 괜찮았어. - Ja, es war okay.
5009. 따라하다 - Sie imitieren
5010. 그녀는 동작을 따라했다. - Sie kopiert die Bewegungen.
5011. 나는 말투를 따라한다. - Ich ahme den Tonfall nach.
5012. 너는 절차를 따라할 것이다. - Sie machen den Ablauf nach.
5013. 쉬웠어? - War es einfach?
5014. 응, 쉬웠어. - Ja, es war leicht.
5015. 56. 명사 단어들 외우기, 필수 10개 동사의 단어들을 가지고 50문장 연습하기 - 56. Lernen Sie die Substantivwörter auswendig, üben Sie 50 Sätze mit den 10 wichtigsten Verbwörtern
5016. 정보 - Informationen
5017. 아이 - Kind
5018. 환경 - Umwelt
5019. 시장 - Markt
5020. 행동 - handeln
5021. 프로세스 - Prozess
5022. 위험 - Gefahr

5023. 오류 - Fehler
5024. 실패 - Versagen
5025. 질병 - Krankheit
5026. 사고 - Unfall
5027. 문제 - Problem
5028. 아이디어 - Idee
5029. 시스템 - System
5030. 의견 - Meinung
5031. 자원 - Ressource
5032. 데이터 - Daten
5033. 옵션 - Option
5034. 후보 - Kandidat
5035. 보상 - Vergütung
5036. 비용 - Kosten
5037. 권리 - Recht
5038. 계획 - Plan
5039. 제안 - Vorschlag
5040. 주장 - Stellungnahme
5041. 포지션 - Standpunkt
5042. 영역 - Bereich
5043. 보호하다 - zu schützen
5044. 그는 정보를 보호했다. - Er hat die Informationen geschützt.
5045. 나는 아이를 보호한다. - Ich schütze das Kind.
5046. 너는 환경을 보호할 것이다. - Sie werden die Umwelt schützen.
5047. 중요해? - Ist das wichtig?
5048. 네, 매우 중요해. - Ja, es ist sehr wichtig.
5049. 감시하다 - zu überwachen
5050. 그들은 시장을 감시했다. - Sie überwachen den Markt.
5051. 우리는 행동을 감시한다. - Wir überwachen das Verhalten.
5052. 당신들은 프로세스를 감시할 것이다. - Sie werden den Prozess überwachen.
5053. 필요했어? - War das notwendig?
5054. 네, 필요했어. - Ja, es war notwendig.
5055. 경계하다 - Wachsam sein

5056. 그녀는 위험을 경계했다. - Sie war auf der Hut vor Gefahren.
5057. 나는 오류를 경계한다. - Ich bin auf der Suche nach Fehlern.
5058. 너는 실패를 경계할 것이다. - Du wirst dich vor Fehlern hüten.
5059. 조심해야 해? - Sollte ich vorsichtig sein?
5060. 네, 조심해야 해. - Ja, du solltest vorsichtig sein.
5061. 예방하다 - zu verhindern
5062. 그녀는 질병을 예방했다. - Sie hat die Krankheit verhindert.
5063. 우리는 사고를 예방한다. - Wir verhindern Unfälle.
5064. 당신들은 문제를 예방할 것이다. - Sie werden Ärger verhindern.
5065. 감기 걸렸어? - Hast du eine Erkältung?
5066. 아니, 괜찮아. - Nein, mir geht es gut.
5067. 혁신하다 - Erneuern
5068. 그는 프로세스를 혁신했다. - Er hat ein Verfahren erneuert.
5069. 나는 아이디어를 혁신한다. - Ich erneuere Ideen.
5070. 너는 시스템을 혁신할 것이다. - Sie werden ein System erneuern.
5071. 새로워? - Neu?
5072. 응, 새로워. - Ja, neu.
5073. 교환하다 - austauschen
5074. 그녀는 정보를 교환했다. - Sie hat Informationen ausgetauscht.
5075. 우리는 의견을 교환한다. - Wir tauschen Meinungen aus.
5076. 당신들은 자원을 교환할 것이다. - Sie werden Ressourcen austauschen.
5077. 바꿨어? - Haben Sie ausgetauscht?
5078. 응, 바꿨어. - Ja, das habe ich.
5079. 선별하다 - sichten
5080. 그는 데이터를 선별했다. - Er hat die Daten gesichtet.
5081. 나는 옵션을 선별한다. - Ich werde die Optionen durchsehen.
5082. 너는 후보를 선별할 것이다. - Sie werden die Kandidaten sichten.
5083. 선택했어? - Haben Sie ausgewählt?
5084. 네, 했어. - Ja, das habe ich.
5085. 청구하다 - Beantragen
5086. 그녀는 보상을 청구했다. - Sie hat ihre Entschädigung eingefordert.
5087. 우리는 비용을 청구한다. - Wir werden die Kosten einfordern.
5088. 당신들은 권리를 청구할 것이다. - Sie werden Ihre Rechte einfordern.

5089. 비싸? - Teuer?
5090. 아니, 적당해. - Nein, es ist erschwinglich.
5091. 동조하다 - sympathisieren
5092. 그는 의견에 동조했다. - Er sympathisiert mit der Meinung.
5093. 나는 계획에 동조한다. - Ich bin mit dem Plan einverstanden.
5094. 너는 제안에 동조할 것이다. - Sie werden mit dem Vorschlag einverstanden sein.
5095. 동의해? - Sind Sie einverstanden?
5096. 응, 동의해. - Ja, ich stimme zu.
5097. 방어하다 - zu verteidigen
5098. 그녀는 주장을 방어했다. - Sie hat die Forderung verteidigt.
5099. 우리는 포지션을 방어한다. - Wir verteidigen die Position.
5100. 당신들은 영역을 방어할 것이다. - Ihr werdet euer Territorium verteidigen.
5101. 준비됐어? - Seid ihr bereit?
5102. 네, 준비됐어. - Ja, ich bin bereit.
5103. 57. 명사 단어들 외우기, 필수 10개 동사의 단어들을 가지고 50문장 연습하기 - 57. Lernen Sie Substantivwörter auswendig, üben Sie 50 Sätze mit den geforderten 10 Verbwörtern
5104. 오류 - Fehler
5105. 변화 - ändern
5106. 위험 - Gefahr
5107. 기술 - Technik
5108. 방법 - Methode
5109. 지식 - Wissen
5110. 학생들 - Studenten
5111. 주제 - Thema
5112. 서류 - Dokument
5113. 방 - Raum
5114. 일정 - Zeitplan
5115. 정책 - Politik
5116. 계획 - Plan
5117. 규칙 - Regel
5118. 목표 - Ziel

5119. 프로젝트 - Projekt
5120. 꿈 - Traum
5121. 결과 - Ergebnis
5122. 성공 - Erfolg
5123. 예약 - Reservierung
5124. 주문 - Bestellung
5125. 규정 - Regel
5126. 시스템 - System
5127. 프로그램 - Programm
5128. 병 - Partei
5129. 상처 - Wunde
5130. 조건 - Zustand
5131. 탐지하다 - zu erkennen
5132. 그는 오류를 탐지했다. - Er hat einen Fehler entdeckt.
5133. 나는 변화를 탐지한다. - Ich entdecke eine Veränderung.
5134. 너는 위험을 탐지할 것이다. - Du wirst die Gefahr erkennen.
5135. 봤어? - Haben Sie das gesehen?
5136. 응, 봤어. - Ja, ich habe es gesehen.
5137. 학습하다 - Zu lernen
5138. 그녀는 기술을 학습했다. - Sie hat die Technik gelernt.
5139. 우리는 방법을 학습한다. - Wir lernen die Methoden.
5140. 당신들은 지식을 학습할 것이다. - Du wirst das Wissen lernen.
5141. 이해해? - Verstehst du das?
5142. 네, 이해해. - Ja, ich verstehe.
5143. 교육하다 - Zu erziehen
5144. 그는 학생들을 교육했다. - Er unterrichtet die Schüler.
5145. 나는 주제를 교육한다. - Ich unterrichte das Fach.
5146. 너는 기술을 교육할 것이다. - Du wirst die Fähigkeiten unterrichten.
5147. 잘 가르쳐? - Gut unterrichten?
5148. 응, 잘 가르쳐. - Ja, gut unterrichten.
5149. 정돈하다 - zu ordnen
5150. 그녀는 서류를 정돈했다. - Sie hat ihre Papiere geordnet.
5151. 우리는 방을 정돈한다. - Wir ordnen unser Zimmer.
5152. 당신들은 일정을 정돈할 것이다. - Du wirst deinen Zeitplan

organisieren.
5153. 깨끗해? - Ist es sauber?
5154. 네, 깨끗해. - Ja, es ist sauber.
5155. 시행하다 - durchsetzen
5156. 그는 정책을 시행했다. - Er hat die Politik durchgesetzt.
5157. 나는 계획을 시행한다. - Ich setze den Plan durch.
5158. 너는 규칙을 시행할 것이다. - Du wirst die Regeln durchsetzen.
5159. 작동해? - Funktioniert das?
5160. 응, 작동해. - Ja, es funktioniert.
5161. 성취하다 - Das Ziel erreichen
5162. 그녀는 목표를 성취했다. - Sie hat ihr Ziel erreicht.
5163. 우리는 프로젝트를 성취한다. - Wir werden das Projekt erfüllen.
5164. 당신들은 꿈을 성취할 것이다. - Du wirst deinen Traum erfüllen.
5165. 성공했어? - Warst du erfolgreich?
5166. 네, 성공했어. - Ja, ich habe es geschafft.
5167. 달성하다 - zu vollenden
5168. 그는 결과를 달성했다. - Er hat das Ergebnis erreicht.
5169. 나는 목표를 달성한다. - Ich habe mein Ziel erreicht.
5170. 너는 성공을 달성할 것이다. - Du wirst Erfolg haben.
5171. 됐어? - Ist es geschafft?
5172. 응, 됐어. - Ja, es ist vollbracht.
5173. 취소하다 - Absagen
5174. 그녀는 계획을 취소했다. - Sie hat ihre Pläne storniert.
5175. 우리는 예약을 취소한다. - Wir sagen die Reservierung ab.
5176. 당신들은 주문을 취소할 것이다. - Ihr werdet die Bestellung stornieren.
5177. 멈췄어? - Hat es aufgehört?
5178. 네, 멈췄어. - Ja, sie hat aufgehört.
5179. 폐지하다 - aufheben
5180. 그는 규정을 폐지했다. - Er hat die Verordnung abgeschafft.
5181. 나는 시스템을 폐지한다. - Ich schaffe das System ab.
5182. 너는 프로그램을 폐지할 것이다. - Du wirst das Programm abschaffen.
5183. 없어졌어? - Ist es weg?
5184. 응, 없어졌어. - Ja, es ist abgeschafft.

5185. 치료하다 - zu heilen
5186. 그녀는 병을 치료했다. - Sie wurde von ihrer Krankheit geheilt.
5187. 우리는 상처를 치료한다. - Wir heilen Wunden.
5188. 당신들은 조건을 치료할 것이다. - Du wirst den Zustand heilen.
5189. 나았어? - Geht es dir besser?
5190. 네, 나았어. - Ja, mir geht es besser.
5191. 58. 명사 단어들 외우기, 필수 10개 동사의 단어들을 가지고 50문장 연습하기 - 58. Lernen Sie Substantivwörter auswendig, üben Sie 50 Sätze mit den 10 wichtigsten Verbwörtern
5192. 데이터 - Daten
5193. 시스템 - System
5194. 기능 - Funktion
5195. 중요 파일 - wichtige Dateien
5196. 자료 - Daten
5197. 잡지 - Zeitschrift
5198. 뉴스레터 - newsletter
5199. 채널 - Kanal
5200. 계약 - vertrag
5201. 멤버십 - mitgliedschaft
5202. 서비스 - dienstleistung
5203. 클럽 - club
5204. 조직 - gruppe
5205. 그룹 - gruppe
5206. 인터넷 - Internet
5207. 사이트 - Website
5208. 계정 - Konto
5209. 앱 - app
5210. 플랫폼 - Plattform
5211. 웹사이트 - Website
5212. 정책 - Politik
5213. 결정 - Entscheidung
5214. 조치 - Aktion
5215. 조정 - Anpassung
5216. 정확한 정보 - genaue Informationen

5217. 적절한 조치 - geeignete Maßnahmen
5218. 복원하다 - wiederherstellen
5219. 그는 데이터를 복원했다. - Er hat die Daten wiederhergestellt.
5220. 나는 시스템을 복원한다. - Ich werde das System wiederherstellen.
5221. 너는 기능을 복원할 것이다. - Sie werden die Funktionalität wiederherstellen.
5222. 돌아왔어? - Sind Sie wieder da?
5223. 응, 돌아왔어. - Ja, ich bin wieder da.
5224. 백업하다 - zum Backup
5225. 그는 데이터를 백업했다. - Er hat eine Sicherungskopie seiner Daten gemacht.
5226. 그녀는 중요 파일을 백업한다. - Sie sichert ihre wichtigen Dateien.
5227. 우리는 자료를 백업할 것이다. - Wir werden die Daten sichern.
5228. 자료 안전해? - Sind die Daten sicher?
5229. 네, 백업됐어. - Ja, sie sind gesichert.
5230. 구독하다 - zu abonnieren
5231. 그녀는 잡지를 구독했다. - Sie hat eine Zeitschrift abonniert.
5232. 우리는 뉴스레터를 구독한다. - Wir melden uns für den Newsletter an.
5233. 당신들은 채널을 구독할 것이다. - Sie werden den Kanal abonnieren.
5234. 새 소식 있어? - Gibt es Neuigkeiten?
5235. 예, 업데이트 됐어. - Ja, ich wurde auf den neuesten Stand gebracht.
5236. 해지하다 - zu kündigen
5237. 그는 계약을 해지했다. - Er hat den Vertrag gekündigt.
5238. 그녀는 멤버십을 해지한다. - Sie kündigt ihre Mitgliedschaft.
5239. 우리는 서비스를 해지할 것이다. - Wir werden den Dienst kündigen.
5240. 계약 끝났어? - Ist der Vertrag beendet?
5241. 아니, 진행 중이야. - Nein, er ist noch nicht beendet.
5242. 탈퇴하다 - zu verlassen
5243. 그녀는 클럽을 탈퇴했다. - Sie hat den Verein verlassen.
5244. 우리는 조직을 탈퇴한다. - Wir verlassen die Organisation.
5245. 당신들은 그룹을 탈퇴할 것이다. - Du verlässt die Gruppe.
5246. 아직 멤버야? - Bist du noch ein Mitglied?

5247. 아니, 탈퇴했어. - Nein, ich bin ausgetreten.
5248. 접속하다 - zugreifen
5249. 그는 인터넷에 접속했다. - Er hat auf das Internet zugegriffen.
5250. 그녀는 사이트에 접속한다. - Sie greift auf die Website zu.
5251. 우리는 시스템에 접속할 것이다. - Wir werden uns mit dem System verbinden.
5252. 인터넷 연결됐어? - Sind Sie mit dem Internet verbunden?
5253. 네, 연결됐어. - Ja, ich bin verbunden.
5254. 로그인하다 - sich einloggen
5255. 그녀는 계정에 로그인했다. - Sie loggt sich in ihr Konto ein.
5256. 우리는 앱에 로그인한다. - Wir melden uns bei der App an.
5257. 당신들은 플랫폼에 로그인할 것이다. - Sie loggen sich auf der Plattform ein.
5258. 로그인 문제 있어? - Gibt es Probleme beim Einloggen?
5259. 아니, 잘 됐어. - Nein, alles ist in Ordnung.
5260. 로그아웃하다 - ausloggen
5261. 그는 웹사이트에서 로그아웃했다. - Er hat sich von der Website abgemeldet.
5262. 그녀는 시스템에서 로그아웃한다. - Sie loggt sich aus dem System aus.
5263. 우리는 계정에서 로그아웃할 것이다. - Wir werden uns aus unserem Konto abmelden.
5264. 로그아웃 했어? - Haben Sie sich abgemeldet?
5265. 예, 했어. - Ja, das habe ich.
5266. 항의하다 - zu protestieren
5267. 그녀는 정책에 항의했다. - Sie hat gegen die Politik protestiert.
5268. 우리는 결정에 항의한다. - Wir protestieren gegen die Entscheidung.
5269. 당신들은 조치에 항의할 것이다. - Sie werden gegen die Maßnahme protestieren.
5270. 불만 있어? - Haben Sie eine Beschwerde eingereicht?
5271. 예, 있어. - Ja, das habe ich.
5272. 요구하다 - zu fordern
5273. 그는 조정을 요구했다. - Er verlangte eine Anpassung.
5274. 그녀는 정확한 정보를 요구한다. - Sie verlangt genaue Informationen.

5275. 우리는 적절한 조치를 요구할 것이다. - Wir werden angemessene Maßnahmen fordern.
5276. 더 필요한 거 있어? - Brauchen Sie noch etwas?
5277. 아뇨, 다 됐어요. - Nein, ich bin fertig.
5278. 59. 명사 단어들 외우기, 필수 10개 동사의 단어들을 가지고 50문장 연습하기 - 59. Nomen auswendig lernen, 50 Sätze mit den 10 wichtigsten Verben üben
5279. 업무 우선순위 - Arbeitsprioritäten
5280. 프로젝트의 우선순위 - Projektpriorität
5281. 일의 순서 - Reihenfolge der Arbeit
5282. 회의 - Sitzung
5283. 이벤트 - Veranstaltung
5284. 행사 - Veranstaltung
5285. 파티 - Feier
5286. 대회 - Wettbewerb
5287. 경연 - Wettbewerb
5288. 워크숍 - Workshop
5289. 세미나 - Seminar
5290. 포럼 - Forum
5291. 회사 - Unternehmen
5292. 단체 - Organisation
5293. 조직 - Gruppe
5294. 재단 - Stiftung
5295. 기관 - Agentur
5296. 학교 - Schule
5297. 클럽 - Verein
5298. 협회 - Verein
5299. 프로젝트 - Projekt
5300. 캠페인 - Kampagne
5301. 운동 - ausarbeiten
5302. 사업 - Geschäft
5303. 파트너십 - Partnerschaft
5304. 모임 - Klasse
5305. 조합 - Kombination

5306. 집단 - Gruppe
5307. 우선순위를 정하다 - Prioritäten setzen
5308. 그녀는 업무 우선순위를 정했다. - Sie hat ihre Arbeit priorisiert.
5309. 우리는 프로젝트의 우선순위를 정한다. - Wir priorisieren das Projekt.
5310. 당신들은 일의 순서를 정할 것이다. - Sie werden die Reihenfolge der Arbeit organisieren.
5311. 뭐부터 할까? - Was sollen wir zuerst tun?
5312. 이거부터 해요. - Wir machen das zuerst.
5313. 개최하다 - halten
5314. 그는 회의를 개최했다. - Er hat ein Treffen abgehalten.
5315. 그녀는 이벤트를 개최한다. - Sie hält eine Veranstaltung ab.
5316. 우리는 행사를 개최할 것이다. - Wir werden eine Veranstaltung abhalten.
5317. 장소 예약됐어? - Ist der Ort gebucht?
5318. 네, 예약됐어요. - Ja, er ist gebucht.
5319. 주최하다 - Zu veranstalten
5320. 그녀는 파티를 주최했다. - Sie organisiert eine Party.
5321. 우리는 대회를 주최한다. - Wir veranstalten einen Wettbewerb.
5322. 당신들은 경연을 주최할 것이다. - Du wirst einen Wettbewerb organisieren.
5323. 시간 되나요? - Habt ihr Zeit?
5324. 네, 괜찮아요. - Ja, ich habe Zeit.
5325. 주관하다 - zu organisieren
5326. 그는 워크숍을 주관했다. - Er hat einen Workshop organisiert.
5327. 그녀는 세미나를 주관한다. - Sie wird ein Seminar organisieren.
5328. 우리는 포럼을 주관할 것이다. - Wir werden ein Forum organisieren.
5329. 자료 준비됐어? - Haben Sie die Materialien?
5330. 네, 다 됐어요. - Ja, sie sind fertig.
5331. 창립하다 - Er gründete eine Firma
5332. 그녀는 회사를 창립했다. - Sie hat eine Firma gegründet.
5333. 우리는 단체를 창립한다. - Wir haben eine Organisation gegründet.
5334. 당신들은 조직을 창립할 것이다. - Ihr wollt eine Organisation gründen.
5335. 명칭 정해졌어? - Habt ihr einen Namen?
5336. 예, 정해졌어요. - Ja, das ist beschlossen.

5337. 설립하다 - zu gründen
5338. 그는 재단을 설립했다. - Er hat eine Stiftung gegründet.
5339. 그녀는 기관을 설립한다. - Sie hat eine Organisation gegründet.
5340. 우리는 학교를 설립할 것이다. - Wir werden eine Schule gründen.
5341. 위치 결정됐어? - Ist der Standort entschieden?
5342. 네, 결정됐어요. - Ja, das ist entschieden.
5343. 창설하다 - zu gründen
5344. 그는 조직을 창설했다. - Er hat eine Organisation gegründet.
5345. 그녀는 클럽을 창설한다. - Sie wird einen Verein gründen.
5346. 우리는 협회를 창설할 것이다. - Wir werden einen Verein gründen.
5347. 이름 정했어? - Habt ihr schon einen Namen?
5348. 아직이야. - Noch nicht.
5349. 발기하다 - zu errichten
5350. 그녀는 프로젝트를 발기했다. - Sie hat ein Projekt gestartet.
5351. 우리는 캠페인을 발기한다. - Wir werden eine Kampagne starten.
5352. 당신들은 운동을 발기할 것이다. - Ihr werdet eine Bewegung errichten.
5353. 누가 돕나요? - Wer hilft mit?
5354. 모두 함께해. - Wir alle.
5355. 청산하다 - zu liquidieren
5356. 그는 사업을 청산했다. - Er hat sein Geschäft liquidiert.
5357. 그녀는 회사를 청산한다. - Sie liquidiert die Firma.
5358. 우리는 파트너십을 청산할 것이다. - Wir werden die Partnerschaft liquidieren.
5359. 이유 알 수 있어? - Können Sie erraten, warum?
5360. 비밀이야. - Es ist ein Geheimnis.
5361. 해산하다 - auflösen
5362. 그녀는 모임을 해산했다. - Sie hat die Versammlung aufgelöst.
5363. 우리는 조합을 해산한다. - Wir werden die Gewerkschaft auflösen.
5364. 당신들은 집단을 해산할 것이다. - Du wirst die Gruppe auflösen.
5365. 끝난 거야? - Ist es vorbei?
5366. 그래, 끝났어. - Ja, es ist vorbei.
5367. 60. 명사 단어들 외우기, 필수 10개 동사의 단어들을 가지고 50문장 연습하기 - 60. Lernen Sie Substantivwörter auswendig, üben Sie 50 Sätze

mit Wörtern aus den 10 wichtigsten Verben
5368. 두 회사 - zwei Unternehmen
5369. 기업들 - Unternehmen
5370. 조직 - Gruppe
5371. 부서 - Abteilung
5372. 회사 - Unternehmen
5373. 사업 - Unternehmen
5374. 새로운 정부 - neue regierung
5375. 프로그램 - programm
5376. 기관 - Agentur
5377. 책 - Buch
5378. 잡지 - Zeitschrift
5379. 가이드 - Leitfaden
5380. 신문 - Zeitung
5381. 보고서 - Bericht
5382. 뉴스레터 - Rundschreiben
5383. 포스터 - Poster
5384. 초대장 - Einladung
5385. 메뉴 - Speisekarte
5386. 영상 - Video
5387. 문서 - Dokument
5388. 콘텐츠 - Inhalt
5389. 원고 - Manuskript
5390. 번역 - Übersetzung
5391. 글 - Schreiben
5392. 꿈 - Traum
5393. 데이터 - Daten
5394. 결과 - Ergebnis
5395. 합병하다 - fusionieren
5396. 그는 두 회사를 합병했다. - Er fusioniert zwei Unternehmen.
5397. 그녀는 기업들을 합병한다. - Sie fusioniert Unternehmen.
5398. 우리는 조직을 합병할 것이다. - Wir werden die Organisationen fusionieren.
5399. 잘 될까요? - Wird es klappen?

5400. 잘 될 거예요. - Es wird gut funktionieren.
5401. 분할하다 - Aufteilen
5402. 그녀는 부서를 분할했다. - Sie hat die Abteilung geteilt.
5403. 우리는 회사를 분할한다. - Wir werden das Unternehmen aufteilen.
5404. 당신들은 사업을 분할할 것이다. - Ihr werdet das Unternehmen aufteilen.
5405. 필요한가요? - Ist das notwendig?
5406. 네, 필요해요. - Ja, es ist notwendig.
5407. 출범하다 - einweihen
5408. 그는 새로운 정부를 출범했다. - Er hat eine neue Regierung eingeweiht.
5409. 그녀는 프로그램을 출범한다. - Sie führt ein Programm ein.
5410. 우리는 기관을 출범할 것이다. - Wir werden eine Agentur einweihen.
5411. 준비됐나요? - Sind Sie bereit?
5412. 다 준비됐어요. - Alles ist bereit.
5413. 출판하다 - Zu veröffentlichen
5414. 그녀는 책을 출판했다. - Sie hat ein Buch veröffentlicht.
5415. 우리는 잡지를 출판한다. - Wir geben eine Zeitschrift heraus.
5416. 당신들은 가이드를 출판할 것이다. - Ihr werdet einen Leitfaden veröffentlichen.
5417. 새 책 나왔어? - Ist Ihr neues Buch erschienen?
5418. 네, 나왔어요. - Ja, es ist erschienen.
5419. 발행하다 - zu veröffentlichen
5420. 그는 신문을 발행했다. - Er hat eine Zeitung veröffentlicht.
5421. 그녀는 보고서를 발행한다. - Sie veröffentlicht einen Bericht.
5422. 우리는 뉴스레터를 발행할 것이다. - Wir werden einen Newsletter veröffentlichen.
5423. 언제 나와? - Wann kommt er heraus?
5424. 내일 나와. - Er erscheint morgen.
5425. 인쇄하다 - Zu drucken
5426. 그녀는 포스터를 인쇄했다. - Sie hat das Plakat gedruckt.
5427. 우리는 초대장을 인쇄한다. - Wir werden die Einladungen drucken.
5428. 당신들은 메뉴를 인쇄할 것이다. - Ihr werdet die Speisekarte drucken.
5429. 색깔 괜찮아? - Ist die Farbe in Ordnung?

5430. 완벽해요. - Ja, sie ist perfekt.
5431. 편집하다 - Zum Bearbeiten
5432. 그는 영상을 편집했다. - Er hat das Video bearbeitet.
5433. 그녀는 문서를 편집한다. - Sie redigiert das Dokument.
5434. 우리는 콘텐츠를 편집할 것이다. - Wir werden den Inhalt bearbeiten.
5435. 얼마나 걸려? - Wie lange wird es dauern?
5436. 조금 걸려요. - Es wird eine Weile dauern.
5437. 감수하다 - zu bearbeiten
5438. 그녀는 원고를 감수했다. - Sie liest das Manuskript Korrektur.
5439. 우리는 번역을 감수한다. - Wir werden die Übersetzung korrekturlesen.
5440. 당신들은 보고서를 감수할 것이다. - Sie werden den Bericht korrekturlesen.
5441. 검토 끝났어? - Sind Sie mit dem Korrekturlesen fertig?
5442. 거의 다 됐어. - Er ist fast fertig.
5443. 번역하다 - Zu übersetzen
5444. 그는 문서를 번역했다. - Er hat das Dokument übersetzt.
5445. 그녀는 글을 번역한다. - Sie übersetzt Artikel.
5446. 우리는 책을 번역할 것이다. - Wir werden das Buch übersetzen.
5447. 이해 돼요? - Ist das sinnvoll?
5448. 네, 잘 돼요. - Ja, es geht gut.
5449. 해석하다 - Zu deuten
5450. 그녀는 꿈을 해석했다. - Sie hat den Traum gedeutet.
5451. 우리는 데이터를 해석한다. - Wir interpretieren die Daten.
5452. 당신들은 결과를 해석할 것이다. - Ihr werdet die Ergebnisse interpretieren.
5453. 맞을까요? - Ist das richtig?
5454. 네, 맞아요. - Ja, das stimmt.
5455. 61. 명사 단어들 외우기, 필수 10개 동사의 단어들을 가지고 50문장 연습하기 - 61. Nomenwörter auswendig lernen, 50 Sätze mit den 10 wichtigsten Verbwörtern üben
5456. 범위 - Bereich
5457. 관심 - Interesse
5458. 영역 - Bereich

5459. 상황 - Situation
5460. 관계 - Beziehung
5461. 문제 - Problem
5462. 자료 - Daten
5463. 정보 - Informationen
5464. 요소들 - Elemente
5465. 아이디어 - Idee
5466. 기술 - Technologie
5467. 비용 - Kosten
5468. 가능성 - Möglichkeit
5469. 결과 - Ergebnis
5470. 가치 - Wert
5471. 상태 - Lage
5472. 품질 - Qualität
5473. 변경사항 - Änderungen
5474. 결정 - Entscheidung
5475. 일정 - Zeitplan
5476. 옵션 - Option
5477. 해결책 - Lösung
5478. 데이터 - Daten
5479. 문서 - Dokument
5480. 시스템 - System
5481. 설정 - einstellung
5482. 시계 - Uhr
5483. 기기 - Gerät
5484. 확대하다 - auf Vergrößern
5485. 나는 범위를 확대했다. - Ich habe in den Bereich hineingezoomt.
5486. 너는 관심을 확대한다. - Du vergrößerst das Interesse.
5487. 그는 영역을 확대할 것이다. - Er wird den Bereich vergrößern.
5488. 범위 더 넓힐까? - Sollen wir den Bereich vergrößern?
5489. 네, 더 넓혀요. - Ja, vergrößern wir ihn weiter.
5490. 악화하다 - Verschlimmern
5491. 그녀는 상황을 악화시켰다. - Sie hat die Situation verschlimmert.
5492. 우리는 관계를 악화시킨다. - Wir verschlimmern die Beziehung.

5493. 당신들은 문제를 악화시킬 것이다. - Du wirst das Problem verschlimmern.
5494. 상태 더 나빠졌어? - Hast du es verschlimmert?
5495. 아니, 안 그래. - Nein, hat es nicht.
5496. 참고하다 - zu konsultieren
5497. 그들은 자료를 참고했다. - Sie haben das Material konsultiert.
5498. 나는 정보를 참고한다. - Ich beziehe mich auf die Informationen.
5499. 너는 자료를 참고할 것이다. - Sie werden sich auf das Material beziehen.
5500. 정보 찾아봤어? - Haben Sie die Informationen nachgeschlagen?
5501. 응, 찾아봤어. - Ja, ich habe sie nachgeschlagen.
5502. 조합하다 - Kombinieren
5503. 나는 요소들을 조합했다. - Ich habe die Elemente zusammengefügt.
5504. 너는 아이디어를 조합한다. - Du wirst Ideen kombinieren.
5505. 그는 기술을 조합할 것이다. - Er wird die Technologie zusammenstellen.
5506. 아이디어 합칠까? - Sollen wir Ideen kombinieren?
5507. 좋아, 합치자. - Okay, lass uns kombinieren.
5508. 추정하다 - Schätzen
5509. 그녀는 비용을 추정했다. - Sie schätzt die Kosten.
5510. 우리는 가능성을 추정한다. - Wir schätzen die Möglichkeiten ab.
5511. 당신들은 결과를 추정할 것이다. - Sie werden das Ergebnis schätzen.
5512. 비용 얼마로 봐? - Was glauben Sie, wie viel wird es kosten?
5513. 몇 만원 될 거야. - Es wird ein paar Tausend Won kosten.
5514. 감정하다 - Schätzen
5515. 그들은 가치를 감정했다. - Sie schätzten den Wert.
5516. 나는 상태를 감정한다. - Ich schätze den Zustand.
5517. 너는 품질을 감정할 것이다. - Sie würden die Qualität schätzen.
5518. 가치 평가했어? - Haben Sie es geschätzt?
5519. 예, 평가했어. - Ja, ich habe es geschätzt.
5520. 통지하다 - benachrichtigen
5521. 나는 변경사항을 통지했다. - Ich habe die Änderung mitgeteilt.
5522. 너는 결정을 통지한다. - Sie werden die Entscheidung mitteilen.
5523. 그는 일정을 통지할 것이다. - Er wird den Zeitplan bekannt geben.

5524. 소식 받았어? - Haben Sie die Nachricht erhalten?
5525. 아니, 못 받았어. - Nein, habe ich nicht.
5526. 탐색하다 - erkunden
5527. 그녀는 옵션을 탐색했다. - Sie hat ihre Möglichkeiten erkundet.
5528. 우리는 가능성을 탐색한다. - Wir erkunden Möglichkeiten.
5529. 당신들은 해결책을 탐색할 것이다. - Sie werden Lösungen erkunden.
5530. 더 찾아볼까? - Sollen wir weiter erkunden?
5531. 응, 더 찾아보자. - Ja, lasst uns weiter erkunden.
5532. 검사하다 - zu untersuchen
5533. 그들은 데이터를 검사했다. - Sie haben die Daten untersucht.
5534. 나는 문서를 검사한다. - Ich werde die Dokumentation prüfen.
5535. 너는 시스템을 검사할 것이다. - Sie werden das System prüfen.
5536. 모두 확인했니? - Haben Sie alles geprüft?
5537. 네, 확인했어. - Ja, ich habe sie überprüft.
5538. 리셋하다 - zurücksetzen
5539. 나는 설정을 리셋했다. - Ich setze die Einstellungen zurück.
5540. 너는 시계를 리셋한다. - Sie setzen die Uhr zurück.
5541. 그는 기기를 리셋할 것이다. - Er wird das Gerät zurücksetzen.
5542. 다시 시작할까? - Sollen wir neu starten?
5543. 응, 다시 시작해. - Ja, fangen wir neu an.
5544. 62. 명사 단어들 외우기, 필수 10개 동사의 단어들을 가지고 50문장 연습하기 - 62. Nomen auswendig lernen, 50 Sätze mit den 10 wichtigsten Verben üben
5545. 연락 - Kommunikation
5546. 공급 - Versorgung
5547. 관계 - Beziehung
5548. 잠금 - abschließen
5549. 계약 - Vertrag
5550. 약속 - Versprechen
5551. 자리 - Sitzplatz
5552. 티켓 - Ticket
5553. 방 - Zimmer
5554. 회의 - Sitzung
5555. 예약 - Reservierung

5556. 여행 - Reise
5557. 보고서 - Bericht
5558. 계획 - Plan
5559. 제안 - Vorschlag
5560. 문서 - Dokument
5561. 요청 - Antrag
5562. 프로젝트 - Projekt
5563. 대회 - Wettbewerb
5564. 경기 - Spiel
5565. 상대 - Gegner
5566. 게임 - Spiel
5567. 경쟁 - konkurrieren
5568. 대결 - Schlacht
5569. 끊다 - abschneiden
5570. 그녀는 연락을 끊었다. - Sie hat den Kontakt abgebrochen.
5571. 우리는 공급을 끊는다. - Wir haben die Verbindung abgebrochen.
5572. 당신들은 관계를 끊을 것이다. - Ihr werdet die Verbindung abbrechen.
5573. 연결 끊겼어? - Getrennt?
5574. 아니, 아직이야. - Nein, noch nicht.
5575. 해제하다 - aufschließen
5576. 그들은 잠금을 해제했다. - Sie haben es freigeschaltet.
5577. 나는 계약을 해제한다. - Ich löse den Vertrag.
5578. 너는 약속을 해제할 것이다. - Sie werden das Versprechen freigeben.
5579. 잠금 풀었어? - Haben Sie es freigeschaltet?
5580. 네, 풀었어. - Ja, ich habe es freigeschaltet.
5581. 예약하다 - zu reservieren
5582. 나는 자리를 예약했다. - Ich habe einen Platz reserviert.
5583. 너는 티켓을 예약한다. - Du wirst ein Ticket buchen.
5584. 그는 방을 예약할 것이다. - Er wird ein Zimmer reservieren.
5585. 자리 있어? - Haben Sie einen Sitzplatz?
5586. 네, 있어요. - Ja, es gibt einen.
5587. 예약취소하다 - Eine Reservierung stornieren
5588. 그녀는 회의를 예약취소했다. - Sie hat das Treffen abgesagt.
5589. 우리는 예약을 예약취소한다. - Wir sagen die Reservierung ab.

5590. 당신들은 여행을 예약취소할 것이다. - Ihr wollt die Reise absagen.
5591. 취소해야 하나? - Soll ich absagen?
5592. 아니, 기다려. - Nein, warten Sie.
5593. 제출하다 - zu Einreichen
5594. 그들은 보고서를 제출했다. - Sie haben den Bericht eingereicht.
5595. 나는 계획을 제출한다. - Ich reiche einen Plan ein.
5596. 너는 제안을 제출할 것이다. - Sie werden einen Vorschlag einreichen.
5597. 제출할 준비 됐어? - Sind Sie bereit zur Einreichung?
5598. 예, 준비됐어. - Ja, ich bin bereit.
5599. 반려하다 - abzulehnen
5600. 나는 문서를 반려했다. - Ich habe das Dokument abgelehnt.
5601. 너는 요청을 반려한다. - Sie lehnen den Antrag ab.
5602. 그는 프로젝트를 반려할 것이다. - Er wird das Projekt ablehnen.
5603. 다시 보낼까? - Soll ich es noch einmal schicken?
5604. 아니, 됐어. - Nein, danke.
5605. 이기다 - Zu gewinnen
5606. 그녀는 대회를 이겼다. - Sie hat den Wettbewerb gewonnen.
5607. 우리는 경기를 이긴다. - Wir gewinnen das Spiel.
5608. 당신들은 상대를 이길 것이다. - Du wirst deinen Gegner besiegen.
5609. 우리 이겼어? - Haben wir gewonnen?
5610. 네, 이겼어! - Ja, wir haben gewonnen!
5611. 지다 - zu verlieren
5612. 그는 게임을 졌다. - Er hat das Spiel verloren.
5613. 너는 경쟁에서 진다. - Du verlierst den Wettbewerb.
5614. 그녀는 대결에서 질 것이다. - Sie wird die Konfrontation verlieren.
5615. 경기 졌어? - Hast du das Spiel verloren?
5616. 응, 졌어. - Ja, ich habe verloren.
5617. 싸우다 - zu kämpfen
5618. 우리는 자주 싸웠다. - Wir haben oft gekämpft.
5619. 당신들은 매일 싸운다. - Ihr kämpft jeden Tag.
5620. 그들은 내일 싸울 것이다. - Sie werden morgen kämpfen.
5621. 또 싸웠어? - Habt ihr wieder gekämpft?
5622. 아니, 안 그래. - Nein, haben wir nicht.
5623. 다투다 - streiten

5624. 나는 친구와 다퉜다. - Ich habe mich mit meinem Freund gestritten.
5625. 너는 이유 없이 다툰다. - Du streitest ohne Grund.
5626. 그는 문제를 다룰 것이다. - Er wird sich um das Problem kümmern.
5627. 왜 자꾸 다투니? - Warum streitet ihr euch ständig?
5628. 모르겠어. - Ich weiß es nicht.
5629. 63. 명사 단어들 외우기, 필수 10개 동사의 단어들을 가지고 50문장 연습하기 - 63. Lernen Sie Substantivwörter auswendig, üben Sie 50 Sätze mit den 10 wichtigsten Verbwörtern
5630. 나 - ich
5631. 우리 - wir
5632. 당신들 - Sie
5633. 계획 - planen
5634. 친구 - Freund
5635. 정당 - Party
5636. 자신 - Ich
5637. 노래 - singen
5638. 동영상 - Video
5639. 기록 - aufnehmen
5640. 그녀 - sie
5641. 의견 - Meinung
5642. 회의 - Sitzung
5643. 교수 - Professor
5644. 세부사항 - Detail
5645. 제안 - Vorschlag
5646. 결정 - Entscheidung
5647. 소문 - Gerücht
5648. 혐의 - Anklage
5649. 주장 - Meinung
5650. 변경사항 - Änderungen
5651. 규칙 - Regel
5652. 도전 - Anfechtung
5653. 시도 - Prozess
5654. 지지하다 - zu unterstützen
5655. 그녀는 나를 지지했다. - Sie hat mich unterstützt.

5656. 우리는 서로를 지지한다. - Wir unterstützen uns gegenseitig.
5657. 당신들은 계획을 지지할 것이다. - Sie werden den Plan unterstützen.
5658. 지지해 줄래? - Werden Sie ihn unterstützen?
5659. 물론이지. - Ja, natürlich.
5660. 변호하다 - zu verteidigen
5661. 나는 친구를 변호했다. - Ich habe meinen Freund verteidigt.
5662. 너는 정당을 변호한다. - Du verteidigst die Partei.
5663. 그녀는 자신을 변호할 것이다. - Sie wird sich selbst verteidigen.
5664. 변호할 수 있어? - Kannst du sie verteidigen?
5665. 시도해 볼게. - Ich werde es versuchen.
5666. 녹음하다 - Aufnehmen
5667. 우리는 회의를 녹음했다. - Wir haben das Treffen aufgezeichnet.
5668. 당신들은 강의를 녹음한다. - Ihr nehmt Vorlesungen auf.
5669. 그들은 공연을 녹음할 것이다. - Sie werden eine Aufführung aufnehmen.
5670. 녹음 시작했어? - Haben Sie mit der Aufnahme begonnen?
5671. 네, 시작했어. - Ja, ich habe angefangen.
5672. 재생하다 - zu spielen
5673. 나는 노래를 재생했다. - Ich habe das Lied gespielt.
5674. 너는 동영상을 재생한다. - Sie spielen das Video ab.
5675. 그는 기록을 재생할 것이다. - Er wird die Aufnahme abspielen.
5676. 재생할 준비 됐어? - Bist du bereit zu spielen?
5677. 준비 됐어. - Ja, ich bin bereit.
5678. 발언하다 - Zu sprechen
5679. 그녀는 중요한 발언을 했다. - Sie hat eine wichtige Bemerkung gemacht.
5680. 우리는 의견을 발언한다. - Wir äußern unsere Meinung.
5681. 당신들은 회의에서 발언할 것이다. - Sie werden bei der Versammlung sprechen.
5682. 발언할 거야? - Wirst du sprechen?
5683. 아직 몰라. - Ich weiß es noch nicht.
5684. 질문하다 - Eine Frage stellen
5685. 나는 교수에게 질문했다. - Ich habe dem Professor eine Frage gestellt.

5686. 너는 어려운 질문을 한다. - Du stellst schwierige Fragen.
5687. 그녀는 세부사항을 질문할 것이다. - Sie wird nach Details fragen.
5688. 질문 있어? - Haben Sie eine Frage?
5689. 없어, 괜찮아. - Nein, danke.
5690. 반문하다 - in Frage stellen
5691. 우리는 그의 의견을 반문했다. - Wir haben seine Meinung in Frage gestellt.
5692. 당신들은 제안을 반문한다. - Sie stellen den Vorschlag in Frage.
5693. 그들은 결정을 반문할 것이다. - Sie werden die Entscheidung in Frage stellen.
5694. 왜 반문해? - Warum stellen Sie ihn in Frage?
5695. 이해 안 돼서. - Weil ich es nicht verstehe.
5696. 부정하다 - Leugnen
5697. 나는 소문을 부정했다. - Ich habe das Gerücht dementiert.
5698. 너는 혐의를 부정한다. - Sie dementieren die Anschuldigungen.
5699. 그는 주장을 부정할 것이다. - Er wird die Anschuldigungen abstreiten.
5700. 사실 부정해? - Leugnen Sie die Tatsache?
5701. 그래, 부정해. - Ja, ich leugne sie.
5702. 반발하다 - Rebellieren
5703. 그녀는 결정에 반발했다. - Sie hat gegen die Entscheidung rebelliert.
5704. 우리는 변경사항에 반발한다. - Wir rebellieren gegen die Änderungen.
5705. 당신들은 규칙에 반발할 것이다. - Du wirst gegen die Regeln rebellieren.
5706. 반발할 이유 있어? - Gibt es einen Grund zu rebellieren?
5707. 있어, 분명해. - Den gibt es, das ist offensichtlich.
5708. 포기하다 - Aufgeben
5709. 나는 도전을 포기했다. - Ich habe die Herausforderung aufgegeben.
5710. 너는 시도를 포기한다. - Du gibst den Versuch auf.
5711. 그녀는 계획을 포기할 것이다. - Sie wird den Plan aufgeben.
5712. 포기해야 할까? - Soll ich aufgeben?
5713. 아니, 계속해. - Nein, mach weiter.
5714. 64. 명사 단어들 외우기, 필수 10개 동사의 단어들을 가지고 50문장 연습하기 - 64. Lernen Sie Substantivwörter auswendig, üben Sie 50 Sätze mit den 10 wichtigsten Verbwörtern

5715. 전략 - Strategie
5716. 생각 - Gedanken
5717. 자원 - Ressource
5718. 군대 - Armee
5719. 기술 - Technologie
5720. 성공 - erfolg
5721. 평화 - frieden
5722. 협력 - Zusammenarbeit
5723. 변화 - Veränderung
5724. 기회 - Gelegenheit
5725. 해결 - lösen
5726. 미래 - Zukunft
5727. 결과 - Ergebnis
5728. 영향 - bewirken
5729. 상황 - Situation
5730. 질문 - Frage
5731. 발견 - Entdeckung
5732. 말 - Wort
5733. 지연 - Verzögerung
5734. 거부 - Ablehnung
5735. 결정 - Entscheidung
5736. 불의 - feurig
5737. 부정 - Verweigerung
5738. 불편함 - Unbehagen
5739. 장애 - Hindernis
5740. 태도 - Haltung
5741. 반응 - Reaktion
5742. 재정비하다 - umorganisieren
5743. 우리는 전략을 재정비했다. - Wir reorganisieren unsere Strategie.
5744. 당신들은 생각을 재정비한다. - Sie reorganisieren ihr Denken.
5745. 그들은 자원을 재정비할 것이다. - Sie reorganisieren ihre Ressourcen.
5746. 재정비 필요해? - Müssen wir umorganisieren?
5747. 네, 필요해. - Ja, das müssen wir.
5748. 배치하다 - Einsetzen

5749. 나는 자원을 배치했다. - Ich setze Ressourcen ein.
5750. 너는 군대를 배치한다. - Sie setzen Truppen ein.
5751. 그는 기술을 배치할 것이다. - Er wird die Technologie einsetzen.
5752. 배치 완료됐니? - Sind Sie mit dem Einsatz fertig?
5753. 아직이야. - Nein, noch nicht.
5754. 바라다 - Sie hoffte auf
5755. 그녀는 성공을 바랐다. - Sie hoffte auf Erfolg.
5756. 우리는 평화를 바란다. - Wir hoffen auf Frieden.
5757. 당신들은 협력을 바랄 것이다. - Ihr hofft auf Zusammenarbeit.
5758. 무엇을 바래? - Was erhoffst du dir?
5759. 행복을 바라. - Ich hoffe auf Glück.
5760. 소망하다 - wünschen
5761. 나는 변화를 소망했다. - Ich wünsche mir eine Veränderung.
5762. 너는 기회를 소망한다. - Du hoffst auf eine Gelegenheit.
5763. 그녀는 해결을 소망할 것이다. - Sie wird auf eine Lösung hoffen.
5764. 소망 있어? - Haben Sie Wünsche?
5765. 있어, 많아. - Ja, ich habe viele.
5766. 우려하다 - Besorgt sein über
5767. 우리는 미래를 우려했다. - Wir waren besorgt über die Zukunft.
5768. 당신들은 결과를 우려한다. - Sie sind besorgt über das Ergebnis.
5769. 그들은 영향을 우려할 것이다. - Sie werden über die Auswirkungen besorgt sein.
5770. 걱정돼? - Sind Sie besorgt?
5771. 응, 걱정돼. - Ja, ich bin besorgt.
5772. 당황하다 - In Panik geraten
5773. 나는 상황에 당황했다. - Ich bin von der Situation verblüfft.
5774. 너는 질문에 당황한다. - Sie sind verblüfft von der Frage.
5775. 그는 발견에 당황할 것이다. - Er wird durch die Entdeckung in Verlegenheit gebracht werden.
5776. 당황했어? - Hast du Panik bekommen?
5777. 응, 많이. - Ja, sehr.
5778. 화나다 - Wütend sein
5779. 그녀는 말에 화났다. - Sie ist wütend auf das Pferd.
5780. 우리는 지연에 화난다. - Wir sind wütend über die Verzögerung.

5781. 당신들은 거부에 화낼 것이다. - Ihr werdet wütend über die Ablehnung sein.
5782. 화났어? - Seid ihr wütend?
5783. 네, 많이. - Ja, sehr.
5784. 분노하다 - Wütend zu sein
5785. 나는 결정에 분노했다. - Ich bin wütend über die Entscheidung.
5786. 너는 불의에 분노한다. - Du bist wütend über die Ungerechtigkeit.
5787. 그녀는 부정에 분노할 것이다. - Sie wird wütend über die Ungerechtigkeit sein.
5788. 분노해? - Wütend?
5789. 응, 분노해. - Ja, entrüstet.
5790. 짜증내다 - Verärgert sein
5791. 우리는 불편함에 짜증냈다. - Wir sind verärgert über die Unannehmlichkeiten.
5792. 당신들은 지연에 짜증낸다. - Ihr seid verärgert über die Verzögerung.
5793. 그들은 장애에 짜증낼 것이다. - Sie werden durch die Hindernisse verärgert sein.
5794. 짜증나? - Verärgert?
5795. 응, 짜증나. - Ja, verärgert.
5796. 실망하다 - Enttäuscht
5797. 나는 결과에 실망했다. - Ich bin enttäuscht über das Ergebnis.
5798. 너는 태도에 실망한다. - Sie sind enttäuscht von der Einstellung.
5799. 그는 반응에 실망할 것이다. - Er wird von der Reaktion enttäuscht sein.
5800. 실망했니? - Sind Sie enttäuscht?
5801. 네, 실망했어. - Ja, ich bin enttäuscht.
5802. 65. 명사 단어들 외우기, 필수 10개 동사의 단어들을 가지고 50문장 연습하기 - 65. Lernen Sie Substantivwörter auswendig, üben Sie 50 Sätze mit den 10 wichtigsten Verbwörtern
5803. 성과 - Ergebnis
5804. 서비스 - bedienen
5805. 해결 - lösen
5806. 순간 - Moment
5807. 여기 - hier

5808. 미래 - Zukunft
5809. 소식 - Nachrichten
5810. 모임 - Klasse
5811. 성공 - Erfolg
5812. 이별 - abschied
5813. 상실 - Verlust
5814. 사건 - Veranstaltung
5815. 손실 - Verlust
5816. 결과 - Ergebnis
5817. 고향 - Heimatstadt
5818. 친구 - Freund
5819. 옛날 - Vor langer Zeit
5820. 행동 - Aktion
5821. 불의 - feurig
5822. 거짓 - Lüge
5823. 비행 - Flug
5824. 무례함 - Unhöflichkeit
5825. 거짓말 - Lüge
5826. 이야기 - Geschichte
5827. 영화 - Film
5828. 연설 - Rede
5829. 만족하다 - zufrieden
5830. 그녀는 성과에 만족했다. - Sie war mit der Leistung zufrieden.
5831. 우리는 서비스에 만족한다. - Wir sind mit dem Service zufrieden.
5832. 당신들은 해결에 만족할 것이다. - Sie werden mit der Lösung zufrieden sein.
5833. 만족해? - Sind Sie zufrieden?
5834. 응, 만족해. - Ja, ich bin zufrieden.
5835. 행복하다 - Glücklich sein
5836. 나는 순간에 행복했다. - Ich war in diesem Moment glücklich.
5837. 너는 여기에 행복한다. - Sie sind hier glücklich.
5838. 그녀는 미래에 행복할 것이다. - Sie wird in der Zukunft glücklich sein.
5839. 행복해? - Bist du glücklich?

5840. 네, 매우. - Ja, sehr.
5841. 즐거워하다 - erfreut sein
5842. 우리는 소식에 즐거워했다. - Wir haben uns über die Nachricht gefreut.
5843. 당신들은 모임에 즐거워한다. - Sie sind glücklich über das Treffen.
5844. 그들은 성공에 즐거워할 것이다. - Sie werden über ihren Erfolg erfreut sein.
5845. 즐거워? - Erfreut?
5846. 응, 즐거워. - Ja, ich bin glücklich.
5847. 슬퍼하다 - Traurig sein
5848. 나는 이별에 슬퍼했다. - Ich war traurig über den Abschied.
5849. 너는 소식에 슬퍼한다. - Sie sind traurig über die Nachricht.
5850. 그녀는 상실에 슬퍼할 것이다. - Sie wird traurig über den Verlust sein.
5851. 슬퍼? - Traurig?
5852. 응, 슬퍼. - Ja, traurig.
5853. 애통하다 - Zu beklagen
5854. 우리는 사건에 애통해했다. - Wir haben den Vorfall betrauert.
5855. 당신들은 손실에 애통한다. - Sie trauern um den Verlust.
5856. 그들은 결과에 애통할 것이다. - Sie werden das Ergebnis betrauern.
5857. 애통해해? - Trauern?
5858. 네, 깊이. - Ja, zutiefst.
5859. 그리워하다 - Zu vermissen
5860. 나는 고향을 그리워했다. - Ich vermisse meine Heimatstadt.
5861. 너는 친구를 그리워한다. - Du vermisst deine Freunde.
5862. 그는 옛날을 그리워할 것이다. - Er wird die alten Zeiten vermissen.
5863. 그리워해? - Vermisst du sie?
5864. 응, 많이. - Ja, sehr.
5865. 그립다 - Ich vermisse
5866. 나는 고향을 그리웠다. - Ich vermisse meine Heimatstadt.
5867. 너는 친구를 그립게 생각한다. - Du vermisst deinen Freund.
5868. 그는 옛날을 그리울 것이다. - Er wird die alten Zeiten vermissen.
5869. 친구 생각나? - Erinnerst du dich an deinen Freund?
5870. 네, 생각나. - Ja, ich erinnere mich an ihn.

5871. 증오하다 - zu hassen
5872. 너는 행동을 증오했다. - Du hast das Verhalten gehasst.
5873. 그는 불의를 증오한다. - Er hasst Ungerechtigkeit.
5874. 그녀는 거짓을 증오할 것이다. - Sie wird die Unwahrheit hassen.
5875. 너 불편해? - Fühlst du dich unwohl?
5876. 네, 불편해. - Ja, ich fühle mich unwohl.
5877. 혐오하다 - verabscheuen
5878. 그는 비행을 혐오했다. - Er verabscheut das Fliegen.
5879. 그녀는 무례함을 혐오한다. - Sie verabscheut Unhöflichkeit.
5880. 우리는 거짓말을 혐오할 것이다. - Wir werden Lügen verabscheuen.
5881. 이상해? - Ist das seltsam?
5882. 아니, 괜찮아. - Nein, es ist in Ordnung.
5883. 감동하다 - Beeindruckt sein
5884. 그녀는 이야기에 감동했다. - Sie war von der Geschichte bewegt.
5885. 우리는 영화에 감동한다. - Wir sind bewegt von dem Film.
5886. 당신들은 연설에 감동할 것이다. - Ihr werdet von der Rede bewegt sein.
5887. 울었어? - Hast du geweint?
5888. 아니, 안 울었어. - Nein, ich habe nicht geweint.
5889. 66. 명사 단어들 외우기, 필수 10개 동사의 단어들을 가지고 50문장 연습하기 - 66. Substantivwörter auswendig lernen, 50 Sätze mit den Wörtern der 10 wichtigsten Verben üben
5890. 경치 - Sehen
5891. 기술 - Technik
5892. 발전 - Entwicklung
5893. 거짓말 - lügen
5894. 위선 - Heuchelei
5895. 속임수 - Betrug
5896. 실수 - Fehler
5897. 무지함 - Unwissenheit
5898. 어리석음 - Dummheit
5899. 노력 - Anstrengung
5900. 실패 - Versagen
5901. 용기 - Mut

5902. 제안 - Vorschlag
5903. 변화 - Veränderung
5904. 혁신 - Innovation
5905. 박물관 - Museum
5906. 자연 - natur
5907. 우주 - Universum
5908. 계획 - plan
5909. 아이디어 - Idee
5910. 정보 - Informationen
5911. 경험 - Erfahrung
5912. 지식 - Wissen
5913. 프로젝트 - projekt
5914. 작업 - Arbeit
5915. 친구 - Freund
5916. 이웃 - Nachbar
5917. 사회 - Gesellschaft
5918. 감탄하다 - bewundern
5919. 나는 경치에 감탄했다. - Ich bewunderte die Landschaft.
5920. 너는 기술을 감탄한다. - Du bewunderst die Technik.
5921. 그는 발전을 감탄할 것이다. - Er wird den Fortschritt bewundern.
5922. 멋있어? - Ist das cool?
5923. 네, 멋있어. - Ja, es ist cool.
5924. 경멸하다 - Verabscheuen
5925. 너는 거짓말을 경멸했다. - Du verachtest Lügen.
5926. 그는 위선을 경멸한다. - Er würde Heuchelei verachten.
5927. 그녀는 속임수를 경멸할 것이다. - Sie würde die Täuschung verachten.
5928. 화났어? - Bist du wütend?
5929. 네, 화났어. - Ja, ich bin wütend.
5930. 비웃다 - auslachen
5931. 그는 실수를 비웃었다. - Er lacht über seine Fehler.
5932. 그녀는 무지함을 비웃는다. - Sie lacht über ihre Unwissenheit.
5933. 우리는 어리석음을 비웃을 것이다. - Wir werden über unsere Dummheit lachen.

5934. 재밌어? - Ist das lustig?
5935. 아니, 안 재밌어. - Nein, es ist nicht lustig.
5936. 조롱하다 - sich lustig machen
5937. 그녀는 노력을 조롱했다. - Sie spottet über die Anstrengung.
5938. 우리는 실패를 조롱한다. - Wir machen uns über das Versagen lustig.
5939. 당신들은 용기를 조롱할 것이다. - Du wirst den Mut verspotten.
5940. 즐거워? - Macht es dir Spaß?
5941. 아니, 즐겁지 않아. - Nein, es ist nicht angenehm.
5942. 배척하다 - ablehnen
5943. 나는 제안을 배척했다. - Ich habe den Vorschlag abgelehnt.
5944. 너는 변화를 배척하게 생각한다. - Du denkst, dass du die Veränderung ablehnst.
5945. 그는 혁신을 배척할 것이다. - Er wird die Neuerung ablehnen.
5946. 거절해? - Ablehnen?
5947. 네, 거절해. - Ja, ablehnen.
5948. 탐방하다 - zu erforschen
5949. 너는 박물관을 탐방했다. - Sie erkunden das Museum.
5950. 그는 자연을 탐방한다. - Er wird die Natur erforschen.
5951. 그녀는 우주를 탐방할 것이다. - Sie wird das Universum erforschen.
5952. 재밌어? - Macht das Spaß?
5953. 네, 재밌어. - Ja, es macht Spaß.
5954. 찬성하다 - dafür zu sein
5955. 그는 계획을 찬성했다. - Er hat den Plan befürwortet.
5956. 그녀는 아이디어를 찬성한다. - Sie befürwortet die Idee.
5957. 우리는 제안을 찬성할 것이다. - Wir werden für den Vorschlag stimmen.
5958. 동의해? - Sind Sie einverstanden?
5959. 네, 동의해. - Ja, ich stimme zu.
5960. 교류하다 - austauschen
5961. 그녀는 정보를 교류했다. - Sie hat Informationen ausgetauscht.
5962. 우리는 경험을 교류한다. - Wir werden Erfahrungen austauschen.
5963. 당신들은 지식을 교류할 것이다. - Sie werden Wissen austauschen.
5964. 만났어? - Habt ihr euch schon getroffen?

5965. 아니, 안 만났어. - Nein, habe ich nicht.
5966. 협조하다 - zusammenarbeiten
5967. 나는 프로젝트에 협조했다. - Ich habe an dem Projekt mitgearbeitet.
5968. 너는 계획을 협조하게 생각한다. - Du wirst mit dem Plan kooperieren.
5969. 그는 작업에 협조할 것이다. - Er wird bei der Arbeit kooperieren.
5970. 도울래? - Werden Sie helfen?
5971. 네, 도울게. - Ja, ich werde helfen.
5972. 도움을 주다 - Hilfe leisten
5973. 너는 친구에게 도움을 주었다. - Du hilfst deinem Freund.
5974. 그는 이웃을 돕는다. - Er hilft seinem Nachbarn.
5975. 그녀는 사회를 돕게 될 것이다. - Sie wird der Gesellschaft helfen.
5976. 필요해? - Brauchst du sie?
5977. 네, 필요해. - Ja, ich brauche sie.
5978. 67. 명사 단어들 외우기, 필수 10개 동사의 단어들을 가지고 50문장 연습하기 - 67. Lernen Sie Substantivwörter auswendig, üben Sie 50 Sätze mit den 10 wichtigsten Verbwörtern
5979. 목표 - Ziel
5980. 성공 - Erfolg
5981. 꿈 - träumen
5982. 보고서 - berichten
5983. 프로젝트 - Projekt
5984. 계획 - plan
5985. 여행 - Reise
5986. 모임 - Klasse
5987. 학창 시절 - Schultage
5988. 과제 - Auftrag
5989. 미션 - Auftrag
5990. 도전 - Herausforderung
5991. 전시 - Ausstellung
5992. 음악 - Musik
5993. 예술 - Kunst
5994. 선생님 - Lehrer
5995. 리더 - Leiter
5996. 선구자 - Vorläufer

5997. 자유 - Freiheit
5998. 평화 - Frieden
5999. 행복 - glück
6000. 제안 - vorschlag
6001. 초대 - einladen
6002. 조건 - Zustand
6003. 문제 - Problem
6004. 경쟁 - konkurrieren
6005. 노력하다 - versuchen
6006. 그는 목표를 달성하기 위해 노력했다. - Er hat hart gearbeitet, um sein Ziel zu erreichen.
6007. 그녀는 성공을 위해 노력한다. - Sie strebt nach Erfolg.
6008. 우리는 꿈을 이루기 위해 노력할 것이다. - Wir werden versuchen, unsere Träume wahr werden zu lassen.
6009. 힘들어? - Ist es schwer?
6010. 네, 힘들어. - Ja, es ist schwer.
6011. 작업하다 - zu arbeiten
6012. 그녀는 보고서를 작업했다. - Sie hat an dem Bericht gearbeitet.
6013. 우리는 프로젝트를 작업한다. - Wir arbeiten an dem Projekt.
6014. 당신들은 계획을 작업할 것이다. - Ihr werdet an dem Plan arbeiten.
6015. 바빠? - Viel zu tun?
6016. 네, 바빠. - Ja, ich bin beschäftigt.
6017. 추억하다 - In Erinnerungen schwelgen
6018. 나는 여행을 추억했다. - Ich schwelgte in Erinnerungen an die Reise.
6019. 너는 모임을 추억하게 생각한다. - Du wirst dich an das Treffen erinnern.
6020. 그는 학창 시절을 추억할 것이다. - Er wird sich an seine Schulzeit erinnern.
6021. 잊었어? - Hast du das vergessen?
6022. 아니, 안 잊었어. - Nein, ich habe es nicht vergessen.
6023. 완수하다 - zu vollenden
6024. 너는 과제를 완수했다. - Du hast die Aufgabe erfüllt.
6025. 그는 미션을 완수한다. - Er wird den Auftrag erfüllen.
6026. 그녀는 도전을 완수할 것이다. - Sie wird die Herausforderung erfüllen.

6027. 성공했어? - Warst du erfolgreich?
6028. 네, 성공했어. - Ja, ich war erfolgreich.
6029. 이루다 - zu erfüllen
6030. 그는 꿈을 이루었다. - Er erfüllt seinen Traum.
6031. 그녀는 목표를 이룬다. - Sie wird ihr Ziel erfüllen.
6032. 우리는 희망을 이룰 것이다. - Wir werden unsere Hoffnungen erfüllen.
6033. 가능해? - Ist das möglich?
6034. 네, 가능해. - Ja, es ist möglich.
6035. 감상하다 - zu schätzen wissen
6036. 그녀는 전시를 감상했다. - Sie schätzte die Ausstellung.
6037. 우리는 음악을 감상한다. - Wir schätzen die Musik.
6038. 당신들은 예술을 감상할 것이다. - Sie werden die Kunst schätzen.
6039. 좋아해? - Magst du sie?
6040. 네, 좋아해. - Ja, ich mag sie.
6041. 동경하다 - bewundern
6042. 나는 선생님을 동경했다. - Ich bewunderte meinen Lehrer.
6043. 너는 리더를 동경하게 생각한다. - Du bewunderst einen Anführer.
6044. 그는 선구자를 동경할 것이다. - Er wird den Pionier bewundern.
6045. 원해? - Willst du es?
6046. 네, 원해. - Ja, ich will es.
6047. 갈망하다 - Sehnsucht nach
6048. 너는 자유를 갈망했다. - Du hast dich nach Freiheit gesehnt.
6049. 그는 평화를 갈망한다. - Er wird sich nach Frieden sehnen.
6050. 그녀는 행복을 갈망할 것이다. - Sie wird sich nach Glück sehnen.
6051. 필요해? - Brauchen?
6052. 네, 필요해. - Ja, ich brauche es.
6053. 수락하다 - zu akzeptieren
6054. 그는 제안을 수락했다. - Er hat das Angebot angenommen.
6055. 그녀는 초대를 수락한다. - Sie nimmt die Einladung an.
6056. 우리는 조건을 수락할 것이다. - Wir werden die Bedingungen akzeptieren.
6057. 동의해? - Sind Sie einverstanden?
6058. 네, 동의해. - Ja, ich bin einverstanden.

6059. 공격하다 - Zum Angriff
6060. 그녀는 문제를 공격적으로 다루었다. - Sie geht das Problem aggressiv an.
6061. 우리는 경쟁을 공격적으로 대한다. - Wir behandeln die Konkurrenz aggressiv.
6062. 당신들은 도전을 공격할 것이다. - Sie werden die Herausforderung angreifen.
6063. 준비됐어? - Sind Sie bereit?
6064. 네, 준비됐어. - Ja, ich bin bereit.
6065. 68. 명사 단어들 외우기, 필수 10개 동사의 단어들을 가지고 50문장 연습하기 - 68. Lernen Sie Substantive auswendig, üben Sie 50 Sätze mit den 10 wichtigsten Verben
6066. 대회 - Wettbewerb
6067. 동료 - Kollege
6068. 시장 - Markt
6069. 위험 - Gefahr
6070. 문제 - Problem
6071. 기회 - Gelegenheit
6072. 환경 - Umwelt
6073. 변화 - Veränderung
6074. 미래 - Zukunft
6075. 규칙 - Regel
6076. 기준 - Standard
6077. 요구 - Antrag
6078. 권력 - Behörde
6079. 영향력 - Einflussnahme
6080. 지식 - Wissen
6081. 아이 - Kind
6082. 책 - Buch
6083. 모형 - Modell
6084. 인형 - Puppe
6085. 간판 - Zeichen
6086. 조형물 - Skulptur
6087. 담요 - Decke

6088. 식탁 - Tisch
6089. 화면 - Paravent
6090. 창문 - Fenster
6091. 눈 - Auge
6092. 거울 - Spiegel
6093. 정보 - Informationen
6094. 경쟁하다 - antreten
6095. 나는 대회에서 경쟁했다. - Ich habe an einem Wettbewerb teilgenommen.
6096. 너는 동료와 경쟁하게 생각한다. - Sie denken, dass Sie mit Ihren Kollegen konkurrieren.
6097. 그는 시장에서 경쟁할 것이다. - Er wird auf dem Markt konkurrieren.
6098. 이겼어? - Haben Sie gewonnen?
6099. 아니, 안 이겼어. - Nein, ich habe nicht gewonnen.
6100. 인지하다 - Erkennen
6101. 너는 위험을 인지했다. - Sie haben das Risiko erkannt.
6102. 그는 문제를 인지한다. - Er hat das Problem erkannt.
6103. 그녀는 기회를 인지할 것이다. - Sie wird die Gelegenheit erkennen.
6104. 알아챘어? - Haben Sie es erkannt?
6105. 네, 알아챘어. - Ja, ich habe es erkannt.
6106. 적응하다 - Anpassen
6107. 그는 새 환경에 적응했다. - Er hat sich an die neue Umgebung angepasst.
6108. 그녀는 변화에 적응한다. - Sie passt sich dem Wandel an.
6109. 우리는 미래에 적응할 것이다. - Wir werden uns an die Zukunft anpassen.
6110. 쉬워? - Ist das leicht?
6111. 아니, 어려워. - Nein, es ist schwierig.
6112. 순응하다 - sich anpassen
6113. 그녀는 규칙에 순응했다. - Sie hat sich an die Regeln angepasst.
6114. 우리는 기준에 순응한다. - Wir passen uns den Normen an.
6115. 당신들은 요구에 순응할 것이다. - Sie werden sich den Anforderungen anpassen.
6116. 따라가? - Folgst du?

6117. 네, 따라가. - Ja, ich folge.
6118. 휘두르다 - Macht ausüben
6119. 나는 권력을 휘두렀다. - Ich habe Macht ausgeübt.
6120. 너는 영향력을 휘두르게 생각한다. - Du denkst, dass du Einfluss ausüben kannst.
6121. 그는 지식을 휘두를 것이다. - Er wird Wissen ausüben.
6122. 무서워? - Hast du Angst?
6123. 아니, 안 무서워. - Nein, ich habe keine Angst.
6124. 눕히다 - hinlegen
6125. 나는 아이를 눕혔다. - Ich habe das Kind hingelegt.
6126. 너는 책을 눕힌다. - Du legst ein Buch hin.
6127. 그는 모형을 눕힐 것이다. - Er wird das Modell hinlegen.
6128. 편안해? - Ist es bequem?
6129. 네, 편안해. - Ja, ich fühle mich wohl.
6130. 세우다 - aufstellen
6131. 너는 인형을 세웠다. - Du stellst die Puppe auf.
6132. 그는 간판을 세운다. - Er wird das Schild aufstellen.
6133. 그녀는 조형물을 세울 것이다. - Sie wird eine Skulptur aufstellen.
6134. 잘 섰어? - Hast du gut gestanden?
6135. 네, 잘 섰어. - Ja, ich stehe gut.
6136. 덮다 - zudecken
6137. 그는 책을 덮었다. - Er deckt das Buch zu.
6138. 그녀는 담요를 덮는다. - Sie deckt die Decke zu.
6139. 우리는 식탁을 덮을 것이다. - Wir werden den Esstisch zudecken.
6140. 춥니? - Ist es kalt?
6141. 아니, 안 춥다. - Nein, es ist nicht kalt.
6142. 어둡게 하다 - Verdunkeln
6143. 그녀는 방을 어둡게 했다. - Sie hat das Zimmer abgedunkelt.
6144. 우리는 화면을 어둡게 한다. - Wir verdunkeln den Bildschirm.
6145. 당신들은 창문을 어둡게 할 것이다. - Ihr werdet die Fenster verdunkeln.
6146. 밝아? - Ist es hell?
6147. 아니, 어두워. - Nein, es ist dunkel.
6148. 가리다 - zudecken

6149. 나는 눈을 가렸다. - Ich habe meine Augen abgedeckt.
6150. 너는 거울을 가린다. - Du deckst den Spiegel ab.
6151. 그는 정보를 가릴 것이다. - Er wird die Information verdecken.
6152. 보여? - Siehst du es?
6153. 아니, 안 보여. - Nein, ich sehe es nicht.
6154. 69. 명사 단어들 외우기, 필수 10개 동사의 단어들을 가지고 50문장 연습하기 - 69. Lernen Sie Substantivwörter auswendig, üben Sie 50 Sätze mit den 10 wichtigsten Verbwörtern
6155. 고양이 - Katze
6156. 표면 - Oberfläche
6157. 식물 - Pflanze
6158. 설정 - Einstellung
6159. 기계 - Maschine
6160. 시스템 - System
6161. 문 - Tür
6162. 탁자 - Tisch
6163. 북 - Nord
6164. 등 - usw.
6165. 바닥 - Boden
6166. 복권 - Lotterielos
6167. 비밀 - Geheimnis
6168. 데이터 - Daten
6169. 계획 - Plan
6170. 협의 - Gebühr
6171. 주장 - Meinung
6172. 관계 - Beziehung
6173. 휴가 - Urlaub
6174. 자유 - Freiheit
6175. 성과 - Ergebnis
6176. 만지다 - anfassen
6177. 너는 고양이를 만졌다. - Du hast die Katze berührt.
6178. 그는 표면을 만진다. - Er berührt die Oberfläche.
6179. 그녀는 식물을 만질 것이다. - Sie wird die Pflanze berühren.
6180. 부드러워? - Ist sie weich?

6181. 네, 부드러워. - Ja, weich.
6182. 건드리다 - anfassen
6183. 그는 설정을 건드렸다. - Er berührt die Einstellung.
6184. 그녀는 기계를 건드린다. - Sie berührt die Maschine.
6185. 우리는 시스템을 건드릴 것이다. - Wir werden das System berühren.
6186. 괜찮아? - Geht es dir gut?
6187. 네, 괜찮아. - Ja, mir geht's gut.
6188. 두드리다 - Anklopfen
6189. 그녀는 문을 두드렸다. - Sie klopft an die Tür.
6190. 우리는 탁자를 두드린다. - Wir klopfen auf den Tisch.
6191. 당신들은 북을 두드릴 것이다. - Du wirst auf die Trommel klopfen.
6192. 소리났어? - Habt ihr das gehört?
6193. 네, 소리났어. - Ja, es hat ein Geräusch gemacht.
6194. 긁다 - sich zu kratzen
6195. 나는 등을 긁었다. - Ich habe mich am Rücken gekratzt.
6196. 너는 바닥을 긁는다. - Du kratzt den Boden.
6197. 그는 복권을 긁을 것이다. - Er wird den Lottoschein zerkratzen.
6198. 가려워? - jucken?
6199. 아니, 안 가려워. - Nein, das juckt mich nicht.
6200. 잠들다 - Einschlafen
6201. 너는 빨리 잠들었다. - Du schläfst schnell ein.
6202. 그는 조용히 잠든다. - Er schläft ruhig ein.
6203. 그녀는 편안히 잠들 것이다. - Sie wird bequem schlafen.
6204. 졸려? - Bist du schläfrig?
6205. 네, 졸려. - Ja, ich bin müde.
6206. 미소짓다 - zu lächeln
6207. 그는 기쁨에 미소지었다. - Er lächelt vor Freude.
6208. 그녀는 친절하게 미소짓는다. - Sie lächelt aus Freundlichkeit.
6209. 우리는 성공에 미소질 것이다. - Wir werden über unseren Erfolg lächeln.
6210. 행복해? - Bist du glücklich?
6211. 네, 행복해. - Ja, ich bin glücklich.
6212. 새기다 - einschreiben
6213. 그녀는 이름을 새겼다. - Sie hat ihren Namen eingraviert.

6214. 우리는 메시지를 새긴다. - Wir gravieren Botschaften ein.
6215. 당신들은 기념을 새길 것이다. - Sie werden ein Denkmal eingravieren.
6216. 기억나? - Erinnern Sie sich?
6217. 네, 기억나. - Ja, ich erinnere mich.
6218. 노출하다 - entblößen
6219. 나는 비밀을 노출했다. - Ich habe ein Geheimnis gelüftet.
6220. 너는 데이터를 노출한다. - Du enthüllst die Daten.
6221. 그는 계획을 노출할 것이다. - Er wird den Plan enthüllen.
6222. 위험해? - Ist das gefährlich?
6223. 아니, 안 위험해. - Nein, es ist nicht gefährlich.
6224. 부인하다 - zu leugnen
6225. 너는 혐의를 부인했다. - Sie haben die Anschuldigung geleugnet.
6226. 그는 주장을 부인한다. - Er streitet die Anschuldigungen ab.
6227. 그녀는 관계를 부인할 것이다. - Sie wird die Beziehung leugnen.
6228. 거짓말해? - Lügen Sie?
6229. 아니, 안 해. - Nein, das tue ich nicht.
6230. 향유하다 - zu genießen
6231. 그는 휴가를 향유했다. - Er hat seinen Urlaub genossen.
6232. 그녀는 자유를 향유한다. - Sie wird ihre Freiheit genießen.
6233. 우리는 성과를 향유할 것이다. - Wir werden unseren Erfolg genießen.
6234. 즐거워? - Genießt du es?
6235. 네, 즐거워. - Ja, ich genieße es.
6236. 70. 명사 단어들 외우기, 필수 10개 동사의 단어들을 가지고 50문장 연습하기 - 70. Lernen Sie Substantivwörter auswendig, üben Sie 50 Sätze mit den Wörtern der 10 wichtigsten Verben
6237. 파티 - feiern
6238. 여행 - reisen
6239. 공연 - zeigen
6240. 여유 - ersparen
6241. 풍경 - sehen
6242. 성공 - erfolg
6243. 모임 - klasse
6244. 프로젝트 - projekt
6245. 캠페인 - kampagne

6246. 기부 - spende
6247. 지식 - Wissen
6248. 노력 - Aufwand
6249. 커뮤니티 - Gemeinschaft
6250. 단체 - Organisation
6251. 이벤트 - Veranstaltung
6252. 조사 - Besichtigung
6253. 실험 - Versuch
6254. 평가 - Bewertung
6255. 작품 - Arbeit
6256. 사진 - Bild
6257. 발명품 - Erfindung
6258. 자료 - Daten
6259. 환자 - Patient
6260. 물품 - Artikel
6261. 권리 - Recht
6262. 이념 - ideologie
6263. 평화 - frieden
6264. 즐기다 - genießen
6265. 그녀는 파티를 즐겼다. - Sie hat die Party genossen.
6266. 우리는 여행을 즐긴다. - Wir genießen das Reisen.
6267. 당신들은 공연을 즐길 것이다. - Sie werden das Konzert genießen.
6268. 재미있어? - Macht es Ihnen Spaß?
6269. 네, 재미있어. - Ja, es macht Spaß.
6270. 누리다 - zu genießen
6271. 나는 여유를 누렸다. - Ich habe die Freizeit genossen.
6272. 너는 풍경을 누린다. - Du genießt die Landschaft.
6273. 그는 성공을 누릴 것이다. - Er wird seinen Erfolg genießen.
6274. 만족해? - Sind Sie zufrieden?
6275. 네, 만족해. - Ja, ich bin zufrieden.
6276. 동참하다 - Mitmachen
6277. 너는 모임에 동참했다. - Sie nehmen an dem Treffen teil.
6278. 그는 프로젝트에 동참한다. - Er wird an dem Projekt teilnehmen.
6279. 그녀는 캠페인에 동참할 것이다. - Sie wird sich an der Kampagne

beteiligen.
6280. 함께할래? - Wirst du dich uns anschließen?
6281. 네, 함께할래. - Ja, ich schließe mich Ihnen an.
6282. 공헌하다 - Einen Beitrag leisten
6283. 그는 기부를 공헌했다. - Er hat eine Spende beigetragen.
6284. 그녀는 지식을 공헌한다. - Sie steuert ihr Wissen bei.
6285. 우리는 노력을 공헌할 것이다. - Wir werden unsere Bemühungen einbringen.
6286. 도움됐어? - War das hilfreich?
6287. 네, 도움됐어. - Ja, es hat geholfen.
6288. 봉사하다 - Zu dienen
6289. 그녀는 커뮤니티에 봉사했다. - Sie diente der Gemeinschaft.
6290. 우리는 단체에 봉사한다. - Wir dienen der Organisation.
6291. 당신들은 이벤트에 봉사할 것이다. - Sie werden der Veranstaltung dienen.
6292. 기쁘니? - Bist du glücklich?
6293. 네, 기뻐. - Ja, ich bin froh.
6294. 착수하다 - Sich engagieren
6295. 나는 프로젝트에 착수했다. - Ich habe das Projekt in Angriff genommen.
6296. 너는 작업에 착수한다. - Du wirst die Aufgabe in Angriff nehmen.
6297. 그는 연구에 착수할 것이다. - Er wird mit seiner Forschung beginnen.
6298. 준비됐어? - Sind Sie bereit?
6299. 네, 준비됐어. - Ja, ich bin bereit.
6300. 실시하다 - Zu leiten
6301. 너는 조사를 실시했다. - Sie haben eine Untersuchung durchgeführt.
6302. 그는 실험을 실시한다. - Er wird ein Experiment durchführen.
6303. 그녀는 평가를 실시할 것이다. - Sie wird eine Evaluierung durchführen.
6304. 성공할까? - Wird es funktionieren?
6305. 네, 성공할 거야. - Ja, es wird gelingen.
6306. 전시하다 - Ausstellen
6307. 그는 작품을 전시했다. - Er hat seine Arbeit ausgestellt.
6308. 그녀는 사진을 전시한다. - Sie wird ihre Fotos ausstellen.

6309. 우리는 발명품을 전시할 것이다. - Wir werden unsere Erfindung ausstellen.
6310. 관심있어? - Sind Sie daran interessiert?
6311. 네, 관심있어. - Ja, ich bin interessiert.
6312. 이송하다 - transportieren
6313. 그녀는 자료를 이송했다. - Sie hat die Materialien transportiert.
6314. 우리는 환자를 이송한다. - Wir werden den Patienten transportieren.
6315. 당신들은 물품을 이송할 것이다. - Sie werden die Waren transportieren.
6316. 빨라? - Geht das schnell?
6317. 네, 빨라. - Ja, es ist schnell.
6318. 옹호하다 - verteidigen
6319. 나는 권리를 옹호했다. - Ich habe ein Recht verteidigt.
6320. 너는 이념을 옹호한다. - Du vertrittst eine Ideologie.
6321. 그는 평화를 옹호할 것이다. - Er wird sich für den Frieden einsetzen.
6322. 중요해? - Ist das wichtig?
6323. 네, 중요해. - Ja, es ist wichtig.
6324. 71. 명사 단어들 외우기, 필수 10개 동사의 단어들을 가지고 50문장 연습하기 - 71. Lernen Sie Substantivwörter auswendig, üben Sie 50 Sätze mit den 10 wichtigsten Verbalwörtern
6325. 계획 - planen
6326. 문제 - Problem
6327. 전략 - Strategie
6328. 조건 - Bedingung
6329. 계약 - Vertrag
6330. 합의 - Vereinbarung
6331. 약속 - Versprechen
6332. 규칙 - Regel
6333. 비밀 - Geheimnis
6334. 사고 - Unfall
6335. 오류 - Irrtum
6336. 손실 - Verlust
6337. 결정 - Entscheidung
6338. 제안 - Vorschlag

6339. 가능성 - Möglichkeit
6340. 의견 - Meinung
6341. 방안 - Maßnahmen
6342. 초콜릿 - Schokolade
6343. 여름 - Sommer
6344. 온라인 수업 - Online-Kurse
6345. 위험 - Gefahr
6346. 논쟁 - streit
6347. 갈등 - Konflikt
6348. 상의하다 - besprechen
6349. 너는 계획을 상의했다. - Sie haben den Plan besprochen.
6350. 그는 문제를 상의한다. - Er wird das Problem besprechen.
6351. 그녀는 전략을 상의할 것이다. - Sie wird die Strategie besprechen.
6352. 동의해? - Sind Sie einverstanden?
6353. 네, 동의해. - Ja, ich stimme zu.
6354. 협의하다 - zu besprechen
6355. 그는 조건을 협의했다. - Er hat die Bedingungen ausgehandelt.
6356. 그녀는 계약을 협의한다. - Sie wird den Vertrag aushandeln.
6357. 우리는 합의를 협의할 것이다. - Wir werden eine Vereinbarung aushandeln.
6358. 결정났어? - Haben Sie sich entschieden?
6359. 네, 결정났어. - Ja, es ist entschieden.
6360. 지키다 - zu halten
6361. 그녀는 약속을 지켰다. - Sie hat ihr Versprechen gehalten.
6362. 우리는 규칙을 지킨다. - Wir halten uns an die Regeln.
6363. 당신들은 비밀을 지킬 것이다. - Du wirst das Geheimnis bewahren.
6364. 안전해? - Ist es sicher?
6365. 네, 안전해. - Ja, es ist sicher.
6366. 방지하다 - zu verhindern
6367. 나는 사고를 방지했다. - Ich habe einen Unfall verhindert.
6368. 너는 오류를 방지한다. - Du wirst Fehler verhindern.
6369. 그는 손실을 방지할 것이다. - Er wird Verluste verhindern.
6370. 필요해? - Brauchen Sie es?
6371. 네, 필요해. - Ja, ich brauche es.

6372. 재검토하다 - Überdenken
6373. 너는 결정을 재검토했다. - Sie haben Ihre Entscheidung überdacht.
6374. 그는 계획을 재검토한다. - Er wird den Plan noch einmal überdenken.
6375. 그녀는 정책을 재검토할 것이다. - Sie wird die Politik neu überdenken.
6376. 변했어? - Hat sie sich geändert?
6377. 네, 변했어. - Ja, sie hat sich geändert.
6378. 고려하다 - in Betracht ziehen
6379. 나는 그 제안을 고려했다. - Ich habe den Vorschlag in Betracht gezogen.
6380. 너는 가능성을 고려한다. - Sie ziehen die Möglichkeit in Betracht.
6381. 그는 의견을 고려할 것이다. - Er wird die Meinung in Betracht ziehen.
6382. 생각해봤어? - Haben Sie es in Betracht gezogen?
6383. 네, 봤어. - Ja, das habe ich.
6384. 숙고하다 - abwägen
6385. 너는 결정을 숙고했다. - Sie haben über die Entscheidung nachgedacht.
6386. 그는 방안을 숙고한다. - Er wird über den Plan nachdenken.
6387. 그녀는 제안을 숙고할 것이다. - Sie wird über den Vorschlag nachdenken.
6388. 충분히 생각했어? - Hast du genug darüber nachgedacht?
6389. 네, 했어. - Ja, das habe ich.
6390. 의논하다 - zu diskutieren
6391. 그는 계획을 의논했다. - Er hat den Plan besprochen.
6392. 그녀는 문제를 의논한다. - Sie wird das Problem besprechen.
6393. 우리는 전략을 의논할 것이다. - Wir werden die Strategie besprechen.
6394. 의견 있어? - Haben Sie eine Meinung?
6395. 네, 있어. - Ja, ich habe eine.
6396. 선호하다 - bevorzugen
6397. 그녀는 초콜릿을 선호했다. - Sie bevorzugt Schokolade.
6398. 우리는 여름을 선호한다. - Wir bevorzugen den Sommer.
6399. 당신들은 온라인 수업을 선호할 것이다. - Sie würden Online-Kurse bevorzugen.

6400. 좋아해? - Mögen Sie es?
6401. 네, 좋아해. - Ja, ich mag es.
6402. 기피하다 - zu meiden
6403. 나는 위험을 기피했다. - Ich habe das Risiko gemieden.
6404. 너는 논쟁을 기피한다. - Du vermeidest Kontroversen.
6405. 그는 갈등을 기피할 것이다. - Er wird den Konflikt vermeiden.
6406. 싫어해? - Mögen Sie es nicht?
6407. 네, 싫어해. - Ja, ich mag es nicht.
6408. 72. 명사 단어들 외우기, 필수 10개 동사의 단어들을 가지고 50문장 연습하기 - 72. Lernen Sie Substantivwörter auswendig, üben Sie 50 Sätze mit den geforderten 10 Verbwörtern
6409. 목표 - Ziel
6410. 의도 - Absicht
6411. 계획 - Plan
6412. 비밀 - Geheimnis
6413. 진실 - Wahrheit
6414. 결과 - Ergebnis
6415. 세부사항 - Einzelheiten
6416. 문서 - Dokument
6417. 보고서 - Bericht
6418. 상품 - Waren
6419. 편지 - Brief
6420. 선물 - Geschenk
6421. 하나님 - Vater
6422. 예수님 - Jesus
6423. 기여 - beitragen
6424. 능력 - Fähigkeit
6425. 아이디어 - Idee
6426. 의견 - Meinung
6427. 친구 - Freund
6428. 이웃 - Nachbar
6429. 동료 - Kollege
6430. 손실 - Verlust
6431. 상실 - Verlust

6432. 고인 - verstorben
6433. 기술 - Technik
6434. 지원 - Unterstützung
6435. 도움 - Hilfe
6436. 성공 - Erfolg
6437. 소식 - Nachrichten
6438. 선언하다 - deklarieren
6439. 너는 목표를 선언했다. - Du erklärst ein Ziel.
6440. 그는 의도를 선언한다. - Er verkündet seine Absichten.
6441. 그녀는 계획을 선언할 것이다. - Sie wird einen Plan erklären.
6442. 말했어? - Haben Sie es gesagt?
6443. 네, 말했어. - Ja, ich habe es gesagt.
6444. 드러나다 - zu enthüllen
6445. 그는 비밀을 드러냈다. - Er enthüllt das Geheimnis.
6446. 그녀는 진실을 드러낸다. - Sie enthüllt die Wahrheit.
6447. 우리는 결과를 드러낼 것이다. - Wir werden die Ergebnisse enthüllen.
6448. 알게 됐어? - Hast du es?
6449. 네, 됐어. - Ja, ich habe es verstanden.
6450. 살피다 - Überprüfen
6451. 그녀는 세부사항을 살폈다. - Sie sah sich die Details an.
6452. 우리는 문서를 살핀다. - Wir sehen uns die Dokumente an.
6453. 당신들은 보고서를 살필 것이다. - Sie werden sich den Bericht ansehen.
6454. 확인했어? - Haben Sie ihn geprüft?
6455. 네, 했어. - Ja, das habe ich.
6456. 배송하다 - Um zu liefern
6457. 나는 상품을 배송했다. - Ich habe die Ware verschickt.
6458. 너는 편지를 배송한다. - Du wirst den Brief zustellen.
6459. 그는 선물을 배송할 것이다. - Er wird das Geschenk verschicken.
6460. 도착했어? - Ist es angekommen?
6461. 네, 도착했어. - Ja, es ist angekommen.
6462. 찬양하다 - Zu loben
6463. 나는 하나님을 찬양했다. - Ich habe Gott gelobt.
6464. 그는 예수님을 찬양한다. - Er lobt Jesus.

6465. 그녀는 기여를 찬양할 것이다. - Sie wird den Beitrag loben.
6466. 기뻐해? - Freuen Sie sich?
6467. 네, 기뻐해. - Ja, ich freue mich.
6468. 비하하다 - Erniedrigen
6469. 그는 능력을 비하했다. - Er erniedrigt die Fähigkeit.
6470. 그녀는 아이디어를 비하한다. - Sie erniedrigt die Idee.
6471. 우리는 의견을 비하할 것이다. - Wir werden die Meinung herabsetzen.
6472. 나빠? - Schlecht?
6473. 네, 나빠. - Ja, schlecht.
6474. 돕다 - Zu helfen
6475. 그녀는 친구를 도왔다. - Sie hat ihrer Freundin geholfen.
6476. 우리는 이웃을 돕는다. - Wir helfen unseren Nachbarn.
6477. 당신들은 동료를 도울 것이다. - Du wirst deinen Kollegen helfen.
6478. 도와줄래? - Wirst du mir helfen?
6479. 네, 도와줄게. - Ja, ich werde helfen.
6480. 애도하다 - zu trauern
6481. 나는 손실을 애도했다. - Ich trauere um den Verlust.
6482. 너는 상실을 애도한다. - Du betrauerst den Verlust.
6483. 그는 고인을 애도할 것이다. - Er wird um den Verstorbenen trauern.
6484. 슬퍼? - Trauern?
6485. 네, 슬퍼. - Ja, traurig.
6486. 의존하다 - sich verlassen auf
6487. 너는 기술에 의존했다. - Du warst von der Technik abhängig.
6488. 그는 지원에 의존한다. - Er ist auf Unterstützung angewiesen.
6489. 그녀는 도움에 의존할 것이다. - Sie wird auf Hilfe angewiesen sein.
6490. 필요해? - Brauchst du sie?
6491. 네, 필요해. - Ja, ich brauche sie.
6492. 기뻐하다 - frohlocken
6493. 그는 성공을 기뻐했다. - Er hat sich über seinen Erfolg gefreut.
6494. 그녀는 소식을 기뻐한다. - Sie freut sich über die Nachricht.
6495. 우리는 결과를 기뻐할 것이다. - Wir werden uns über das Ergebnis freuen.
6496. 행복해? - Bist du glücklich?
6497. 네, 행복해. - Ja, ich bin glücklich.

6498. 73. 명사 단어들 외우기, 필수 10개 동사의 단어들을 가지고 50문장 연습하기 - 73. Lernen Sie Substantivwörter auswendig, üben Sie 50 Sätze mit den geforderten 10 Verbwörtern
6499. 문제 - Problem
6500. 상황 - Situation
6501. 처리 - Prozess
6502. 서비스 - Dienstleistung
6503. 결정 - Entscheidung
6504. 정책 - Politik
6505. 도움 - Hilfe
6506. 지원 - Unterstützung
6507. 기회 - Gelegenheit
6508. 실수 - Fehler
6509. 오해 - Missverständnis
6510. 불편 - Unannehmlichkeiten
6511. 제안 - Vorschlag
6512. 변화 - ändern
6513. 조언 - Ratschlag
6514. 순간 - Moment
6515. 가능성 - Möglichkeit
6516. 기준 - Standard
6517. 목소리 - Stimme
6518. 가격 - Preis
6519. 모자 - Hut
6520. 장갑 - Handschuhe
6521. 유니폼 - Uniform
6522. 과일 - Obst
6523. 야채 - Gemüse
6524. 고기 - Fleisch
6525. 샐러드 - Salat
6526. 재료 - Zutat
6527. 반죽 - Teig
6528. 불평하다 - sich beschweren
6529. 그녀는 문제를 불평했다. - Sie hat sich über ein Problem beschwert.

6530. 우리는 상황을 불평한다. - Wir beschweren uns über die Situation.
6531. 당신들은 처리를 불평할 것이다. - Sie werden sich über die Behandlung beschweren.
6532. 불만 있어? - Haben Sie eine Beschwerde?
6533. 네, 있어. - Ja, das habe ich.
6534. 불만을 표하다 - sich beschweren über
6535. 나는 서비스에 불만을 표했다. - Ich habe mich über die Dienstleistung beschwert.
6536. 너는 결정에 불만을 표한다. - Sie sind mit der Entscheidung unzufrieden.
6537. 그는 정책에 불만을 표할 것이다. - Er wird seine Unzufriedenheit über die Politik zum Ausdruck bringen.
6538. 안 좋아해? - Gefällt sie Ihnen nicht?
6539. 네, 안 좋아해. - Ja, ich mag sie nicht.
6540. 고맙다고 하다 - Dankeschön sagen
6541. 너는 도움에 고맙다고 했다. - Sie bedanken sich für die Hilfe.
6542. 그는 지원에 고맙다고 한다. - Er wird sich für die Unterstützung bedanken.
6543. 그녀는 기회에 고맙다고 할 것이다. - Sie würde sich für die Gelegenheit bedanken.
6544. 감사해? - Sind Sie dankbar?
6545. 네, 감사해. - Ja, ich bin dankbar.
6546. 용서를 구하다 - Um Vergebung bitten
6547. 그는 실수에 용서를 구했다. - Er bittet um Verzeihung für einen Fehler.
6548. 그녀는 오해에 용서를 구한다. - Sie bittet um Verzeihung für das Missverständnis.
6549. 우리는 불편에 용서를 구할 것이다. - Wir werden um Vergebung für die Unannehmlichkeiten bitten.
6550. 용서해줄래? - Verzeihen Sie uns?
6551. 네, 용서해줄게. - Ja, ich vergebe euch.
6552. 받아들이다 - Annehmen
6553. 그녀는 제안을 받아들였다. - Sie hat das Angebot angenommen.
6554. 우리는 변화를 받아들인다. - Wir akzeptieren die Änderung.

6555. 당신들은 조언을 받아들일 것이다. - Sie werden den Rat annehmen.
6556. 좋아해? - Gefällt er Ihnen?
6557. 네, 좋아해. - Ja, ich mag ihn.
6558. 붙잡다 - ergreifen
6559. 나는 기회를 붙잡았다. - Ich habe die Gelegenheit ergriffen.
6560. 너는 순간을 붙잡는다. - Du ergreifst die Gelegenheit.
6561. 그는 가능성을 붙잡을 것이다. - Er wird die Möglichkeit ergreifen.
6562. 준비됐어? - Bist du bereit?
6563. 네, 됐어. - Ja, ich bin bereit.
6564. 올리다 - anheben
6565. 너는 기준을 올렸다. - Du legst die Latte höher.
6566. 그는 목소리를 올린다. - Er hebt seine Stimme an.
6567. 그녀는 가격을 올릴 것이다. - Sie wird den Preis erhöhen.
6568. 높아졌어? - Hast du ihn erhöht?
6569. 네, 높아졌어. - Ja, er ist erhöht.
6570. 착용하다 - zu tragen
6571. 그는 모자를 착용했다. - Er setzt seinen Hut auf.
6572. 그녀는 장갑을 착용한다. - Sie trägt Handschuhe.
6573. 우리는 유니폼을 착용할 것이다. - Wir werden Uniformen tragen.
6574. 맞아? - Ist das richtig?
6575. 네, 맞아. - Ja, das ist richtig.
6576. 썰다 - in Scheiben schneiden
6577. 그녀는 과일을 썼다. - Sie hat das Obst in Scheiben geschnitten.
6578. 우리는 야채를 썬다. - Wir werden das Gemüse in Scheiben schneiden.
6579. 당신들은 고기를 썰 것이다. - Ihr schneidet das Fleisch in Scheiben.
6580. 잘랐어? - Hast du es geschnitten?
6581. 네, 잘랐어. - Ja, ich schneide es.
6582. 버무리다 - zum Schmeißen
6583. 나는 샐러드를 버무렸다. - Ich habe den Salat geschwenkt.
6584. 너는 재료를 버무린다. - Du schwenkst die Zutaten.
6585. 그는 반죽을 버무릴 것이다. - Er wird den Teig kneten.
6586. 완성됐어? - Ist er fertig?
6587. 네, 됐어. - Ja, er ist fertig.

6588. 74. 명사 단어들 외우기, 필수 10개 동사의 단어들을 가지고 50문장 연습하기 - 74. Lernen Sie Substantivwörter auswendig, üben Sie 50 Sätze mit den Wörtern der 10 wichtigsten Verben
6589. 꽃의 향기 - der Duft der Blumen
6590. 커피의 향기 - der Duft des Kaffees
6591. 향수의 향기 - der Duft des Parfüms
6592. 손가락 - Finger
6593. 발 - Fuß
6594. 종이 - Papier
6595. 공 - Kugel
6596. 문 - Tür
6597. 볼 - Wange
6598. 기회 - Gelegenheit
6599. 성공 - Erfolg
6600. 명성 - Ruhm
6601. 친구 - Freund
6602. 팀 - Mannschaft
6603. 가족 - Familie
6604. 자전거 - Fahrrad
6605. 휴가 - Urlaub
6606. 대학 입학 - College-Zulassungen
6607. 건강한 생활 - gesundes Leben
6608. 사업 확장 - Geschäftserweiterung
6609. 가구 - Möbel
6610. 쓰레기 - Papierkorb
6611. 문서 - Dokument
6612. 파일 - Datei
6613. 이메일 - E-Mail
6614. 데이터 - Daten
6615. 메시지 - Nachricht
6616. 정보 - Informationen
6617. 향기를 맡다 - Riechen Sie den Duft
6618. 너는 꽃의 향기를 맡았다. - Du riechst den Duft der Blumen.
6619. 그는 커피의 향기를 맡는다. - Er riecht den Duft von Kaffee.

6620. 그녀는 향수의 향기를 맡을 것이다. - Sie wird den Duft des Parfums riechen.
6621. 좋아해? - Magst du es?
6622. 네, 좋아해. - Ja, ich mag es.
6623. 찌르다 - Stechen
6624. 그는 손가락을 찔렀다. - Er hat sich in den Finger gestochen.
6625. 그녀는 발을 찌른다. - Sie hat sich in den Fuß gestochen.
6626. 우리는 종이로 손을 찔을 것이다. - Wir werden unsere Hände mit Papier stechen.
6627. 아파? - Tut das weh?
6628. 네, 아파. - Ja, es tut weh.
6629. 차다 - Treten
6630. 그녀는 공을 찼다. - Sie hat den Ball getreten.
6631. 우리는 문을 찬다. - Wir treten gegen die Tür.
6632. 당신들은 볼을 찰 것이다. - Du wirst den Ball treten.
6633. 세게 찼어? - Hast du hart gekickt?
6634. 네, 세게 찼어. - Ja, ich habe ihn hart getreten.
6635. 탐발하다 - eine Chance ergreifen
6636. 나는 기회를 탐발했다. - Ich habe die Gelegenheit ergriffen.
6637. 너는 성공을 탐발한다. - Du wirst Erfolg haben.
6638. 그는 명성을 탐발할 것이다. - Er wird den Ruhm begehren.
6639. 원해? - Willst du ihn?
6640. 네, 원해. - Ja, ich will ihn.
6641. 의지하다 - sich auf
6642. 너는 친구에게 의지했다. - Du hast dich auf deine Freunde gestützt.
6643. 그는 팀에 의지한다. - Er wird sich auf sein Team verlassen.
6644. 그녀는 가족에 의지할 것이다. - Sie wird sich auf ihre Familie verlassen.
6645. 의존해? - Verlassen auf?
6646. 네, 의존해. - Ja, verlassen auf.
6647. 욕망하다 - zu begehren
6648. 나는 새로운 자전거를 욕망했다. - Ich sehnte mich nach einem neuen Fahrrad.
6649. 너는 성공을 욕망한다. - Du begehrst den Erfolg.

6650. 그는 휴가를 욕망할 것이다. - Er wird sich einen Urlaub wünschen.
6651. 더 필요한 거 있어? - Sonst noch etwas?
6652. 모두 좋아, 감사해. - Alles gut, danke.
6653. 목표하다 - Anstreben
6654. 그녀는 대학 입학을 목표했다. - Sie hat sich vorgenommen, aufs College zu gehen.
6655. 우리는 건강한 생활을 목표한다. - Unser Ziel ist es, ein gesundes Leben zu führen.
6656. 당신들은 사업 확장을 목표할 것이다. - Ihr wollt euer Geschäft ausbauen.
6657. 목표가 뭐야? - Was ist euer Ziel?
6658. 행복해지기야. - Glücklich zu sein.
6659. 폐기하다 - zu entsorgen
6660. 우리는 오래된 가구를 폐기했다. - Wir entsorgen alte Möbel.
6661. 당신들은 쓰레기를 폐기한다. - Sie entsorgen Müll.
6662. 그들은 불필요한 문서를 폐기할 것이다. - Sie entsorgen überflüssige Dokumente.
6663. 이거 버려도 돼? - Kann ich das wegwerfen?
6664. 네, 필요 없어. - Ja, ich brauche es nicht.
6665. 암호화하다 - zu verschlüsseln
6666. 그는 중요한 파일을 암호화했다. - Er hat seine wichtigen Dateien verschlüsselt.
6667. 그녀는 이메일을 암호화한다. - Sie verschlüsselt ihre E-Mails.
6668. 나는 내 데이터를 암호화할 것이다. - Ich werde meine Daten verschlüsseln.
6669. 비밀번호 설정했어? - Haben Sie ein Passwort festgelegt?
6670. 이미 했어, 안심해. - Das habe ich schon, keine Sorge.
6671. 복호화하다 - zu entschlüsseln
6672. 그녀는 메시지를 복호화했다. - Sie hat die Nachricht entschlüsselt.
6673. 우리는 정보를 복호화한다. - Wir entschlüsseln Informationen.
6674. 당신들은 문서를 복호화할 것이다. - Sie werden das Dokument entschlüsseln.
6675. 열쇠 찾았어? - Haben Sie den Schlüssel gefunden?
6676. 아직 못 찾았어. - Nein, ich habe ihn noch nicht gefunden.

6677. 75. 명사 단어들 외우기, 필수 10개 동사의 단어들을 가지고 50문장 연습하기 - 75. Substantivwörter auswendig lernen, 50 Sätze mit Wörtern aus 10 wichtigen Verben üben
6678. 파일들 - Dateien
6679. 사진 - Bild
6680. 자료 - Daten
6681. 문서 - Dokument
6682. 바코드 - Strichcode
6683. 신분증 - ID
6684. 중요한 부분 - Teil
6685. 텍스트 - Text
6686. 포인트 - Punkt
6687. 데이터 - Daten
6688. 주소 - Adresse
6689. 내 정보 - Meine Infos
6690. 보고서 - Bericht
6691. 이메일 - E-Mail
6692. 계획 - Plan
6693. 클럽 - Verein
6694. 프로그램 - Programm
6695. 도서관 - bibliothek
6696. 목표 - ziel
6697. 성공 - erfolg
6698. 해결책 - lösung
6699. 위험 - Gefahr
6700. 집 - Haus
6701. 삶 - Leben
6702. 경력 - Karriere
6703. 공기 - Luft
6704. 물 - Wasser
6705. 환경 - Umwelt
6706. 압축하다 - komprimieren
6707. 나는 파일들을 압축했다. - Ich komprimiere Dateien.
6708. 너는 사진을 압축한다. - Sie komprimieren Fotos.

6709. 그는 자료를 압축할 것이다. - Er wird die Materialien komprimieren.
6710. 공간 충분해? - Ist genug Platz vorhanden?
6711. 네, 충분해. - Ja, es ist genug da.
6712. 스캔하다 - Zum Scannen
6713. 그녀는 문서를 스캔했다. - Sie hat das Dokument gescannt.
6714. 우리는 바코드를 스캔한다. - Wir scannen den Barcode.
6715. 당신들은 신분증을 스캔할 것이다. - Ihr scannt eure Ausweise.
6716. 다 됐어? - Seid ihr fertig?
6717. 네, 다 됐어. - Ja, wir sind fertig.
6718. 하이라이트하다 - zum Hervorheben
6719. 우리는 중요한 부분을 하이라이트했다. - Wir haben die wichtigen Teile hervorgehoben.
6720. 당신들은 텍스트를 하이라이트한다. - Sie werden Text hervorheben.
6721. 그들은 포인트를 하이라이트할 것이다. - Sie werden Punkte hervorheben.
6722. 이 부분 강조할까? - Möchten Sie, dass ich das hervorhebe?
6723. 좋아, 해줘. - Okay, tun Sie es.
6724. 입력하다 - zum Eingeben
6725. 그는 데이터를 입력했다. - Er gibt die Daten ein.
6726. 그녀는 주소를 입력한다. - Sie gibt die Adresse ein.
6727. 나는 내 정보를 입력할 것이다. - Ich gebe jetzt meine Daten ein.
6728. 정보 다 넣었어? - Sind Sie fertig?
6729. 네, 다 했어. - Ja, ich bin fertig.
6730. 타이핑하다 - Tippen
6731. 나는 보고서를 타이핑했다. - Ich habe den Bericht getippt.
6732. 너는 이메일을 타이핑한다. - Sie werden die E-Mail tippen.
6733. 그는 계획을 타이핑할 것이다. - Er wird den Plan tippen.
6734. 글 쓰고 있어? - Schreibst du gerade?
6735. 아니, 쉬고 있어. - Nein, ich ruhe mich aus.
6736. 가입하다 - beitreten
6737. 나는 클럽에 가입했다. - Ich bin dem Club beigetreten.
6738. 너는 프로그램에 가입한다. - Du trittst dem Programm bei.
6739. 그는 도서관에 가입할 것이다. - Er wird Mitglied in der Bibliothek.
6740. 회원 되고 싶어? - Willst du Mitglied werden?

6741. 네, 가입할래요. - Ja, ich möchte beitreten.
6742. 근접하다 - sich nähern
6743. 그녀는 목표에 근접했다. - Sie ist ihrem Ziel nahe.
6744. 우리는 성공에 근접한다. - Wir sind dem Erfolg nahe.
6745. 당신들은 해결책에 근접할 것이다. - Sie werden der Lösung nahe sein.
6746. 거의 다 왔어? - Sind Sie fast am Ziel?
6747. 네, 거의 다 왔어요. - Ja, wir sind fast am Ziel.
6748. 멀어지다 - Sich von der Gefahr wegbewegen
6749. 우리는 위험으로부터 멀어졌다. - Wir haben uns von der Gefahr entfernt.
6750. 당신들은 목표로부터 멀어진다. - Sie entfernen sich von dem Ziel.
6751. 그들은 서로로부터 멀어질 것이다. - Sie werden sich von einander entfernen.
6752. 떠나고 싶어? - Willst du weggehen?
6753. 아니요, 여기 있을래요. - Nein, ich bleibe hier.
6754. 재건하다 - wiederaufbauen
6755. 그는 그의 집을 재건했다. - Er baute sein Haus wieder auf.
6756. 그녀는 그녀의 삶을 재건한다. - Sie baut ihr Leben neu auf.
6757. 나는 내 경력을 재건할 것이다. - Ich werde meine Karriere neu aufbauen.
6758. 다시 시작할 준비 됐어? - Bist du bereit, neu anzufangen?
6759. 네, 준비 됐어요. - Ja, ich bin bereit.
6760. 정화하다 - zu reinigen
6761. 그녀는 공기를 정화했다. - Sie hat die Luft gereinigt.
6762. 우리는 물을 정화한다. - Wir säubern das Wasser.
6763. 당신들은 환경을 정화할 것이다. - Ihr werdet die Umwelt reinigen.
6764. 더 깨끗해졌어? - Ist sie sauberer?
6765. 네, 훨씬 나아졌어요. - Ja, es ist viel besser.
6766. 76. 명사 단어들 외우기, 필수 10개 동사의 단어들을 가지고 50문장 연습하기 - 76. Lernen Sie Substantivwörter auswendig, üben Sie 50 Sätze mit den Wörtern der 10 wichtigsten Verben
6767. 상처 - Wunde
6768. 방 - Zimmer

6769. 장비 - Ausrüstung
6770. 여행 - Reisen
6771. 회의 - Sitzung
6772. 발표 - Präsentation
6773. 프로젝트 - Projekt
6774. 이벤트 - Veranstaltung
6775. 캠페인 - Kampagne
6776. 아이디어 - Idee
6777. 생각 - Gedanke
6778. 방법 - methode
6779. 해 - Sonne
6780. 미래 - Zukunft
6781. 기회 - gelegenheit
6782. 능력 - fähigkeit
6783. 가치 - Wert
6784. 이론 - theorie
6785. 주장 - Meinung
6786. 사실 - eigentlich
6787. 무죄 - Unschuld
6788. 삶의 의미 - Sinn des Lebens
6789. 자연의 아름다움 - natürliche Schönheit
6790. 과거의 실수 - Fehler der Vergangenheit
6791. 행동 - Aktion
6792. 결정 - Entscheidung
6793. 추억 - Erinnerung
6794. 약속 - Versprechen
6795. 역사 - Geschichte
6796. 소독하다 - desinfizieren (desinfizieren)
6797. 나는 상처를 소독했다. - Ich habe die Wunde sterilisiert.
6798. 너는 방을 소독한다. - Du desinfizierst den Raum.
6799. 그는 장비를 소독할 것이다. - Er wird die Ausrüstung desinfizieren.
6800. 이게 안전해? - Ist das sicher?
6801. 네, 안전해요. - Ja, es ist sicher.
6802. 예정하다 - Die Reise zu planen

6803. 그녀는 여행을 예정했다. - Sie hat die Reise geplant.
6804. 우리는 회의를 예정한다. - Wir planen ein Treffen.
6805. 당신들은 발표를 예정할 것이다. - Sie werden eine Präsentation planen.
6806. 일정 정했어? - Haben Sie es geplant?
6807. 네, 다 정했어요. - Ja, ich habe alles geplant.
6808. 기획하다 - zu planen
6809. 우리는 프로젝트를 기획했다. - Wir haben ein Projekt geplant.
6810. 당신들은 이벤트를 기획한다. - Sie werden eine Veranstaltung organisieren.
6811. 그들은 캠페인을 기획할 것이다. - Sie werden eine Kampagne planen.
6812. 뭐 계획 중이야? - Was planen Sie?
6813. 새로운 시작이에요. - Einen neuen Anfang.
6814. 발상하다 - konzipieren
6815. 그는 훌륭한 아이디어를 발상했다. - Er hatte eine tolle Idee.
6816. 그녀는 창의적인 생각을 발상한다. - Sie hat eine kreative Idee.
6817. 나는 새로운 방법을 발상할 것이다. - Ich werde einen neuen Weg erfinden.
6818. 아이디어 있어? - Haben Sie schon eine Idee?
6819. 네, 몇 개 있어요. - Ja, ich habe ein paar.
6820. 바라보다 - Zum Anschauen
6821. 나는 해가 지는 것을 바라봤다. - Ich sah zu, wie die Sonne unterging.
6822. 너는 미래를 바라본다. - Du schaust in die Zukunft.
6823. 그는 기회를 바라볼 것이다. - Er wird nach Möglichkeiten suchen.
6824. 희망 가지고 있어? - Hast du Hoffnung?
6825. 네, 항상 그래요. - Ja, die habe ich immer.
6826. 증명하다 - zu beweisen
6827. 그녀는 자신의 능력을 증명했다. - Sie hat ihr Können bewiesen.
6828. 우리는 우리의 가치를 증명한다. - Wir beweisen unseren Wert.
6829. 당신들은 이론을 증명할 것이다. - Du wirst die Theorie beweisen.
6830. 진짜야? - Ist sie wahr?
6831. 네, 진짜에요. - Ja, sie ist real.
6832. 입증하다 - zu beweisen

6833. 우리는 우리의 주장을 입증했다. - Wir beweisen unseren Standpunkt.
6834. 당신들은 사실을 입증한다. - Sie werden die Fakten beweisen.
6835. 그들은 무죄를 입증할 것이다. - Sie werden ihre Unschuld beweisen.
6836. 증거 있어? - Habt ihr Beweise?
6837. 네, 여기 있어요. - Ja, hier ist er.
6838. 묵상하다 - Um zu kontemplieren
6839. 나는 삶의 의미를 묵상했다. - Ich habe über den Sinn des Lebens meditiert.
6840. 너는 미래에 대해 묵상한다. - Du meditierst über die Zukunft.
6841. 그는 자연의 아름다움을 묵상할 것이다. - Er wird über die Schönheit der Natur meditieren.
6842. 조용한 곳 찾고 있어? - Suchst du einen ruhigen Ort?
6843. 네, 필요해. - Ja, ich brauche einen.
6844. 반성하다 - nachdenken
6845. 그녀는 과거의 실수를 반성했다. - Sie dachte über ihre vergangenen Fehler nach.
6846. 우리는 행동을 반성한다. - Wir denken über unsere Handlungen nach.
6847. 당신들은 결정을 반성할 것이다. - Sie werden über Ihre Entscheidung nachdenken.
6848. 후회하는 거 있어? - Bereuen Sie etwas?
6849. 응, 몇 가지 있어. - Ja, ich habe ein paar.
6850. 상기하다 - zurückrufen
6851. 우리는 좋은 추억을 상기했다. - Wir erinnern uns an gute Erinnerungen.
6852. 당신들은 약속을 상기한다. - Sie erinnern sich an Versprechen.
6853. 그들은 역사를 상기할 것이다. - Sie werden sich an die Geschichte erinnern.
6854. 기억 나? - Können Sie sich erinnern?
6855. 네, 잘 기억나. - Ja, ich erinnere mich gut.
6856. 77. 명사 단어들 외우기, 필수 10개 동사의 단어들을 가지고 50문장 연습하기 - 77. Lernen Sie Substantivwörter auswendig, üben Sie 50 Sätze mit den 10 wichtigsten Verbwörtern
6857. 상황 - Situation

6858. 그녀 - sie
6859. 불행한 이들 - die Unglücklichen
6860. 아이 - Kind
6861. 친구 - Freund
6862. 군중 - Menge
6863. 물건 - Sache
6864. 진행 상황 - Fortschritt
6865. 동물의 이동 경로 - Tierbewegungspfad
6866. 생각 - Gedanke
6867. 계획 - Plan
6868. 직업 - Aufgabe
6869. 문제 - Problem
6870. 프로젝트 - projekt
6871. 도전 - Herausforderung
6872. 어려움 - Schwierigkeit
6873. 두려움 - Angst
6874. 장애 - Hindernis
6875. 위기 - Gefahr
6876. 혼란 - Verwirrung
6877. 취미 - Hobby
6878. 과학 - Wissenschaft
6879. 예술 - Kunst
6880. 하늘 - Himmel
6881. 바다 - Ozean
6882. 고대 유물 - Altertümer
6883. 지식 - Wissen
6884. 재능 - Talent
6885. 동정하다 - mitfühlen
6886. 나는 그의 상황에 동정했다. - Ich hatte Mitleid mit seiner Situation.
6887. 너는 그녀를 동정한다. - Du hast Mitleid mit ihr.
6888. 그는 불행한 이들을 동정할 것이다. - Er wird die Unglücklichen bemitleiden.
6889. 도와줄 수 있어? - Kannst du ihm helfen?
6890. 물론, 도와줄게. - Sicher, ich werde helfen.

6891. 타이르다 - zu binden
6892. 그녀는 울고 있는 아이를 타이렀다. - Sie hat das weinende Kind gebunden.
6893. 우리는 화난 친구를 타이른다. - Wir binden einen wütenden Freund.
6894. 당신들은 분노한 군중을 타이를 것이다. - Du wirst die wütende Menge binden.
6895. 진정됐어? - Hast du dich beruhigt?
6896. 네, 좀 나아졌어. - Ja, es geht mir besser.
6897. 추적하다 - aufspüren
6898. 우리는 분실된 물건을 추적했다. - Wir haben einen verlorenen Gegenstand aufgespürt.
6899. 당신들은 진행 상황을 추적한다. - Sie werden den Fortschritt verfolgen.
6900. 그들은 동물의 이동 경로를 추적할 것이다. - Sie werden die Wanderung des Tieres aufspüren.
6901. 뭐 찾고 있어? - Suchst du etwas?
6902. 네, 찾고 있어. - Ja, ich bin auf der Suche nach etwas.
6903. 바꾸다 - zu ändern
6904. 나는 생각을 바꾸었다. - Ich habe meine Meinung geändert.
6905. 너는 계획을 바꾼다. - Du änderst deine Pläne.
6906. 그는 직업을 바꿀 것이다. - Er wird seine Arbeit ändern.
6907. 마음 바뀌었어? - Hast du deine Meinung geändert?
6908. 아니, 그대로야. - Nein, es ist das Gleiche.
6909. 해내다 - zu vollenden
6910. 그녀는 어려운 문제를 해냈다. - Sie hat das schwierige Problem gelöst.
6911. 우리는 프로젝트를 해낸다. - Wir bringen das Projekt zu Ende.
6912. 당신들은 도전을 해낼 것이다. - Du wirst die Herausforderung meistern.
6913. 할 수 있겠어? - Kannst du es schaffen?
6914. 응, 할 수 있어. - Ja, ich kann es schaffen.
6915. 극복하다 - zu überwinden
6916. 우리는 어려움을 극복했다. - Wir überwinden Schwierigkeiten.
6917. 당신들은 두려움을 극복한다. - Sie werden Ihre Ängste überwinden.

6918. 그들은 장애를 극복할 것이다. - Sie werden Hindernisse überwinden.
6919. 문제 해결됐어? - Problem gelöst?
6920. 네, 다 해결됐어. - Ja, alles ist gelöst.
6921. 헤쳐나가다 - Durchkommen
6922. 나는 위기를 헤쳐나갔다. - Ich habe es durch die Krise geschafft.
6923. 너는 어려움을 헤쳐나간다. - Sie überwinden Schwierigkeiten.
6924. 그는 혼란을 헤쳐나갈 것이다. - Er wird den Schlamassel überstehen.
6925. 길 찾았어? - Hast du den Weg gefunden?
6926. 네, 찾았어. - Ja, ich habe ihn gefunden.
6927. 관심을 가지다 - sich für etwas zu interessieren
6928. 나는 새 취미에 관심을 가졌다. - Ich habe mich für ein neues Hobby interessiert.
6929. 그는 과학에 관심을 가진다. - Er interessiert sich für die Wissenschaft.
6930. 그녀는 예술에 관심을 가질 것이다. - Sie würde sich für Kunst interessieren.
6931. 관심 있어? - Sind Sie interessiert?
6932. 네, 많이. - Ja, sehr.
6933. 응시하다 - anstarren
6934. 그녀는 멀리 응시했다. - Sie starrte in die Ferne.
6935. 우리는 하늘을 응시한다. - Wir starren in den Himmel.
6936. 그들은 바다를 응시할 것이다. - Sie werden auf das Meer starren.
6937. 뭐 응시해? - Auf was starren?
6938. 별을 봐. - Die Sterne anstarren.
6939. 발굴하다 - ausgraben
6940. 나는 고대 유물을 발굴했다. - Ich habe ein altes Artefakt ausgegraben.
6941. 그는 지식을 발굴한다. - Er gräbt nach Wissen.
6942. 그녀는 재능을 발굴할 것이다. - Sie wird nach Talent graben.
6943. 더 발굴할까? - Sollen wir weiter graben?
6944. 그래, 계속해. - Ja, mach weiter.
6945. 78. 명사 단어들 외우기, 필수 10개 동사의 단어들을 가지고 50문장 연습하기 - 78. Lernen Sie die Substantivwörter auswendig, üben Sie 50 Sätze mit den 10 wichtigsten Verbwörtern

6946. 도구 - Ausrüstung
6947. 컴퓨터 - Computer
6948. 신기술 - neue Technologie
6949. 시간 - Stunde
6950. 에너지 - Energie
6951. 자원 - Ressource
6952. 돈 - Geld
6953. 물 - Wasser
6954. 기회 - Gelegenheit
6955. 추억 - Erinnerung
6956. 사진 - Bild
6957. 비밀 - Geheimnis
6958. 문서 - dokument
6959. 환경 - Umgebung
6960. 장벽 - Schranke
6961. 자동차 - Automobil
6962. 기계 - Maschine
6963. 모델 - Modell
6964. 부품 - Teil
6965. 시스템 - System
6966. 시계 - Uhr
6967. 퍼즐 - Rätsel
6968. 계획 - Plan
6969. 기업 - Unternehmen
6970. 아이디어 - Ideen
6971. 팀 - Mannschaften
6972. 사용하다 - zum Einsatz
6973. 우리는 도구를 사용했다. - Wir haben das Werkzeug benutzt.
6974. 그는 컴퓨터를 사용한다. - Er benutzt einen Computer.
6975. 그들은 신기술을 사용할 것이다. - Sie werden eine neue Technologie verwenden.
6976. 사용해볼까? - Sollen wir es ausprobieren?
6977. 좋아, 해봐. - Okay, versuchen Sie es.
6978. 소비하다 - Zu verbrauchen

6979. 나는 시간을 소비했다. - Ich habe Zeit verbraucht.
6980. 그녀는 에너지를 소비한다. - Sie verbraucht Energie.
6981. 너는 자원을 소비할 것이다. - Du wirst Ressourcen verbrauchen.
6982. 많이 소비했어? - Hast du viel verbraucht?
6983. 아니, 조금만. - Nein, nur ein bisschen.
6984. 절약하다 - Um zu sparen
6985. 그는 돈을 절약했다. - Er spart Geld.
6986. 우리는 물을 절약한다. - Wir sparen Wasser.
6987. 당신들은 에너지를 절약할 것이다. - Du wirst Energie sparen.
6988. 절약하고 있어? - Sparen Sie auch?
6989. 응, 노력중이야. - Ja, ich versuche es.
6990. 낭비하다 - Zu verschwenden
6991. 그녀는 기회를 낭비했다. - Sie hat die Gelegenheit vergeudet.
6992. 너는 시간을 낭비한다. - Sie verschwenden Zeit.
6993. 그들은 자원을 낭비할 것이다. - Sie werden Ressourcen verschwenden.
6994. 낭비하지 않았어? - Haben Sie sie nicht verschwendet?
6995. 아냐, 조심했어. - Nein, ich war vorsichtig.
6996. 간직하다 - zu behalten
6997. 우리는 추억을 간직했다. - Wir haben die Erinnerungen aufbewahrt.
6998. 그는 사진을 간직한다. - Er bewahrt die Bilder auf.
6999. 그녀는 비밀을 간직할 것이다. - Sie wird das Geheimnis bewahren.
7000. 계속 간직할 거야? - Wirst du es bewahren?
7001. 네, 영원히. - Ja, für immer.
7002. 파괴하다 - zu zerstören
7003. 나는 문서를 파괴했다. - Ich habe die Dokumente zerstört.
7004. 그들은 환경을 파괴한다. - Sie zerstören die Umwelt.
7005. 그녀는 장벽을 파괴할 것이다. - Sie wird die Mauer zerstören.
7006. 파괴해야 돼? - Sollen wir sie zerstören?
7007. 아니, 다른 방법 찾자. - Nein, lasst uns einen anderen Weg finden.
7008. 손상하다 - Zu beschädigen
7009. 그는 자동차를 손상했다. - Er hat das Auto beschädigt.
7010. 그녀는 기계를 손상한다. - Sie beschädigt die Maschine.
7011. 우리는 환경을 손상할 것이다. - Wir werden die Umwelt beschädigen.

7012. 손상됐어? - Beschädigt?
7013. 응, 고쳐야 해. - Ja, es muss repariert werden.
7014. 대치하다 - zu ersetzen
7015. 나는 오래된 모델을 대치했다. - Ich habe das alte Modell ersetzt.
7016. 그들은 부품을 대치한다. - Sie werden die Teile ersetzen.
7017. 그녀는 시스템을 대치할 것이다. - Sie wird das System ersetzen.
7018. 대치할 필요 있어? - Ist es notwendig, zu ersetzen?
7019. 네, 필수야. - Ja, es ist notwendig.
7020. 맞추다 - Um Zeit zu machen
7021. 우리는 시계를 맞췄다. - Wir haben die Uhr gestellt.
7022. 그는 퍼즐을 맞춘다. - Er hat das Puzzle zusammengesetzt.
7023. 그녀는 계획을 맞출 것이다. - Sie wird in den Plan passen.
7024. 잘 맞춰졌어? - Haben wir übereingestimmt?
7025. 완벽해! - Es ist perfekt!
7026. 합치다 - Zusammenfügen
7027. 그들은 두 기업을 합쳤다. - Sie haben zwei Unternehmen zusammengelegt.
7028. 너는 아이디어를 합친다. - Sie fusionieren Ideen.
7029. 우리는 팀을 합칠 것이다. - Wir werden unsere Teams zusammenlegen.
7030. 합치기로 했어? - Haben Sie beschlossen zu fusionieren?
7031. 응, 그렇게 결정했어. - Ja, das haben wir beschlossen.
7032. 79. 명사 단어들 외우기, 필수 10개 동사의 단어들을 가지고 50문장 연습하기 - 79. Lernen Sie die Substantivwörter auswendig, üben Sie 50 Sätze mit den 10 wichtigsten Verbwörtern
7033. 자원 - Ressource
7034. 시간 - Stunde
7035. 업무 - Arbeit
7036. 친구 - Freund
7037. 음식 - Essen
7038. 이익 - gewinn
7039. 경험 - Erfahrung
7040. 요구사항 - Anforderungen
7041. 기대 - Erwartung

7042. 조건 - Bedingung
7043. 아이 - Kind
7044. 상황 - Situation
7045. 분위기 - Atmosphäre
7046. 부모님 - Eltern
7047. 동료 - Kollege
7048. 대표 - Vertreter
7049. 프로젝트 - Projekt
7050. 최우수 작품 - beste Arbeit
7051. 건강 - Gesundheit
7052. 안전 - Sicherheit
7053. 효율성 - Effizienz
7054. 이론 - theorie
7055. 정책 - Politik
7056. 연구 - Forschung
7057. 작업 - Arbeit
7058. 결정 - Entscheidung
7059. 팀 - Team
7060. 의견 - Stellungnahme
7061. 계획 - planen
7062. 배분하다 - zuteilen
7063. 그녀는 자원을 배분했다. - Sie teilt Ressourcen zu.
7064. 우리는 시간을 배분한다. - Wir teilen die Zeit ein.
7065. 너는 업무를 배분할 것이다. - Sie werden Ihre Arbeit zuteilen.
7066. 잘 배분됐어? - Ist es gut gelaufen?
7067. 네, 잘 됐어. - Ja, es ist gut gelaufen.
7068. 나누다 - zu teilen
7069. 나는 친구와 음식을 나눴다. - Ich habe das Essen mit meinem Freund geteilt.
7070. 그들은 이익을 나눈다. - Sie teilen den Gewinn.
7071. 당신들은 경험을 나눌 것이다. - Sie werden die Erfahrung teilen.
7072. 같이 나눌래? - Willst du teilen?
7073. 좋아, 나눠보자. - Okay, lass uns teilen.
7074. 충족하다 - erfüllen

7075. 우리는 요구사항을 충족했다. - Wir haben die Anforderungen erfüllt.
7076. 그는 기대를 충족한다. - Er erfüllt die Erwartung.
7077. 그녀는 조건을 충족할 것이다. - Sie wird die Bedingungen erfüllen.
7078. 충족시킬 수 있어? - Kannst du sie erfüllen?
7079. 응, 할 수 있어. - Ja, ich kann.
7080. 진정시키다 - zu beruhigen
7081. 그녀는 아이를 진정시켰다. - Sie hat das Kind beruhigt.
7082. 너는 상황을 진정시킨다. - Sie beruhigen die Situation.
7083. 그들은 분위기를 진정시킬 것이다. - Sie werden die Atmosphäre beruhigen.
7084. 진정됐어? - Haben Sie sich beruhigt?
7085. 네, 괜찮아졌어. - Ja, es geht mir gut.
7086. 안심시키다 - zu beruhigen
7087. 나는 부모님을 안심시켰다. - Ich habe meine Eltern beruhigt.
7088. 그는 친구를 안심시킨다. - Er beruhigt seinen Freund.
7089. 그녀는 동료를 안심시킬 것이다. - Sie wird ihre Kollegin beruhigen.
7090. 안심할까? - Beruhigen?
7091. 응, 안심해. - Ja, ich bin beruhigt.
7092. 선정하다 - Auswählen
7093. 우리는 대표를 선정했다. - Wir haben die Delegierten ausgewählt.
7094. 그들은 프로젝트를 선정한다. - Sie werden die Projekte auswählen.
7095. 당신들은 최우수 작품을 선정할 것이다. - Sie werden die beste Arbeit auswählen.
7096. 어떤 걸 선정할까? - Welches werden wir auswählen?
7097. 가장 좋은 걸로. - Die beste Arbeit.
7098. 우선하다 - Prioritäten setzen
7099. 그는 건강을 우선했다. - Er hat seiner Gesundheit Priorität eingeräumt.
7100. 그녀는 안전을 우선한다. - Sie priorisiert die Sicherheit.
7101. 우리는 효율성을 우선할 것이다. - Wir werden der Effizienz den Vorrang geben.
7102. 무엇을 우선해야 해? - Was sollten wir vorrangig behandeln?
7103. 안전을 우선해. - Die Sicherheit sollte Vorrang haben.
7104. 논쟁하다 - Streiten

7105. 나는 친구와 논쟁했다. - Ich habe mit meinem Freund gestritten.
7106. 당신들은 이론을 논쟁한다. - Sie argumentieren mit Theorien.
7107. 그들은 정책을 논쟁할 것이다. - Sie argumentieren mit der Politik.
7108. 계속 논쟁할 거야? - Werden Sie weiter argumentieren?
7109. 아니, 여기서 멈출게. - Nein, ich werde hier aufhören.
7110. 보조하다 - assistieren
7111. 그녀는 연구를 보조했다. - Sie hat bei der Forschung assistiert.
7112. 우리는 작업을 보조한다. - Wir helfen bei der Arbeit.
7113. 너는 결정을 보조할 것이다. - Sie werden bei der Entscheidung helfen.
7114. 도움 될까? - Ist das hilfreich?
7115. 네, 많이 돼. - Ja, sehr.
7116. 형성하다 - zu bilden
7117. 그들은 팀을 형성했다. - Sie haben ein Team gebildet.
7118. 그는 의견을 형성한다. - Er bildet sich eine Meinung.
7119. 그녀는 계획을 형성할 것이다. - Sie wird einen Plan ausarbeiten.
7120. 형성 잘 되고 있어? - Wie läuft es mit der Bildung?
7121. 응, 잘 되고 있어. - Ja, es läuft gut.
7122. 80. 명사 단어들 외우기, 필수 10개 동사의 단어들을 가지고 50문장 연습하기 - 80. Lernen Sie Substantivwörter auswendig, üben Sie 50 Sätze mit den 10 wichtigsten Verbwörtern
7123. 방법 - Methode
7124. 제품 - Produkt
7125. 시스템 - System
7126. 프로젝트 - Projekt
7127. 연구 - Forschung
7128. 과제 - auftrag
7129. 색상 - Farbe
7130. 팀원 - Teammitglieder
7131. 환경 - Umgebung
7132. 일 - Tag
7133. 삶 - Leben
7134. 수요 - Nachfrage
7135. 공급 - Angebot

7136. 이해관계 - Interessen
7137. 결론 - Schlussfolgerung
7138. 정보 - Informationen
7139. 결과 - Ergebnis
7140. 사건 - Ereignis
7141. 변화 - Veränderung
7142. 역사적 순간 - historischer Moment
7143. 어려움 - Schwierigkeiten
7144. 성장통 - Wachstumsschmerzen
7145. 꽃 향기 - Blumenduft
7146. 바다 냄새 - Meeresgeruch
7147. 신선한 공기 - Ozon
7148. 서비스 - Dienstleistung
7149. 품질 - Qualität
7150. 고통 - Schmerz
7151. 압력 - eingeben
7152. 시련 - testen
7153. 창안하다 - zu erfinden
7154. 나는 새로운 방법을 창안했다. - Ich habe eine neue Methode erfunden.
7155. 그들은 제품을 창안한다. - Sie erfinden ein Produkt.
7156. 당신들은 시스템을 창안할 것이다. - Sie werden ein System erfinden.
7157. 창안할 아이디어 있어? - Haben Sie eine Idee zu erfinden?
7158. 네, 몇 가지 있어. - Ja, ich habe ein paar.
7159. 협업하다 - zusammenarbeiten
7160. 우리는 프로젝트에서 협업했다. - Wir haben bei einem Projekt zusammengearbeitet.
7161. 그들은 연구에서 협업한다. - Sie arbeiten bei der Forschung zusammen.
7162. 당신들은 과제에서 협업할 것이다. - Sie werden an Aufgaben zusammenarbeiten.
7163. 협업 효과적이었어? - War die Zusammenarbeit effektiv?
7164. 네, 매우 효과적이었어. - Ja, sie war sehr effektiv.
7165. 조화하다 - zu harmonisieren

7166. 그녀는 색상을 조화롭게 사용했다. - Sie hat die Farben harmonisch eingesetzt.
7167. 그는 팀원들과 조화를 이룬다. - Er harmoniert mit seinen Teamkollegen.
7168. 우리는 환경과 조화를 이룰 것이다. - Wir werden mit der Umgebung harmonieren.
7169. 조화롭게 될까? - Wird es harmonisch sein?
7170. 응, 될 거야. - Ja, das wird es.
7171. 균형을 맞추다 - Ausbalancieren
7172. 나는 일과 삶의 균형을 맞췄다. - Ich bringe meine Arbeit und mein Leben ins Gleichgewicht.
7173. 그들은 수요와 공급의 균형을 맞춘다. - Sie gleichen Angebot und Nachfrage aus.
7174. 당신들은 이해관계를 균형있게 맞출 것이다. - Sie werden Ihre Interessen ausgleichen.
7175. 균형 잘 맞춰지고 있어? - Sind Sie gut im Gleichgewicht?
7176. 네, 잘 맞춰지고 있어. - Ja, es läuft gut.
7177. 추론하다 - Schlussfolgern
7178. 그녀는 결론을 추론했다. - Sie hat die Schlussfolgerung abgeleitet.
7179. 우리는 정보를 추론한다. - Wir schließen auf Informationen.
7180. 너는 결과를 추론할 것이다. - Sie werden das Ergebnis ableiten.
7181. 추론이 맞을까? - Ist die Schlussfolgerung richtig?
7182. 가능성이 높아. - Es ist wahrscheinlich.
7183. 목격하다 - Zeuge sein
7184. 나는 사건을 목격했다. - Ich war Zeuge des Ereignisses.
7185. 그는 변화를 목격한다. - Er wird Zeuge einer Veränderung.
7186. 그녀는 역사적 순간을 목격할 것이다. - Sie wird Zeugin eines historischen Moments.
7187. 정말 그걸 목격했어? - Haben Sie es wirklich erlebt?
7188. 네, 내 눈으로 봤어. - Ja, ich habe es mit meinen eigenen Augen gesehen.
7189. 겪다 - zu leiden
7190. 우리는 어려움을 겪었다. - Wir haben Schwierigkeiten durchgemacht.
7191. 그들은 성장통을 겪는다. - Sie machen Wachstumsschmerzen durch.

7192. 당신들은 변화를 겪을 것이다. - Sie werden Veränderungen durchmachen.
7193. 많이 겪었어? - Habt ihr viel durchgemacht?
7194. 응, 꽤 많이. - Ja, eine ganze Menge.
7195. 냄새맡다 - Zu riechen
7196. 나는 꽃 향기를 맡았다. - Ich habe den Duft der Blumen gerochen.
7197. 그는 바다 냄새를 맡는다. - Er riecht das Meer.
7198. 그녀는 신선한 공기를 맡을 것이다. - Sie wird die frische Luft riechen.
7199. 무슨 냄새가 나? - Was riechst du?
7200. 꽃 향기가 나. - Ich rieche den Duft der Blumen.
7201. 불만족하다 - Unzufrieden sein
7202. 그녀는 결과에 불만족했다. - Sie war unzufrieden mit dem Ergebnis.
7203. 우리는 서비스에 불만족한다. - Wir sind mit dem Service unzufrieden.
7204. 당신들은 품질에 불만족할 것이다. - Sie werden mit der Qualität unzufrieden sein.
7205. 불만족해? - Unzufrieden?
7206. 네, 기대에 못 미쳐. - Ja, es hat meine Erwartungen nicht erfüllt.
7207. 견디다 - erdulden
7208. 나는 고통을 견뎠다. - Ich ertrug den Schmerz.
7209. 그는 압력을 견딘다. - Er erträgt den Druck.
7210. 그녀는 시련을 견딜 것이다. - Sie wird die Tortur ertragen.
7211. 견딜 수 있을까? - Kannst du es ertragen?
7212. 응, 견딜 수 있어. - Ja, ich kann es ertragen.
7213. 81. 명사 단어들 외우기, 필수 10개 동사의 단어들을 가지고 50문장 연습하기 - 81. Lernen Sie Substantivwörter auswendig, üben Sie 50 Sätze mit den 10 wichtigsten Verbalwörtern
7214. 어려움 - Schwierigkeit
7215. 지연 - verzögern
7216. 도전 - Herausforderung
7217. 불편함 - Unbehagen
7218. 소음 - Lärm
7219. 기다림 - warten
7220. 친구 - Freund
7221. 동물 - Tier

7222. 사람들 - Menschen
7223. 피해자 - Opfer
7224. 건물 - Gebäude
7225. 위험 - Gefahr
7226. 범인 - Verbrecher
7227. 용의자 - Verdächtiger
7228. 도망자 - flüchtig
7229. 사람 - Person
7230. 포로 - Gefangene
7231. 증거 - Beweismittel
7232. 생각 - Gedanken
7233. 제약 - Beschränkungen
7234. 방법 - Methode
7235. 생활 방식 - Lebensstil
7236. 아이디어 - Idee
7237. 공지 - Anmeldung
7238. 사진 - Bild
7239. 연구 결과 - Ergebnisse
7240. 인내하다 - aushalten
7241. 우리는 어려움을 인내했다. - Wir haben Schwierigkeiten durchgestanden.
7242. 그들은 지연을 인내한다. - Sie ertragen Verzögerungen.
7243. 당신들은 도전을 인내할 것이다. - Sie werden Herausforderungen aushalten.
7244. 인내가 필요해? - Brauche ich Geduld?
7245. 네, 많이 필요해. - Ja, ich brauche eine Menge davon.
7246. 참다 - aushalten
7247. 그녀는 불편함을 참았다. - Sie erträgt die Unannehmlichkeiten.
7248. 우리는 소음을 참는다. - Wir nehmen den Lärm in Kauf.
7249. 너는 기다림을 참을 것이다. - Sie werden das Warten ertragen.
7250. 얼마나 더 참아야 해? - Wie viel müssen Sie noch ertragen?
7251. 조금만 더 참자. - Nehmen wir es noch ein bisschen länger in Kauf.
7252. 구출하다 - zu retten
7253. 나는 친구를 구출했다. - Ich habe meinen Freund gerettet.

7254. 그는 동물을 구출한다. - Er rettet Tiere.
7255. 그녀는 사람들을 구출할 것이다. - Sie wird Menschen retten.
7256. 구출할 수 있을까? - Kannst du retten?
7257. 네, 할 수 있어. - Ja, das können Sie.
7258. 구조하다 - zu retten
7259. 우리는 피해자를 구조했다. - Wir haben das Opfer gerettet.
7260. 그들은 건물에서 구조한다. - Sie retten aus dem Gebäude.
7261. 당신들은 위험에서 구조할 것이다. - Sie werden sie aus der Gefahr retten.
7262. 구조 작업 잘 되고 있어? - Wie läuft die Rettung?
7263. 네, 잘 되고 있어. - Ja, es geht gut voran.
7264. 체포하다 - zu verhaften
7265. 그녀는 범인을 체포했다. - Sie hat den Verbrecher verhaftet.
7266. 경찰은 용의자를 체포한다. - Die Polizei hat den Verdächtigen verhaftet.
7267. 보안관은 도망자를 체포할 것이다. - Der Sheriff wird den Flüchtigen verhaften.
7268. 체포됐어? - Wurden Sie verhaftet?
7269. 네, 체포됐어. - Ja, er wurde verhaftet.
7270. 구금하다 - festhalten
7271. 나는 잠시 구금됐다. - Ich wurde eine Zeit lang festgenommen.
7272. 그는 현재 구금 중이다. - Er befindet sich derzeit in Gewahrsam.
7273. 그녀는 나중에 구금될 것이다. - Sie wird später in Gewahrsam genommen werden.
7274. 여전히 구금 중이야? - Ist sie noch in Gewahrsam?
7275. 네, 아직이야. - Ja, noch.
7276. 석방하다 - freilassen
7277. 우리는 억울한 사람을 석방했다. - Wir haben die zu Unrecht beschuldigte Person freigelassen.
7278. 그들은 포로를 석방한다. - Sie lassen Gefangene frei.
7279. 당신들은 증거 부족으로 석방될 것이다. - Sie werden aus Mangel an Beweisen freigelassen.
7280. 석방될 수 있을까? - Werden Sie freigelassen?
7281. 가능성이 있어. - Es besteht die Möglichkeit.

7282. 해방하다 - freilassen
7283. 그녀는 스스로를 해방했다. - Sie hat sich selbst befreit.
7284. 우리는 생각에서 해방한다. - Wir befreien uns von Gedanken.
7285. 너는 제약에서 해방될 것이다. - Du wirst von Zwängen befreit werden.
7286. 정말 해방감을 느껴? - Fühlen Sie sich wirklich befreit?
7287. 네, 완전히. - Ja, vollkommen.
7288. 채택하다 - Annehmen
7289. 나는 새로운 방법을 채택했다. - Ich habe eine neue Methode angenommen.
7290. 그는 건강한 생활 방식을 채택한다. - Er nimmt einen gesunden Lebensstil an.
7291. 그녀는 혁신적인 아이디어를 채택할 것이다. - Sie wird eine innovative Idee übernehmen.
7292. 채택하기로 결정했어? - Haben Sie beschlossen, zu adoptieren?
7293. 네, 결정했어. - Ja, ich habe mich entschieden.
7294. 게시하다 - Zu veröffentlichen
7295. 우리는 공지를 게시했다. - Wir haben die Mitteilung veröffentlicht.
7296. 그들은 사진을 소셜 미디어에 게시한다. - Sie posten Bilder in den sozialen Medien.
7297. 당신들은 연구 결과를 게시할 것이다. - Ihr wollt eure Ergebnisse veröffentlichen.
7298. 이미 게시됐어? - Ist es schon veröffentlicht?
7299. 네, 게시됐어. - Ja, es ist veröffentlicht.
7300. 82. 명사 단어들 외우기, 필수 10개 동사의 단어들을 가지고 50문장 연습하기 - 82. Nomen auswendig lernen, 50 Sätze mit den 10 wichtigsten Verben üben
7301. 정보 - Informationen
7302. 기록 - aufzeichnen
7303. 데이터베이스 - Datenbank
7304. 이메일 - E-Mail
7305. 뉴스 - Nachrichten
7306. 콘텐츠 - Inhalt
7307. 화면 - Bildschirm

7308. 순간 - Moment
7309. 교통 위반 - Verkehrsverstoß
7310. 규칙 - Regel
7311. 불법 - illegal
7312. 자재 - Material
7313. 필요한 물품 - benötigtes Material
7314. 자금 - Mittel
7315. 상품 - Waren
7316. 화물 - Fracht
7317. 물건 - Sache
7318. 자금 (운용) - Mittel (Betrieb)
7319. 계획 (운용) - Planung (Betrieb)
7320. 사업 - Geschäft
7321. 집 - Haus
7322. 차 - Auto
7323. 회사 - Unternehmen
7324. 주식 - Aktie
7325. 지식 - Wissen
7326. 기술 - Technik
7327. 경험 - Erfahrung
7328. 정보 (얻다) - Informationen (erhalten)
7329. 지식 (얻다) - Wissen (erlangen)
7330. 조회하다 - nachschlagen
7331. 그녀는 정보를 조회했다. - Sie hat die Informationen nachgeschlagen.
7332. 우리는 기록을 조회한다. - Wir sehen in den Unterlagen nach.
7333. 너는 데이터베이스를 조회할 것이다. - Sie werden die Datenbank abfragen.
7334. 조회 결과는 어때? - Wie ist die Suche ausgegangen?
7335. 찾고 있던 정보가 나왔어. - Ich habe die Informationen gefunden, die ich gesucht habe.
7336. 필터링하다 - Zu filtern
7337. 나는 이메일을 필터링했다. - Ich habe die E-Mails gefiltert.
7338. 그는 뉴스를 필터링한다. - Er wird die Nachrichten filtern.
7339. 그녀는 콘텐츠를 필터링할 것이다. - Sie wird den Inhalt filtern.

7340. 필터링 효과적이야? - Ist das Filtern effektiv?
7341. 네, 매우 효과적이야. - Ja, es ist sehr effektiv.
7342. 캡처하다 - zum Erfassen
7343. 나는 화면을 캡처했다. - Ich habe den Bildschirm eingefangen.
7344. 너는 순간을 캡처한다. - Du hältst einen Moment fest.
7345. 그는 정보를 캡처할 것이다. - Er wird Informationen einfangen.
7346. 사진 잘 나왔어? - Hast du ein gutes Bild gemacht?
7347. 네, 완벽해요. - Ja, es ist perfekt.
7348. 단속하다 - hart durchgreifen
7349. 그녀는 교통 위반을 단속했다. - Sie ging hart gegen Verkehrsverstöße vor.
7350. 우리는 규칙을 단속한다. - Wir setzen die Regeln durch.
7351. 당신들은 불법을 단속할 것이다. - Sie werden gegen Illegales vorgehen.
7352. 규칙 지켰어? - Haben Sie die Regeln befolgt?
7353. 네, 항상 지켜요. - Ja, ich befolge sie immer.
7354. 조달하다 - beschaffen
7355. 그들은 자재를 조달했다. - Sie haben die Materialien beschafft.
7356. 나는 필요한 물품을 조달한다. - Ich werde die notwendigen Materialien beschaffen.
7357. 너는 자금을 조달할 것이다. - Sie werden die Mittel beschaffen.
7358. 자재 다 구했어? - Haben Sie alle Materialien besorgt?
7359. 아직 몇 개 더 필요해. - Ich brauche noch ein paar mehr.
7360. 운송하다 - zu transportieren
7361. 그녀는 상품을 운송했다. - Sie hat die Waren transportiert.
7362. 우리는 화물을 운송한다. - Wir transportieren die Ware.
7363. 당신들은 물건을 운송할 것이다. - Sie werden die Waren transportieren.
7364. 화물 도착했어? - Ist die Ladung angekommen?
7365. 네, 방금 도착했어요. - Ja, sie ist gerade angekommen.
7366. 운용하다 - zu verwalten
7367. 나는 자금을 운용했다. - Ich habe die Mittel verwaltet.
7368. 너는 계획을 운용한다. - Du wirst den Plan umsetzen.
7369. 그는 사업을 운용할 것이다. - Er wird das Geschäft leiten.

7370. 계획 잘 되가? - Wie läuft es mit dem Plan?
7371. 네, 순조로워요. - Ja, er läuft gut.
7372. 소유하다 - Zu besitzen
7373. 그들은 집을 소유했다. - Sie besaßen das Haus.
7374. 나는 차를 소유한다. - Ich besitze ein Auto.
7375. 너는 회사를 소유할 것이다. - Sie werden eine Firma besitzen.
7376. 새 차 샀어? - Haben Sie ein neues Auto gekauft?
7377. 아니요, 아직이에요. - Nein, noch nicht.
7378. 보유하다 - Zu halten
7379. 그녀는 주식을 보유했다. - Sie hat die Aktie gehalten.
7380. 우리는 지식을 보유한다. - Wir bewahren Wissen auf.
7381. 당신들은 기술을 보유할 것이다. - Sie werden Fähigkeiten haben.
7382. 주식 많이 가졌어? - Hast du viele Vorräte?
7383. 조금씩 모으고 있어요. - Ich sammle sie nach und nach.
7384. 얻다 - gewinnen
7385. 나는 경험을 얻었다. - Ich habe Erfahrungen gesammelt.
7386. 너는 정보를 얻는다. - Du bekommst Informationen.
7387. 그는 지식을 얻을 것이다. - Er wird Wissen erlangen.
7388. 정보 찾았어? - Hast du die Informationen gefunden?
7389. 네, 찾았어요. - Ja, ich habe sie gefunden.
7390. 83. 명사 단어들 외우기, 필수 10개 동사의 단어들을 가지고 50문장 연습하기 - 83. Nomen auswendig lernen, 50 Sätze mit den 10 wichtigsten Verben üben
7391. 자격증 - Zertifikat
7392. 승인 - Genehmigung
7393. 인증 - Zertifizierung
7394. 신뢰 - Vertrauen
7395. 기회 - Gelegenheit
7396. 접근 - Zugang
7397. 능력 - Fähigkeit
7398. 재능 - Talent
7399. 창의력 - Kreativität
7400. 품질 - Qualität
7401. 관심 - Interesse

7402. 성능 - Leistung
7403. 서울 - seoul
7404. 지역 - Region
7405. 국가 - land
7406. 버스 - Bus
7407. 인터넷 - Internet
7408. 서비스 - dienstleistung
7409. 채무 - finanzielle Verpflichtung
7410. 문제 - Problem
7411. 우려 - Anliegen
7412. 아이디어 - Idee
7413. 계획 - Plan
7414. 가치 - Wert
7415. 사고 - Unfall
7416. 변화 - ändern
7417. 현상 - Phänomen
7418. 회의 - Treffen
7419. 이벤트 - Ereignis
7420. 획득하다 - zu verdienen
7421. 그들은 자격증을 획득했다. - Sie haben eine Zertifizierung erworben.
7422. 나는 승인을 획득한다. - Ich werde eine Genehmigung erhalten.
7423. 너는 인증을 획득할 것이다. - Sie werden sich zertifizieren lassen.
7424. 자격증 시험 봤어? - Haben Sie die Zertifizierungsprüfung abgelegt?
7425. 네, 합격했어요. - Ja, ich habe bestanden.
7426. 상실하다 - zu verlieren
7427. 그녀는 신뢰를 상실했다. - Sie hat ihr Vertrauen verloren.
7428. 우리는 기회를 상실한다. - Wir verlieren die Gelegenheit.
7429. 당신들은 접근을 상실할 것이다. - Sie werden den Zugang verlieren.
7430. 기회 놓쳤어? - Haben Sie die Chance verloren?
7431. 아니요, 아직 있어요. - Nein, Sie haben sie noch.
7432. 발휘하다 - ausüben
7433. 나는 능력을 발휘했다. - Ich habe meine Fähigkeit ausgeübt.
7434. 너는 재능을 발휘한다. - Sie zeigen Talent.
7435. 그는 창의력을 발휘할 것이다. - Er wird seine Kreativität ausüben.

7436. 잘 할 수 있겠어? - Bist du sicher, dass du es schaffst?
7437. 네, 자신 있어요. - Ja, ich bin zuversichtlich.
7438. 저하하다 - degradieren
7439. 그들은 품질을 저하시켰다. - Sie haben die Qualität herabgesetzt.
7440. 나는 관심을 저하시킨다. - Ich degradiere das Interesse.
7441. 너는 성능을 저하시킬 것이다. - Sie werden die Leistung herabsetzen.
7442. 성능 나빠졌어? - Haben Sie die Leistung verschlechtert?
7443. 아니요, 괜찮아요. - Nein, es geht mir gut.
7444. 교통하다 - zum Verkehr
7445. 그녀는 자주 서울을 교통했다. - Sie ist oft nach Seoul gereist.
7446. 우리는 지역 간을 교통한다. - Wir reisen zwischen den Regionen.
7447. 당신들은 국가를 교통할 것이다. - Sie werden zwischen den Ländern reisen.
7448. 출퇴근 괜찮아? - Kommst du mit dem Pendeln klar?
7449. 네, 문제 없어요. - Ja, kein Problem.
7450. 이용하다 - zu benutzen
7451. 나는 버스를 이용했다. - Ich habe den Bus benutzt.
7452. 너는 인터넷을 이용한다. - Du wirst das Internet benutzen.
7453. 그는 서비스를 이용할 것이다. - Er wird den Service nutzen.
7454. 인터넷 빨라? - Ist das Internet schnell?
7455. 네, 아주 빨라요. - Ja, es ist sehr schnell.
7456. 소멸하다 - auslöschen
7457. 그들은 채무를 소멸시켰다. - Sie haben die Schulden getilgt.
7458. 나는 문제를 소멸시킨다. - Ich lösche das Problem aus.
7459. 너는 우려를 소멸시킬 것이다. - Sie werden die Sorge auslöschen.
7460. 문제 해결됐어? - Problem gelöst?
7461. 네, 다 해결됐어요. - Ja, alles ist gelöst.
7462. 생성하다 - erzeugen
7463. 그녀는 아이디어를 생성했다. - Sie hat eine Idee entwickelt.
7464. 우리는 계획을 생성한다. - Wir generieren Pläne.
7465. 당신들은 가치를 생성할 것이다. - Ihr werdet Werte schaffen.
7466. 계획 세웠어? - Sie haben einen Plan?
7467. 네, 다 준비됐어요. - Ja, es ist alles fertig.
7468. 발생하다 - Zu verursachen

7469. 나는 사고를 발생시켰다. - Ich habe einen Vorfall erzeugt.
7470. 너는 변화를 발생시킨다. - Ihr werdet eine Veränderung erzeugen.
7471. 그는 현상을 발생시킬 것이다. - Er wird ein Phänomen hervorrufen.
7472. 문제 있었어? - Hattest du ein Problem?
7473. 아니요, 괜찮아요. - Nein, es geht mir gut.
7474. 나타나다 - auftauchen
7475. 그들은 갑자기 나타났다. - Sie sind aus dem Nichts aufgetaucht.
7476. 나는 회의에 나타난다. - Ich tauche bei dem Treffen auf.
7477. 너는 이벤트에 나타날 것이다. - Sie werden bei der Veranstaltung auftauchen.
7478. 회의에 갈 거야? - Gehst du zu dem Treffen?
7479. 네, 갈게요. - Ja, ich werde hingehen.
7480. 84. 명사 단어들 외우기, 필수 10개 동사의 단어들을 가지고 50문장 연습하기 - 84. Nomen auswendig lernen, 50 Sätze mit den 10 wichtigsten Verben üben
7481. 무대 - Bühne
7482. 공원 - Park
7483. 화면 - Bildschirm
7484. 생각 - denken
7485. 계획 - planen
7486. 방향 - Richtung
7487. 의사소통 - Kommunikation
7488. 동전 - Münze
7489. 쓰레기 - Papierkorb
7490. 아이디어 - Idee
7491. 책 - Buch
7492. 우산 - Regenschirm
7493. 지도 - Karte
7494. 감정 - Gefühl
7495. 열정 - Leidenschaft
7496. 옷 - Kleidung
7497. 벽 - Wand
7498. 캔버스 - Leinwand
7499. 종이 - Papier

7500. 나무 - Baum
7501. 친구 - Freund
7502. 제안 - Vorschlag
7503. 정책 - Politik
7504. 스프 - Suppe
7505. 음료 - Getränk
7506. 소스 - Soße
7507. 사라지다 - zu verschwinden
7508. 그녀는 무대에서 사라졌다. - Sie verschwand von der Bühne.
7509. 우리는 공원에서 사라진다. - Wir verschwinden im Park.
7510. 당신들은 화면에서 사라질 것이다. - Du wirst von der Leinwand verschwinden.
7511. 걱정 끝났어? - Bist du fertig mit dem Grübeln?
7512. 네, 사라졌어요. - Ja, sie ist verschwunden.
7513. 변하다 - sich zu ändern
7514. 나는 생각이 변했다. - Ich habe meine Meinung geändert.
7515. 너는 계획을 변화시킨다. - Du änderst deine Pläne.
7516. 그는 방향을 변할 것이다. - Er wird die Richtung ändern.
7517. 의견 달라졌어? - Hast du deine Meinung geändert?
7518. 네, 바뀌었어요. - Ja, sie hat sich geändert.
7519. 의사소통하다 - Zu kommunizieren
7520. 그들은 효과적으로 의사소통했다. - Sie haben effektiv kommuniziert.
7521. 나는 명확하게 의사소통한다. - Ich kommuniziere deutlich.
7522. 너는 직접 의사소통할 것이다. - Sie werden direkt kommunizieren.
7523. 말 잘 통해? - Durch Worte?
7524. 네, 잘 통해요. - Ja, durch Worte.
7525. 줍다 - aufheben
7526. 그녀는 동전을 줍었다. - Sie hat die Münzen aufgesammelt.
7527. 우리는 쓰레기를 줍는다. - Wir heben den Müll auf.
7528. 당신들은 아이디어를 줍을 것이다. - Du wirst Ideen aufheben.
7529. 도와줄까? - Möchten Sie, dass ich Ihnen helfe?
7530. 네, 고마워요. - Ja, danke.
7531. 펴다 - aufschlagen
7532. 나는 책을 펴었다. - Ich habe das Buch geöffnet.

7533. 너는 우산을 편다. - Du öffnest den Schirm.
7534. 그는 지도를 펼 것이다. - Er wird die Karte aufklappen.
7535. 책 재밌어? - Ist das Buch interessant?
7536. 네, 흥미로워요. - Ja, es ist interessant.
7537. 넘치다 - bis zum Überlaufen
7538. 그들은 감정이 넘쳤다. - Sie sind vor Begeisterung übergelaufen.
7539. 나는 열정이 넘친다. - Ich bin voller Begeisterung.
7540. 너는 아이디어로 넘칠 것이다. - Sie werden vor Ideen überquellen.
7541. 행복해? - Sind Sie glücklich?
7542. 네, 넘쳐나요. - Ja, ich quillt über.
7543. 물들다 - zu färben
7544. 그녀는 옷을 물들였다. - Sie hat ihre Kleider gefärbt.
7545. 우리는 벽을 물들인다. - Wir färben die Wände.
7546. 당신들은 캔버스를 물들일 것이다. - Du wirst die Leinwand anmalen.
7547. 색상 결정했어? - Hast du dich für eine Farbe entschieden?
7548. 네, 정했어요. - Ja, ich habe mich entschieden.
7549. 태우다 - zu verbrennen
7550. 나는 종이를 태웠다. - Ich habe das Papier verbrannt.
7551. 너는 나무를 태운다. - Du verbrennst Holz.
7552. 그는 쓰레기를 태울 것이다. - Er wird den Müll verbrennen.
7553. 추워? - Ist es kalt?
7554. 아니, 따뜻해요. - Nein, es ist warm.
7555. 지지하다 - Unterstützen
7556. 나는 친구를 지지했다. - Ich habe meinen Freund unterstützt.
7557. 너는 제안을 지지한다. - Sie unterstützen den Vorschlag.
7558. 그는 정책을 지지할 것이다. - Er wird die Politik unterstützen.
7559. 지지 받아? - Unterstützen Sie ihn?
7560. 네, 받아. - Ja, ich habe es verstanden.
7561. 젓다 - Umrühren
7562. 그녀는 스프를 저었다. - Sie hat die Suppe umgerührt.
7563. 우리는 음료를 젓는다. - Wir rühren das Getränk.
7564. 당신들은 소스를 저을 것이다. - Ihr werdet die Soße umrühren.
7565. 잘 섞였어? - Ist sie gut gemischt?
7566. 네, 섞였어. - Ja, sie ist gemischt.

7567. 85. 명사 단어들 외우기, 필수 10개 동사의 단어들을 가지고 50문장 연습하기 - 85. Lernen Sie Substantivwörter auswendig, üben Sie 50 Sätze mit den 10 wichtigsten Verbalwörtern
7568. 물 - Wasser
7569. 팬 - Pfanne
7570. 수프 - Suppe
7571. 상자 - Schachtel
7572. 창문 - Fenster
7573. 미래 - Zukunft
7574. 아이디어 - Idee
7575. 계획 - Plan
7576. 해결책 - Lösung
7577. 스케줄 - Zeitplan
7578. 로드맵 - Fahrplan
7579. 자금 - Mittel
7580. 자리 - Platz
7581. 기회 - gelegenheit
7582. 용기 - Mut
7583. 장비 - ausstattung
7584. 자격 - Qualifizierung
7585. 실험실 - Labor
7586. 컴퓨터 - Computer
7587. 연구소 - Labor
7588. 선물 - Geschenk
7589. 정보 - Informationen
7590. 소식 - Nachrichten
7591. 메시지 - Nachricht
7592. 경고 - Warnung
7593. 차 - Auto
7594. 배 - Schiff
7595. 화물 - Fracht
7596. 트럭 - Lkw
7597. 상품 - Waren
7598. 가열하다 - erhitzen

7599. 그는 물을 가열했다. - Er hat das Wasser erhitzt.
7600. 나는 팬을 가열한다. - Ich erhitze den Topf.
7601. 너는 수프를 가열할 것이다. - Du wirst die Suppe erhitzen.
7602. 뜨거워? - Ist sie heiß?
7603. 네, 뜨거워. - Ja, sie ist heiß.
7604. 들여다보다 - Hineinschauen
7605. 그들은 상자 안을 들여다보았다. - Sie schauten in die Schachtel.
7606. 나는 창문으로 들여다본다. - Ich schaue durch das Fenster.
7607. 너는 미래를 들여다볼 것이다. - Du wirst in die Zukunft schauen.
7608. 뭐 보여? - Was sehen Sie?
7609. 네, 보여. - Ja, ich sehe.
7610. 떠올리다 - Auf die Idee kommen
7611. 그녀는 아이디어를 떠올렸다. - Sie hatte eine Idee.
7612. 우리는 계획을 떠올린다. - Wir denken uns einen Plan aus.
7613. 당신들은 해결책을 떠올릴 것이다. - Ihr werdet eine Lösung finden.
7614. 기억나? - Erinnerst du dich?
7615. 네, 나와. - Ja, ich.
7616. 짜다 - zu organisieren
7617. 나는 스케줄을 짰다. - Ich habe den Plan organisiert.
7618. 너는 계획을 짠다. - Du wirst einen Plan organisieren.
7619. 그는 로드맵을 짤 것이다. - Er wird den Fahrplan organisieren.
7620. 준비됐어? - Bist du bereit?
7621. 네, 됐어. - Ja, ich bin bereit.
7622. 마련하다 - zu organisieren
7623. 그들은 자금을 마련했다. - Sie haben die Mittel organisiert.
7624. 나는 자리를 마련한다. - Ich werde einen Sitzplatz arrangieren.
7625. 너는 기회를 마련할 것이다. - Sie werden die Gelegenheit arrangieren.
7626. 다 됐어? - Sind wir fertig?
7627. 네, 됐어. - Ja, es ist fertig.
7628. 갖추다 - ausrüsten
7629. 그녀는 용기를 갖췄다. - Sie ist mit Mut ausgestattet.
7630. 우리는 장비를 갖춘다. - Wir sind ausgerüstet.
7631. 당신들은 자격을 갖출 것이다. - Sie werden qualifiziert sein.

7632. 준비됐어? - Sind Sie bereit?
7633. 네, 됐어. - Ja, ich bin bereit.
7634. 장비하다 - ausrüsten
7635. 나는 실험실을 장비했다. - Ich habe das Labor ausgerüstet.
7636. 너는 컴퓨터를 장비한다. - Du wirst den Computer ausstatten.
7637. 그는 연구소를 장비할 것이다. - Er wird das Labor ausstatten.
7638. 필요한 거 있어? - Brauchst du etwas?
7639. 아니, 없어. - Nein, ich brauche nichts.
7640. 갖다 - zu bringen
7641. 그들은 선물을 갖다 주었다. - Sie haben Geschenke mitgebracht.
7642. 나는 정보를 갖다 준다. - Ich bringe Informationen.
7643. 너는 소식을 갖다 줄 것이다. - Du wirst die Nachrichten überbringen.
7644. 도착했어? - Seid ihr angekommen?
7645. 네, 도착했어. - Ja, wir sind angekommen.
7646. 전하다 - zu überbringen
7647. 그녀는 소식을 전했다. - Sie überbrachte die Nachricht.
7648. 우리는 메시지를 전한다. - Wir überbringen die Nachricht.
7649. 당신들은 경고를 전할 것이다. - Sie werden die Warnung überbringen.
7650. 알려줄까? - Soll ich Sie informieren?
7651. 네, 알려줘. - Ja, sagen Sie mir Bescheid.
7652. 싣다 - Zum Beladen
7653. 나는 차에 짐을 실었다. - Ich habe das Auto beladen.
7654. 너는 배에 화물을 싣는다. - Du belädst ein Schiff.
7655. 그는 트럭에 상품을 실을 것이다. - Er wird den LKW mit Waren beladen.
7656. 무거워? - Ist er schwer?
7657. 아니, 괜찮아. - Nein, es ist in Ordnung.
7658. 86. 명사 단어들 외우기, 필수 10개 동사의 단어들을 가지고 50문장 연습하기 - 86. Lernen Sie Substantivwörter auswendig, üben Sie 50 Sätze mit den 10 wichtigsten Verbwörtern
7659. 신제품 - neues Produkt
7660. 제안 - Vorschlag
7661. 보고서 - Bericht
7662. 앞줄 - vordere Reihe

7663. 중앙 - Mitte
7664. 위치 - Standort
7665. 결과 - Ergebnis
7666. 휴가 - Urlaub
7667. 성공 - erfolg
7668. 포스터 - Plakat
7669. 사진 - Bild
7670. 장식 - Dekoration
7671. 목도리 - Schalldämpfer
7672. 리본 - Schleife
7673. 배지 - Abzeichen
7674. 오해 - Missverständnis
7675. 상황 - Situation
7676. 문제 - Problem
7677. 이웃 - Nachbar
7678. 친구 - Freund
7679. 동료 - Kollege
7680. 이벤트 - Veranstaltung
7681. 프로젝트 - Projekt
7682. 캠페인 - Kampagne
7683. 제품 - Produkt
7684. 서비스 - Dienstleistung
7685. 앱 - App
7686. 선반 - Regal
7687. 문 - Tür
7688. 카메라 - Kamera
7689. 내다 - herauskommen
7690. 그들은 신제품을 내놓았다. - Sie kommen mit einem neuen Produkt auf den Markt.
7691. 나는 제안을 낸다. - Ich habe einen Vorschlag unterbreitet.
7692. 너는 보고서를 내놓을 것이다. - Sie werden einen Bericht vorlegen.
7693. 성공할까? - Wird es funktionieren?
7694. 네, 할 거야. - Ja, das wird es.
7695. 위치하다 - zu positionieren

7696. 그녀는 앞줄에 위치했다. - Sie wurde in der ersten Reihe positioniert.
7697. 우리는 중앙에 위치한다. - Wir sitzen in der Mitte.
7698. 당신들은 최적의 위치에 위치할 것이다. - Sie werden in der besten Position sein.
7699. 찾았어? - Haben Sie es gefunden?
7700. 네, 찾았어. - Ja, ich habe es gefunden.
7701. 기대다 - Erwarten
7702. 나는 결과를 기대했다. - Ich habe ein Ergebnis erwartet.
7703. 너는 휴가를 기대한다. - Du erwartest einen Urlaub.
7704. 그는 성공을 기대할 것이다. - Er wird einen Erfolg erwarten.
7705. 기뻐? - Erfreut?
7706. 네, 기뻐. - Ja, ich bin erfreut.
7707. 매달다 - Aufhängen
7708. 그들은 포스터를 매달았다. - Sie haben das Plakat aufgehängt.
7709. 나는 사진을 매달린다. - Ich hänge ein Bild auf.
7710. 너는 장식을 매달을 것이다. - Sie werden die Dekoration aufhängen.
7711. 예쁘게 됐어? - Ist es schön geworden?
7712. 네, 됐어. - Ja, es ist fertig.
7713. 매다 - Aufhängen
7714. 그녀는 목도리를 맸다. - Sie hat das Tuch aufgehängt.
7715. 우리는 리본을 맨다. - Wir werden Bänder tragen.
7716. 당신들은 배지를 맬 것이다. - Ihr werdet Abzeichen tragen.
7717. 추워? - Ist dir kalt?
7718. 아니, 괜찮아. - Nein, mir geht's gut.
7719. 해명하다 - aufklären
7720. 나는 오해를 해명했다. - Ich habe ein Missverständnis aufgeklärt.
7721. 너는 상황을 해명한다. - Du erklärst die Situation.
7722. 그는 문제를 해명할 것이다. - Er wird das Problem klären.
7723. 이해됐어? - Haben Sie das verstanden?
7724. 네, 됐어. - Ja, ich habe verstanden.
7725. 도와주다 - Zu helfen
7726. 그들은 이웃을 도와주었다. - Sie haben ihrem Nachbarn geholfen.
7727. 나는 친구를 도와준다. - Ich helfe meinem Freund.
7728. 너는 동료를 도와줄 것이다. - Du wirst deinen Kollegen helfen.

7729. 필요해? - Brauchen Sie das?
7730. 아니, 괜찮아. - Nein, danke.
7731. 홍보하다 - fördern
7732. 그녀는 이벤트를 홍보했다. - Sie hat die Veranstaltung beworben.
7733. 우리는 프로젝트를 홍보한다. - Wir werben für das Projekt.
7734. 당신들은 캠페인을 홍보할 것이다. - Ihr werdet für die Kampagne werben.
7735. 봤어? - Habt ihr das gesehen?
7736. 네, 봤어. - Ja, ich habe es gesehen.
7737. 광고하다 - werben
7738. 나는 제품을 광고했다. - Ich habe für ein Produkt geworben.
7739. 너는 서비스를 광고한다. - Du wirst für eine Dienstleistung werben.
7740. 그는 앱을 광고할 것이다. - Er wird für eine App werben.
7741. 효과 있어? - Funktioniert sie?
7742. 네, 있어. - Ja, es funktioniert.
7743. 고정하다 - Zu reparieren
7744. 그들은 선반을 고정했다. - Sie haben die Regale repariert.
7745. 나는 문을 고정한다. - Ich repariere die Tür.
7746. 너는 카메라를 고정할 것이다. - Sie werden die Kamera sichern.
7747. 단단해? - Ist sie stabil?
7748. 네, 단단해. - Ja, sie ist fest.
7749. 87. 명사 단어들 외우기, 필수 10개 동사의 단어들을 가지고 50문장 연습하기 - 87. Lernen Sie Substantivwörter auswendig, üben Sie 50 Sätze mit den Wörtern der 10 wichtigsten Verben
7750. 문 - Tür
7751. 창문 - Fenster
7752. 자전거 - Fahrrad
7753. 컴퓨터 - Computer
7754. 음료 - Getränk
7755. 시스템 - System
7756. 기계 - Maschine
7757. 부품 - Teil
7758. 장난감 - Spielzeug
7759. 종이 - Papier

7760. 플라스틱 - Kunststoff
7761. 금속 - Metall
7762. 엔진 - Motor
7763. 장치 - Gerät
7764. 상품 - Waren
7765. 편지 - Brief
7766. 상 - Auszeichnung
7767. 영화 - Film
7768. 제품 - Produkt
7769. 서비스 - Dienstleistung
7770. 집 - Haus
7771. 차 - Auto
7772. 휴대폰 - Mobiltelefon
7773. 책 - Buch
7774. 의류 - Kleidung
7775. 예술작품 - Kunstwerk
7776. 잠그다 - abschließen
7777. 그녀는 문을 잠갔다. - Sie hat die Tür abgeschlossen.
7778. 우리는 창문을 잠근다. - Wir schließen die Fenster ab.
7779. 당신들은 자전거를 잠글 것이다. - Sie werden Ihr Fahrrad abschließen.
7780. 안전해? - Ist es sicher?
7781. 네, 안전해. - Ja, es ist sicher.
7782. 냉각하다 - zu kühlen
7783. 나는 컴퓨터를 냉각했다. - Ich habe den Computer gekühlt.
7784. 너는 음료를 냉각한다. - Du wirst das Getränk kühlen.
7785. 그는 시스템을 냉각할 것이다. - Er wird das System kühlen.
7786. 충분해? - Reicht das?
7787. 네, 충분해. - Ja, es ist genug.
7788. 재조립하다 - Wieder zusammenbauen
7789. 그들은 기계를 재조립했다. - Sie haben die Maschine wieder zusammengebaut.
7790. 나는 부품을 재조립한다. - Ich baue die Teile wieder zusammen.
7791. 너는 장난감을 재조립할 것이다. - Du wirst das Spielzeug wieder zusammenbauen.

7792. 어려워? - Ist das schwer?
7793. 아니, 쉬워. - Nein, es ist leicht.
7794. 재활용하다 - wiederverwerten
7795. 그녀는 종이를 재활용했다. - Sie hat das Papier recycelt.
7796. 우리는 플라스틱을 재활용한다. - Wir recyceln Plastik.
7797. 당신들은 금속을 재활용할 것이다. - Ihr wollt Metall recyceln.
7798. 좋은 생각이야? - Ist das eine gute Idee?
7799. 네, 좋아. - Ja, das ist eine gute Idee.
7800. 구동하다 - zu fahren
7801. 나는 기계를 구동했다. - Ich habe die Maschine gefahren.
7802. 너는 시스템을 구동한다. - Du fährst das System.
7803. 그는 엔진을 구동할 것이다. - Er wird die Maschine fahren.
7804. 작동 돼? - Funktioniert sie?
7805. 네, 작동돼. - Ja, es funktioniert.
7806. 부팅하다 - hochfahren
7807. 그녀는 컴퓨터를 부팅했다. - Sie hat den Computer hochgefahren.
7808. 우리는 시스템을 부팅한다. - Wir booten das System.
7809. 당신들은 장치를 부팅할 것이다. - Ihr werdet das Gerät hochfahren.
7810. 켜졌어? - Ist es eingeschaltet?
7811. 네, 켜졌어. - Ja, es ist eingeschaltet.
7812. 수령하다 - zu empfangen
7813. 나는 상품을 수령했다. - Ich habe die Ware erhalten.
7814. 너는 편지를 수령한다. - Du wirst den Brief erhalten.
7815. 그는 상을 수령할 것이다. - Er wird den Preis abholen.
7816. 도착했어? - Bist du angekommen?
7817. 네, 도착했어. - Ja, er ist angekommen.
7818. 리뷰하다 - zur Besprechung
7819. 그들은 영화를 리뷰했다. - Sie haben den Film besprochen.
7820. 나는 제품을 리뷰한다. - Ich rezensiere ein Produkt.
7821. 너는 서비스를 리뷰할 것이다. - Sie werden eine Dienstleistung rezensieren.
7822. 좋았어? - War er gut?
7823. 네, 좋았어. - Ja, er war gut.
7824. 구매하다 - Zu kaufen

7825. 그녀는 집을 구매했다. - Sie hat ein Haus gekauft.
7826. 우리는 차를 구매한다. - Wir werden ein Auto kaufen.
7827. 당신들은 휴대폰을 구매할 것이다. - Ihr wollt ein Handy kaufen.
7828. 필요해? - Brauchst du es?
7829. 네, 필요해. - Ja, ich brauche es.
7830. 판매하다 - Zu verkaufen
7831. 나는 책을 판매했다. - Ich habe ein Buch verkauft.
7832. 너는 의류를 판매한다. - Du verkaufst Kleidung.
7833. 그는 예술작품을 판매할 것이다. - Er wird Kunstwerke verkaufen.
7834. 잘 팔려? - Verkaufen sie sich gut?
7835. 네, 잘 팔려. - Ja, es verkauft sich gut.
7836. 88. 명사 단어들 외우기, 필수 10개 동사의 단어들을 가지고 50문장 연습하기 - 88. Lernen Sie Substantivwörter auswendig, üben Sie 50 Sätze mit den 10 wichtigsten Verbwörtern
7837. 물건 - Sache
7838. 옷 - Kleidung
7839. 기기 - Gerät
7840. 티켓 - Fahrkarte
7841. 비용 - Kosten
7842. 등록금 - Schulgeld
7843. 자전거 - Fahrrad
7844. 책 - Buch
7845. 카메라 - Kamera
7846. 도서 - Bücher
7847. 장비 - Ausrüstung
7848. 노트북 - Laptop
7849. 계좌 - Konto
7850. 전화선 - Telefonanschluss
7851. 인터넷 - Internet
7852. 계정 - Konto
7853. 상점 - Geschäft
7854. 공장 - Fabrik
7855. 파일 - Datei
7856. 시계 - Uhr

7857. 시스템 - System
7858. 문제 - Problem
7859. 아이디어 - idee
7860. 방법 - methode
7861. 문서 - Dokument
7862. 규정 - Regel
7863. 자료 - Daten
7864. 사진 - Bild
7865. 보고서 - Bericht
7866. 반환하다 - zur Rückgabe
7867. 그들은 물건을 반환했다. - Sie haben die Waren zurückgegeben.
7868. 나는 옷을 반환한다. - Ich gebe die Kleidung zurück.
7869. 너는 기기를 반환할 것이다. - Sie werden das Gerät zurückgeben.
7870. 가능해? - Ist das möglich?
7871. 네, 가능해. - Ja, das ist möglich.
7872. 환불하다 - zurückgeben
7873. 그녀는 티켓을 환불받았다. - Sie hat ihr Ticket zurückerstattet bekommen.
7874. 우리는 비용을 환불받는다. - Wir bekommen unser Geld zurück.
7875. 당신들은 등록금을 환불받을 것이다. - Du bekommst dein Schulgeld zurückerstattet.
7876. 받을 수 있어? - Können Sie es bekommen?
7877. 네, 받을 수 있어. - Ja, du kannst es bekommen.
7878. 대여하다 - mieten
7879. 나는 자전거를 대여했다. - Ich habe ein Fahrrad gemietet.
7880. 너는 책을 대여한다. - Du mietest ein Buch.
7881. 그는 카메라를 대여할 것이다. - Er wird eine Kamera mieten.
7882. 빌릴까? - Soll ich sie ausleihen?
7883. 네, 빌려. - Ja, ausleihen.
7884. 반납하다 - Zurückgeben
7885. 그들은 도서를 반납했다. - Sie geben das Buch zurück.
7886. 나는 장비를 반납한다. - Ich gebe die Ausrüstung zurück.
7887. 너는 노트북을 반납할 것이다. - Sie werden den Laptop zurückgeben.
7888. 시간 됐어? - Ist es so weit?

7889. 네, 됐어. - Ja, ich bin bereit.
7890. 개통하다 - zu eröffnen
7891. 그녀는 계좌를 개통했다. - Sie hat ein Konto eröffnet.
7892. 우리는 전화선을 개통한다. - Wir werden die Telefonleitung eröffnen.
7893. 당신들은 인터넷을 개통할 것이다. - Ihr werdet das Internet eröffnen.
7894. 준비됐어? - Seid ihr bereit?
7895. 네, 준비됐어. - Ja, ich bin bereit.
7896. 폐쇄하다 - zu schließen
7897. 나는 계정을 폐쇄했다. - Ich habe mein Konto geschlossen.
7898. 너는 상점을 폐쇄한다. - Du schließt den Laden.
7899. 그는 공장을 폐쇄할 것이다. - Er wird die Fabrik schließen.
7900. 닫혔어? - Ist sie geschlossen?
7901. 네, 닫혔어. - Ja, sie ist geschlossen.
7902. 동기화하다 - zu synchronisieren
7903. 그녀는 파일을 동기화했다. - Sie hat ihre Dateien synchronisiert.
7904. 우리는 시계를 동기화한다. - Wir synchronisieren unsere Uhren.
7905. 당신들은 시스템을 동기화할 것이다. - Ihr werdet eure Systeme synchronisieren.
7906. 맞춰졌어? - Ist es synchronisiert?
7907. 네, 맞춰졌어. - Ja, es ist synchronisiert.
7908. 예시하다 - verdeutlichen
7909. 나는 문제를 예시했다. - Ich habe ein Problem veranschaulicht.
7910. 너는 아이디어를 예시한다. - Du veranschaulichst eine Idee.
7911. 그는 방법을 예시할 것이다. - Er wird eine Methode veranschaulichen.
7912. 이해됐어? - Ergibt das einen Sinn?
7913. 네, 이해됐어. - Ja, ich verstehe.
7914. 참조하다 - verweisen auf
7915. 그들은 문서를 참조했다. - Sie verweisen auf das Dokument.
7916. 나는 규정을 참조한다. - Ich verweise auf die Verordnung.
7917. 너는 자료를 참조할 것이다. - Sie werden sich auf die Materialien beziehen.
7918. 봤어? - Haben Sie das gesehen?
7919. 네, 봤어. - Ja, ich habe es gesehen.
7920. 첨부하다 - anhängen

7921. 그녀는 사진을 첨부했다. - Sie hat ein Foto beigefügt.
7922. 우리는 파일을 첨부한다. - Wir hängen die Datei an.
7923. 당신들은 보고서를 첨부할 것이다. - Sie werden den Bericht anhängen.
7924. 붙였어? - Haben Sie ihn angehängt?
7925. 네, 붙였어. - Ja, ich habe ihn beigefügt.
7926. 89. 명사 단어들 외우기, 필수 10개 동사의 단어들을 가지고 50문장 연습하기 - 89. Nomen auswendig lernen, 50 Sätze mit den 10 wichtigsten Verben üben
7927. 소프트웨어 - Software
7928. 기능 - Funktion
7929. 제품 - Produkt
7930. 코드 - Code
7931. 시스템 - System
7932. 애플리케이션 - Anwendung
7933. 은행 - Bank
7934. 자금 - Mittel
7935. 주택 대출 - Hauskredit
7936. 빚 - Schulden
7937. 대출 - Darlehen
7938. 융자 - Darlehen
7939. 돈 - Geld
7940. 금액 - Betrag
7941. 재산 - Eigentum
7942. 주식 - Aktie
7943. 사업 - Geschäft
7944. 부동산 - Liegenschaft
7945. 친구 - Freund
7946. 가족 - Familie
7947. 회사 - Firma
7948. 계좌 - konto
7949. 자동화기기 - Automatisierungstechnik
7950. 급여 - Gehalt
7951. 테스트하다 - zum Test

7952. 나는 소프트웨어를 테스트했다. - Ich habe die Software getestet.
7953. 너는 기능을 테스트한다. - Sie testen die Funktionalität.
7954. 그는 제품을 테스트할 것이다. - Er wird das Produkt testen.
7955. 잘 돼? - Läuft es gut?
7956. 네, 잘 돼. - Ja, es läuft gut.
7957. 디버그(오류수정)하다 - zu debuggen (Fehler zu beheben)
7958. 그들은 코드를 디버그했다. - Sie debuggen den Code.
7959. 나는 시스템을 디버그한다. - Ich debugge das System.
7960. 너는 애플리케이션을 디버그할 것이다. - Sie würden die Anwendung debuggen.
7961. 고쳤어? - Haben Sie es repariert?
7962. 네, 고쳤어. - Ja, ich habe es repariert.
7963. 대출하다 - leihen
7964. 그녀는 은행에서 대출받았다. - Sie hat einen Kredit bei der Bank aufgenommen.
7965. 우리는 자금을 대출받는다. - Wir leihen uns Geld.
7966. 당신들은 주택 대출을 받을 것이다. - Ihr nehmt einen Kredit für ein Haus auf.
7967. 필요해? - Brauchst du ihn?
7968. 네, 필요해. - Ja, ich brauche es.
7969. 상환하다 - zurückzahlen
7970. 나는 빚을 상환했다. - Ich habe die Schulden zurückgezahlt.
7971. 너는 대출을 상환한다. - Du wirst den Kredit zurückzahlen.
7972. 그는 융자를 상환할 것이다. - Er wird den Kredit zurückzahlen.
7973. 끝났어? - Ist es erledigt?
7974. 네, 끝났어. - Ja, es ist erledigt.
7975. 저축하다 - Zu sparen
7976. 그들은 돈을 저축했다. - Sie haben das Geld gespart.
7977. 나는 금액을 저축한다. - Ich spare eine Menge Geld.
7978. 너는 재산을 저축할 것이다. - Sie werden ein Vermögen sparen.
7979. 모았어? - Hast du gespart?
7980. 네, 모았어. - Ja, ich habe es gespart.
7981. 투자하다 - zu investieren
7982. 그녀는 주식에 투자했다. - Sie hat in Aktien investiert.

7983. 우리는 사업에 투자한다. - Wir investieren in ein Unternehmen.
7984. 당신들은 부동산에 투자할 것이다. - Sie werden in Immobilien investieren.
7985. 이득 봤어? - Haben Sie einen Gewinn gemacht?
7986. 네, 이득 봤어. - Ja, ich habe einen Gewinn gemacht.
7987. 송금하다 - Geld überweisen
7988. 나는 친구에게 송금했다. - Ich habe Geld an einen Freund geschickt.
7989. 너는 가족에게 송금한다. - Sie werden Geld an Ihre Familie schicken.
7990. 그는 회사에 송금할 것이다. - Er wird Geld an die Firma schicken.
7991. 받았어? - Haben Sie es erhalten?
7992. 네, 받았어. - Ja, ich habe es erhalten.
7993. 예치하다 - Einzahlen
7994. 그들은 돈을 예치했다. - Sie haben das Geld eingezahlt.
7995. 나는 계좌에 예치한다. - Ich zahle es auf das Konto ein.
7996. 너는 자금을 예치할 것이다. - Sie werden das Geld einzahlen.
7997. 넣었어? - Haben Sie es eingezahlt?
7998. 네, 넣었어. - Ja, ich habe es eingezahlt.
7999. 인출하다 - abheben
8000. 그녀는 은행에서 인출했다. - Sie hat eine Abhebung bei der Bank vorgenommen.
8001. 우리는 자동화기기에서 인출한다. - Wir heben von dem Automaten ab.
8002. 당신들은 계좌에서 인출할 것이다. - Sie werden von Ihrem Konto abheben.
8003. 뺐어? - Haben Sie es abgehoben?
8004. 네, 뺐어. - Ja, ich habe abgehoben.
8005. 이체하다 - überweisen
8006. 나는 계좌로 이체했다. - Ich habe auf das Konto überwiesen.
8007. 너는 돈을 이체한다. - Sie überweisen Geld.
8008. 그는 급여를 이체할 것이다. - Er wird sein Gehalt überweisen.
8009. 보냈어? - Hast du es geschickt?
8010. 네, 보냈어. - Ja, ich habe es geschickt.
8011. 90. 명사 단어들 외우기, 필수 10개 동사의 단어들을 가지고 50문장 연습하기 - 90. Lernen Sie Substantivwörter auswendig, üben Sie 50 Sätze

mit Wörtern aus den 10 wichtigsten Verben
8012. 신용카드 - Die Kreditkarte
8013. 현금 - Bargeld
8014. 모바일 - Handy
8015. 주식 - Aktie
8016. 물건 - Sache
8017. 부동산 - Immobilien
8018. 팀 - team
8019. 회사 - unternehmen
8020. 학급 - klasse
8021. 시장 - Markt
8022. 결정 - entscheidung
8023. 결과 - Ergebnis
8024. 날씨 - Wetter
8025. 소식 - Nachrichten
8026. 경제 - Wirtschaft
8027. 목록 - Liste
8028. 예외 - Ausnahme
8029. 조항 - Artikel
8030. 요청 - Anfrage
8031. 접근 - Zugang
8032. 변경 - ändern
8033. 토론 - Debatte
8034. 생각 - Gedanken
8035. 결론 - Schlussfolgerung
8036. 웃음 - lachen
8037. 호기심 - Neugierde
8038. 혼란 - Verwirrung
8039. 투자 - investieren
8040. 관광객 - Tourist
8041. 회원 - Mitglied
8042. 결제하다 - Bezahlen
8043. 그들은 신용카드로 결제했다. - Sie haben mit Kreditkarte bezahlt.
8044. 나는 현금으로 결제한다. - Ich bezahle mit Bargeld.

8045. 너는 모바일로 결제할 것이다. - Sie werden mit Ihrem Handy bezahlen.
8046. 됐어? - Geht das?
8047. 네, 됐어. - Ja, ich bin einverstanden.
8048. 거래하다 - Zum Handeln
8049. 그는 주식을 거래했다. - Er hat mit Aktien gehandelt.
8050. 우리는 물건을 거래한다. - Wir handeln mit Dingen.
8051. 당신들은 부동산을 거래할 것이다. - Ihr Jungs werdet mit Immobilien handeln.
8052. 필요한 거 있어? - Brauchst du etwas?
8053. 아니, 괜찮아. - Nein, ich brauche nichts.
8054. 대표하다 - Zu vertreten
8055. 그녀는 팀을 대표했다. - Sie repräsentiert das Team.
8056. 나는 회사를 대표한다. - Ich vertrete die Firma.
8057. 너는 학급을 대표할 것이다. - Du wirst die Klasse vertreten.
8058. 준비됐어? - Bist du bereit?
8059. 네, 준비됐어. - Ja, ich bin bereit.
8060. 영향을 주다 - Beeinflussen
8061. 그들은 시장에 영향을 주었다. - Sie haben den Markt beeinflusst.
8062. 나는 결정에 영향을 준다. - Ich beeinflusse die Entscheidung.
8063. 너는 결과에 영향을 줄 것이다. - Sie werden das Ergebnis beeinflussen.
8064. 변화됐어? - Haben Sie sich verändert?
8065. 네, 변화됐어. - Ja, es hat sich geändert.
8066. 영향을 받다 - beeinflusst werden von
8067. 나는 날씨에 영향을 받았다. - Ich wurde durch das Wetter beeinflusst.
8068. 너는 소식에 영향을 받는다. - Du bist von den Nachrichten betroffen.
8069. 그는 경제에 영향을 받을 것이다. - Er wird von der Wirtschaft betroffen sein.
8070. 괜찮아? - Geht es Ihnen gut?
8071. 네, 괜찮아. - Ja, mir geht es gut.
8072. 제외하다 - ausschließen
8073. 그녀는 목록에서 제외됐다. - Sie wurde von der Liste ausgeschlossen.

8074. 우리는 예외를 제외한다. - Wir schließen die Ausnahme aus.
8075. 당신들은 조항을 제외할 것이다. - Sie werden die Klausel ausschließen.
8076. 빠진 거 있어? - Habe ich etwas übersehen?
8077. 아니, 없어. - Nein, nichts.
8078. 허용하다 - Erlauben
8079. 그는 요청을 허용했다. - Er hat den Antrag genehmigt.
8080. 나는 접근을 허용한다. - Ich werde den Zugang erlauben.
8081. 너는 변경을 허용할 것이다. - Du wirst die Änderung erlauben.
8082. 가능해? - Können Sie das?
8083. 네, 가능해. - Ja, es ist möglich.
8084. 유도하다 - hervorrufen
8085. 그들은 토론을 유도했다. - Sie haben eine Diskussion ausgelöst.
8086. 나는 생각을 유도한다. - Ich provoziere einen Gedanken.
8087. 너는 결론을 유도할 것이다. - Sie werden eine Schlussfolgerung hervorrufen.
8088. 알겠어? - Haben Sie das verstanden?
8089. 네, 알겠어. - Ja, ich habe verstanden.
8090. 유발하다 - zu veranlassen
8091. 그녀는 웃음을 유발했다. - Sie provozierte Lachen.
8092. 우리는 호기심을 유발한다. - Wir provozieren Neugierde.
8093. 당신들은 혼란을 유발할 것이다. - Ihr werdet Verwirrung stiften.
8094. 웃겼어? - War es lustig?
8095. 네, 웃겼어. - Ja, es war lustig.
8096. 유치하다 - anziehen
8097. 나는 투자를 유치했다. - Ich habe Investitionen angezogen.
8098. 너는 관광객을 유치한다. - Du ziehst Touristen an.
8099. 그는 회원을 유치할 것이다. - Er wird Mitglieder anziehen.
8100. 성공했어? - Warst du erfolgreich?
8101. 네, 성공했어. - Ja, es ist mir gelungen.
8102. 91. 명사 단어들 외우기, 필수 10개 동사의 단어들을 가지고 50문장 연습하기 - 91. Nomen auswendig lernen, 50 Sätze mit den 10 wichtigsten Verben üben
8103. 프로젝트 - Projekt

8104. 팀 - Mannschaft
8105. 운동 - ausarbeiten
8106. 결혼 생활 - Eheleben
8107. 과거 - Vergangenheit
8108. 문제 - problem
8109. 방문객 - Besucher
8110. 길 - Straße
8111. 미래 - Zukunft
8112. 땅 - Erde
8113. 계획 - plan
8114. 성공 - erfolg
8115. 관심 - Interesse
8116. 변화 - ändern
8117. 학교 - schule
8118. 대학 - Hochschule
8119. 고등학교 - Highschool
8120. 경험 - Erfahrung
8121. 지식 - Wissen
8122. 환경 - Umwelt
8123. 사회 - Gesellschaft
8124. 줄 - Leitung
8125. 기회 - gelegenheit
8126. 사과 - entschuldigung
8127. 피자 - pizza
8128. 과자 - snack
8129. 이끌다 - zu führen
8130. 그들은 프로젝트를 이끌었다. - Sie haben das Projekt geleitet.
8131. 나는 팀을 이끈다. - Ich leite das Team.
8132. 너는 운동을 이끌 것이다. - Du wirst ein Training leiten.
8133. 준비됐니? - Sind Sie bereit?
8134. 네, 준비됐어. - Ja, ich bin bereit.
8135. 이혼하다 - Zu scheiden
8136. 그녀는 결혼 생활을 이혼했다. - Sie hat sich von ihrer Ehe scheiden lassen.

8137. 나는 과거를 이혼한다. - Ich lasse mich von der Vergangenheit scheiden.
8138. 너는 문제에서 이혼할 것이다. - Du wirst dich von dem Problem scheiden lassen.
8139. 괜찮니? - Geht es dir gut?
8140. 네, 괜찮아. - Ja, es geht mir gut.
8141. 인도하다 - zu führen
8142. 그는 방문객을 인도했다. - Er hat den Besucher geführt.
8143. 우리는 새로운 길을 인도한다. - Wir führen den Weg zu einem neuen Pfad.
8144. 당신들은 미래로 인도할 것이다. - Du wirst den Weg in die Zukunft führen.
8145. 맞는 길이야? - Ist das der richtige Weg?
8146. 네, 맞아. - Ja, das ist er.
8147. 일구다 - Zu arbeiten
8148. 그들은 땅을 일궜다. - Sie bearbeiteten das Land.
8149. 나는 계획을 일군다. - Ich baue einen Plan.
8150. 너는 성공을 일굴 것이다. - Du wirst den Erfolg erarbeiten.
8151. 진행됐어? - Hat es geklappt?
8152. 네, 진행됐어. - Ja, es ist passiert.
8153. 일으키다 - verursachen
8154. 그녀는 관심을 일으켰다. - Sie verursachte Interesse.
8155. 우리는 문제를 일으킨다. - Wir verursachen Probleme.
8156. 당신들은 변화를 일으킬 것이다. - Du wirst Veränderungen verursachen.
8157. 뭐야 그거? - Und was ist das?
8158. 중요한 거야. - Das ist sehr wichtig.
8159. 입학하다 - eintreten
8160. 나는 학교에 입학했다. - Ich wurde in die Schule aufgenommen.
8161. 너는 대학에 입학한다. - Du gehst aufs College.
8162. 그는 고등학교에 입학할 것이다. - Er wird in die High School eintreten.
8163. 준비됐어? - Bist du bereit?
8164. 네, 준비됐어. - Ja, ich bin bereit.

8165. 자라다 - Aufwachsen
8166. 그들은 함께 자랐다. - Sie sind zusammen erwachsen geworden.
8167. 나는 경험으로 자란다. - Ich werde mit der Erfahrung erwachsen.
8168. 너는 지식으로 자랄 것이다. - Du wirst an Wissen wachsen.
8169. 컸니? - Bist du erwachsen geworden?
8170. 네, 컸어. - Ja, ich bin erwachsen geworden.
8171. 작용하다 - handeln
8172. 그녀는 팀에 작용했다. - Sie hat auf das Team eingewirkt.
8173. 우리는 환경에 작용한다. - Wir wirken auf die Umwelt ein.
8174. 당신들은 사회에 작용할 것이다. - Du wirst auf die Gesellschaft einwirken.
8175. 느꼈어? - Hast du es gespürt?
8176. 네, 느꼈어. - Ja, ich habe es gespürt.
8177. 잡아당기다 - zupfen
8178. 나는 줄을 잡아당겼다. - Ich habe an der Schnur gezogen.
8179. 너는 관심을 잡아당긴다. - Du zerrst an der Aufmerksamkeit.
8180. 그는 기회를 잡아당길 것이다. - Er wird an der Gelegenheit zerren.
8181. 성공했니? - Hatten Sie Erfolg?
8182. 네, 성공했어. - Ja, es ist mir gelungen.
8183. 잡아먹다 - zu essen
8184. 나는 사과를 잡아먹었다. - Ich habe einen Apfel gegessen.
8185. 너는 피자를 잡아먹는다. - Du wirst die Pizza essen.
8186. 그는 과자를 잡아먹을 것이다. - Er wird Süßigkeiten naschen.
8187. 배고파? - Bist du hungrig?
8188. 네, 배고파. - Ja, ich bin hungrig.
8189. 92. 명사 단어들 외우기, 필수 10개 동사의 단어들을 가지고 50문장 연습하기 - 92. Lernen Sie Substantivwörter auswendig, üben Sie 50 Sätze mit den 10 wichtigsten Verbwörtern
8190. 공 - Ball
8191. 기회 - Gelegenheit
8192. 순간 - Augenblick
8193. 상황 - Situation
8194. 시장 - Markt
8195. 분위기 - Atmosphäre

8196. 카메라 - Kamera
8197. 배터리 - Batterie
8198. 부품 - Teil
8199. 논쟁 - streit
8200. 소음 - Lärm
8201. 갈등 - Konflikt
8202. 권리 - rechts
8203. 위치 - Standort
8204. 우승 - Meisterschaft
8205. 집 - Haus
8206. 차 - Auto
8207. 자산 - Vermögen
8208. 손 - Hand
8209. 발 - Fuß
8210. 어깨 - Schulter
8211. 약속 - Versprechen
8212. 계획 - Plan
8213. 기계 - Maschine
8214. 데이터 - Daten
8215. 시스템 - system
8216. 도시 - Stadt
8217. 영역 - Gebiet
8218. 지역 - Region
8219. 잡아채다 - auffangen
8220. 그는 공을 잡아챘다. - Er hat den Ball gefangen.
8221. 그녀는 기회를 잡아챈다. - Sie hat die Gelegenheit ergriffen.
8222. 우리는 순간을 잡아챌 것이다. - Wir werden die Gelegenheit ergreifen.
8223. 봤어? - Hast du das gesehen?
8224. 아니, 못 봤어. - Nein, ich habe es nicht gesehen.
8225. 장악하다 - die Kontrolle zu übernehmen
8226. 그녀는 상황을 장악했다. - Sie hat die Kontrolle über die Situation übernommen.
8227. 우리는 시장을 장악한다. - Wir kontrollieren den Markt.

8228. 당신들은 분위기를 장악할 것이다. - Sie werden die Atmosphäre kontrollieren.
8229. 준비됐어? - Sind Sie bereit?
8230. 네, 준비됐어. - Ja, ich bin bereit.
8231. 장착하다 - zu montieren
8232. 나는 카메라를 장착했다. - Ich habe die Kamera montiert.
8233. 너는 배터리를 장착한다. - Du wirst die Batterie montieren.
8234. 그는 부품을 장착할 것이다. - Er wird die Teile montieren.
8235. 맞아? - Ist das richtig?
8236. 네, 맞아. - Ja, das ist richtig.
8237. 잦아들다 - aufhören zu streiten
8238. 그는 논쟁이 잦아들었다. - Er hat aufgehört, sich zu streiten.
8239. 그녀는 소음이 잦아든다. - Sie wird aufhören, Lärm zu machen.
8240. 우리는 갈등이 잦아들 것이다. - Wir werden weniger Konflikte haben.
8241. 끝났어? - Ist es vorbei?
8242. 아니, 안 끝났어. - Nein, es ist nicht vorbei.
8243. 쟁기다 - zu pflügen
8244. 그녀는 권리를 쟁겼다. - Sie pflügt für die Rechte.
8245. 우리는 위치를 쟁긴다. - Wir werden für die Position pflügen.
8246. 당신들은 우승을 쟁길 것이다. - Ihr werdet für den Sieg pflügen.
8247. 이겼어? - Hast du gewonnen?
8248. 네, 이겼어. - Ja, ich habe gewonnen.
8249. 저당잡히다 - Um verpfändet zu werden
8250. 나는 집이 저당잡혔다. - Ich habe eine Hypothek auf mein Haus aufgenommen.
8251. 너는 차가 저당잡힌다. - Du wirst dein Auto verpfänden.
8252. 그는 자산이 저당잡힐 것이다. - Er wird eine Hypothek auf sein Vermögen aufnehmen.
8253. 괜찮아? - Geht es dir gut?
8254. 아니, 안 괜찮아. - Nein, mir geht's nicht gut.
8255. 저리다 - Ich habe ein Kribbeln.
8256. 나는 손이 저렸다. - Ich habe taube Hände.
8257. 너는 발이 저린다. - Du hast kribbelnde Füße.
8258. 그는 어깨가 저릴 것이다. - Er wird ein Kribbeln in seiner Schulter

haben.
8259. 아파? - Tut das weh?
8260. 네, 아파. - Ja, es tut weh.
8261. 저버리다 - Verzichten
8262. 그녀는 약속을 저버렸다. - Sie hat ihr Versprechen gebrochen.
8263. 우리는 계획을 저버린다. - Wir geben unsere Pläne auf.
8264. 당신들은 기회를 저버릴 것이다. - Du wirst eine Gelegenheit verpassen.
8265. 실망했어? - Bist du enttäuscht?
8266. 네, 실망했어. - Ja, ich bin enttäuscht.
8267. 점검하다 - zu prüfen
8268. 그는 기계를 점검했다. - Er hat die Maschine überprüft.
8269. 그녀는 데이터를 점검한다. - Sie prüft die Daten.
8270. 우리는 시스템을 점검할 것이다. - Wir werden das System überprüfen.
8271. 문제 있어? - Gibt es ein Problem?
8272. 아니, 문제 없어. - Nein, es gibt kein Problem.
8273. 점령하다 - Zu besetzen
8274. 그들은 도시를 점령했다. - Sie haben die Stadt eingenommen.
8275. 당신들은 영역을 점령한다. - Sie nehmen das Gebiet ein.
8276. 그는 지역을 점령할 것이다. - Er wird das Gebiet einnehmen.
8277. 성공했어? - Warst du erfolgreich?
8278. 네, 성공했어. - Ja, wir waren erfolgreich.
8279. 93. 명사 단어들 외우기, 필수 10개 동사의 단어들을 가지고 50문장 연습하기 - 93. Lernen Sie Substantivwörter auswendig, üben Sie 50 Sätze mit den geforderten 10 Verbwörtern
8280. 목표 - Ziel
8281. 위치 - Ort
8282. 대상 - Ziel
8283. 신청서 - Anwendung
8284. 문의 - Anfrage
8285. 요청 - Anfrage
8286. 고객 - Kunde
8287. 팀 - Mannschaft

8288. 파트너 - Partner
8289. 산 - Berg
8290. 과제 - auftrag
8291. 도전 - herausforderung
8292. 시스템 - System
8293. 상황 - Situation
8294. 관계 - beziehung
8295. 도시 - Stadt
8296. 직장 - rektal
8297. 커뮤니티 - Gemeinde
8298. 계획 - Plan
8299. 날짜 - Datum
8300. 의문 - Frage
8301. 이슈 - Thema
8302. 문제 - Problem
8303. 차 - Auto
8304. 속도 - Geschwindigkeit
8305. 진행 - Fortschritt
8306. 반대 - das Gegenüber
8307. 상대 - Gegner
8308. 점찍다 - zu zeigen
8309. 그녀는 목표를 점찍었다. - Sie zeigte auf das Tor.
8310. 우리는 위치를 점찍는다. - Wir werden auf den Ort zeigen.
8311. 당신들은 대상을 점찍을 것이다. - Du wirst auf das Ziel zeigen.
8312. 확실해? - Seid ihr sicher?
8313. 네, 확실해. - Ja, ich bin sicher.
8314. 접수하다 - zu erhalten
8315. 나는 신청서를 접수했다. - Ich habe die Anfrage erhalten.
8316. 너는 문의를 접수한다. - Du wirst eine Anfrage erhalten.
8317. 그는 요청을 접수할 것이다. - Er wird die Anfrage erhalten.
8318. 받았어? - Haben Sie sie erhalten?
8319. 네, 받았어. - Ja, ich habe sie erhalten.
8320. 접촉하다 - Kontakt aufnehmen
8321. 그는 고객과 접촉했다. - Er hat mit dem Kunden Kontakt

aufgenommen.
8322. 그녀는 팀과 접촉한다. - Sie wird das Team kontaktieren.
8323. 우리는 파트너와 접촉할 것이다. - Wir werden den Partner kontaktieren.
8324. 준비됐어? - Sind Sie bereit?
8325. 네, 준비됐어. - Ja, ich bin bereit.
8326. 정복하다 - zu bezwingen
8327. 그들은 산을 정복했다. - Sie haben den Berg bezwungen.
8328. 당신들은 과제를 정복한다. - Sie bezwingen die Aufgabe.
8329. 그는 도전을 정복할 것이다. - Er wird die Herausforderung bezwingen.
8330. 가능해? - Können Sie es schaffen?
8331. 네, 가능해. - Ja, es ist möglich.
8332. 정상화하다 - zu normalisieren
8333. 나는 시스템을 정상화했다. - Ich habe das System normalisiert.
8334. 너는 상황을 정상화한다. - Du normalisierst die Situation.
8335. 그는 관계를 정상화할 것이다. - Er wird die Beziehung normalisieren.
8336. 해결됐어? - Hat es geklappt?
8337. 네, 해결됐어. - Ja, es ist geklärt.
8338. 정착하다 - sich niederlassen
8339. 그녀는 새 도시에 정착했다. - Sie hat sich in einer neuen Stadt niedergelassen.
8340. 우리는 직장에 정착한다. - Wir haben uns in unseren Jobs eingelebt.
8341. 당신들은 커뮤니티에 정착할 것이다. - Sie werden sich in der Gemeinschaft einleben.
8342. 편해? - Fühlen Sie sich wohl?
8343. 네, 편해. - Ja, ich fühle mich wohl.
8344. 정하다 - sich niederlassen
8345. 나는 목표를 정했다. - Ich setze mir ein Ziel.
8346. 너는 계획을 정한다. - Du setzt dir einen Plan.
8347. 그는 날짜를 정할 것이다. - Er wird ein Datum festlegen.
8348. 결정했어? - Haben Sie sich entschieden?
8349. 네, 결정했어. - Ja, ich habe mich entschieden.
8350. 제기하다 - eine Frage zu stellen

8351. 그는 의문을 제기했다. - Er hat die Frage aufgeworfen.
8352. 그녀는 이슈를 제기한다. - Sie wirft eine Frage auf.
8353. 우리는 문제를 제기할 것이다. - Wir werden die Frage aufwerfen.
8354. 맞아? - Ist das richtig?
8355. 네, 맞아. - Ja, das ist richtig.
8356. 제동하다 - zu bremsen
8357. 나는 차를 제동했다. - Ich habe das Auto gebremst.
8358. 너는 속도를 제동한다. - Du bremst die Geschwindigkeit.
8359. 그는 진행을 제동할 것이다. - Er wird seinen Fortschritt bremsen.
8360. 멈췄어? - Hast du angehalten?
8361. 네, 멈췄어. - Ja, ich habe angehalten.
8362. 제압하다 - zähmen
8363. 그들은 반대를 제압했다. - Sie haben die Opposition unterworfen.
8364. 당신들은 문제를 제압한다. - Sie bezwingen das Problem.
8365. 그는 상대를 제압할 것이다. - Er wird seinen Gegner bezwingen.
8366. 이겼어? - Haben Sie gewonnen?
8367. 네, 이겼어. - Ja, ich habe gewonnen.
8368. 94. 명사 단어들 외우기, 필수 10개 동사의 단어들을 가지고 50문장 연습하기 - 94. Lernen Sie die Substantivwörter auswendig, üben Sie 50 Sätze mit den 10 wichtigsten Verbwörtern
8369. 건너갈 때 - Beim Kreuzen
8370. 사용할 때 - Wann benutzen
8371. 말할 때 - Beim Sprechen
8372. 압박 - Druck
8373. 긴장 - nervös
8374. 시간 - Stunde
8375. 연구 - Forschung
8376. 교육 - Bildung
8377. 상담 - Beratung
8378. 실패 - scheitern
8379. 장애 - Hindernis
8380. 거부 - Ablehnung
8381. 프로젝트 - Projekt
8382. 회의 - Besprechung

8383. 혁신 - Neuerung
8384. 음식 - Lebensmittel
8385. 상품 - Waren
8386. 서비스 - Dienstleistung
8387. 피곤 - müde
8388. 슬픔 - Traurigkeit
8389. 부담 - Bürde
8390. 문 - Tür
8391. 창문 - Fenster
8392. 뚜껑 - Deckel
8393. 체중 - Gewicht
8394. 관심 - Interesse
8395. 거리 - Entfernung
8396. 소음 - Lärm
8397. 비용 - Kosten
8398. 조심하다 - vorsichtig sein
8399. 나는 건너갈 때 조심했다. - Ich war vorsichtig, als ich die Straße überquerte.
8400. 너는 사용할 때 조심한다. - Du bist vorsichtig, wenn du es benutzt.
8401. 그는 말할 때 조심할 것이다. - Er wird vorsichtig sein, wenn er spricht.
8402. 괜찮아? - Geht es dir gut?
8403. 네, 괜찮아. - Ja, es geht mir gut.
8404. 조여오다 - anspannen
8405. 그는 압박이 조여왔다. - Er spürte, wie sich der Druck verstärkte.
8406. 그녀는 긴장이 조여온다. - Sie spürt, wie die Spannung zunimmt.
8407. 우리는 시간이 조여올 것이다. - Wir werden unter Zeitdruck stehen.
8408. 버틸 수 있어? - Können Sie durchhalten?
8409. 네, 버텨. - Ja, halten Sie durch.
8410. 종사하다 - beschäftigt sein mit
8411. 나는 연구에 종사했다. - Ich war mit der Forschung beschäftigt.
8412. 너는 교육에 종사한다. - Sie sind mit dem Unterrichten beschäftigt.
8413. 그는 상담에 종사할 것이다. - Er wird in der Beratung tätig sein.
8414. 좋아해? - Gefällt dir das?

8415. 네, 좋아해. - Ja, es gefällt mir.
8416. 좌절하다 - Frustriert sein
8417. 그녀는 실패에 좌절했다. - Sie war frustriert über ihr Versagen.
8418. 우리는 장애에 좌절한다. - Wir sind frustriert wegen der Hindernisse.
8419. 당신들은 거부에 좌절할 것이다. - Sie werden durch die Ablehnung frustriert sein.
8420. 힘들어? - Ist es schwer?
8421. 네, 힘들어. - Ja, es ist schwer.
8422. 주도하다 - Führen
8423. 나는 프로젝트를 주도했다. - Ich habe das Projekt geleitet.
8424. 너는 회의를 주도한다. - Sie leiten Meetings.
8425. 그는 혁신을 주도할 것이다. - Er wird die Innovation leiten.
8426. 준비됐어? - Sind Sie bereit?
8427. 네, 준비됐어. - Ja, ich bin bereit.
8428. 주문하다 - Zu bestellen
8429. 그녀는 음식을 주문했다. - Sie hat Essen bestellt.
8430. 우리는 상품을 주문한다. - Wir bestellen Waren.
8431. 당신들은 서비스를 주문할 것이다. - Sie werden eine Dienstleistung bestellen.
8432. 뭐 주문할까? - Was sollen wir bestellen?
8433. 피자 좋아. - Ich mag Pizza.
8434. 주저앉다 - zusammensacken
8435. 나는 피곤에 주저앉았다. - Ich bin müde.
8436. 너는 슬픔에 주저앉는다. - Du bist von Traurigkeit überwältigt.
8437. 그는 부담에 주저앉을 것이다. - Er wird unter Druck zusammenbrechen.
8438. 힘들어? - Sind Sie müde?
8439. 네, 많이. - Ja, sehr.
8440. 죄다 - Sehr müde.
8441. 그는 문을 죄었다. - Er verriegelt die Tür.
8442. 그녀는 창문을 죈다. - Sie wird das Fenster zudrücken.
8443. 우리는 뚜껑을 죌 것이다. - Wir schrauben den Deckel zu.
8444. 닫혔어? - Ist sie zu?
8445. 네, 닫혔어. - Ja, sie ist zu.

8446. 줄다 - Abnehmen
8447. 나는 체중이 줄었다. - Ich habe abgenommen.
8448. 너는 관심이 줄었다. - Du hast das Interesse verloren.
8449. 그는 거리가 줄 것이다. - Er wird weniger Abstand haben.
8450. 작아졌어? - Bist du kleiner geworden?
8451. 네, 조금. - Ja, ein bisschen.
8452. 줄이다 - zu reduzieren
8453. 그녀는 소음을 줄였다. - Sie hat den Lärm reduziert.
8454. 우리는 비용을 줄인다. - Wir reduzieren unsere Ausgaben.
8455. 당신들은 시간을 줄일 것이다. - Du wirst die Zeit reduzieren.
8456. 줄일까? - Reduzieren?
8457. 좋은 생각이야. - Das ist eine gute Idee.
8458. 95. 명사 단어들 외우기, 필수 10개 동사의 단어들을 가지고 50문장 연습하기 - 95. Nomen auswendig lernen, 50 Sätze mit den 10 wichtigsten Verben üben
8459. 결정 - Entscheidung
8460. 일 - Tag
8461. 관계 - Beziehung
8462. 약속 - Versprechen
8463. 행동 - Handlung
8464. 문제 - Problem
8465. 상황 - Situation
8466. 건강 - Gesundheit
8467. 방 - Zimmer
8468. 책상 - Tabelle
8469. 자료 - Daten
8470. 반복 - wiederholen
8471. 음식 - Essen
8472. 기다림 - warten
8473. 목표 - Ziel
8474. 꿈 - Traum
8475. 성공 - Erfolg
8476. 좋고 나쁨 - gut und schlecht
8477. 진실과 거짓 - Wahrheit und Lüge

8478. 중요한 것 - viel
8479. 우연히 - zufällig
8480. 친구 - Freund
8481. 기회 - Gelegenheit
8482. 도전 - Herausforderung
8483. 위험 - Gefahr
8484. 변화 - ändern
8485. 적 - Feind
8486. 중요하다 - Wichtig
8487. 그는 결정이 중요했다. - Seine Entscheidung war wichtig.
8488. 그녀는 일이 중요하다. - Ihre Arbeit ist wichtig.
8489. 우리는 관계가 중요할 것이다. - Unsere Beziehung wird wichtig sein.
8490. 중요해? - Wichtig?
8491. 네, 매우. - Ja, sehr.
8492. 지체하다 - Zu spät kommen
8493. 나는 약속에 지체했다. - Ich bin zu spät zu einem Termin gekommen.
8494. 너는 결정에 지체한다. - Sie sind mit Ihrer Entscheidung im Verzug.
8495. 그는 행동에 지체할 것이다. - Er wird sich verspäten, wenn er handelt.
8496. 늦었어? - Sind Sie zu spät?
8497. 조금 늦었어. - Ich bin ein wenig zu spät.
8498. 진단하다 - zu diagnostizieren
8499. 그녀는 문제를 진단했다. - Sie hat das Problem diagnostiziert.
8500. 우리는 상황을 진단한다. - Wir diagnostizieren die Situation.
8501. 당신들은 건강을 진단할 것이다. - Sie werden Ihre Gesundheit diagnostizieren.
8502. 건강해? - Sind Sie gesund?
8503. 네, 괜찮아. - Ja, mir geht es gut.
8504. 질러놓다 - eine Unordnung machen
8505. 나는 방을 질러놓았다. - Ich räume das Zimmer auf.
8506. 너는 책상을 질러놓는다. - Sie räumen den Schreibtisch auf.
8507. 그는 자료를 질러놓을 것이다. - Er räumt die Materialien weg.
8508. 정리할까? - Sollen wir aufräumen?

8509. 나중에 할게. - Ich mache es später.
8510. 질리다 - Der Wiederholungen überdrüssig werden
8511. 그는 반복에 질렸다. - Er ist der Wiederholungen überdrüssig.
8512. 그녀는 음식에 질린다. - Sie ist des Essens überdrüssig.
8513. 우리는 기다림에 질릴 것이다. - Wir werden des Wartens müde werden.
8514. 질렸어? - Hast du es schon satt?
8515. 아직 아냐. - Nein, noch nicht.
8516. 질주하다 - Zu sprinten
8517. 나는 목표를 향해 질주했다. - Ich sprintete auf mein Ziel zu.
8518. 너는 꿈을 향해 질주한다. - Du sprintest auf deine Träume zu.
8519. 그는 성공을 향해 질주할 것이다. - Er wird dem Erfolg entgegen sprinten.
8520. 빠르게? - Schnell?
8521. 최선을 다해. - So schnell wie du kannst.
8522. 분별하다 - zu unterscheiden
8523. 그녀는 좋고 나쁨을 분별했다. - Sie unterschied zwischen Gut und Böse.
8524. 우리는 진실과 거짓을 분별한다. - Wir unterscheiden zwischen Wahrheit und Falschheit.
8525. 당신들은 중요한 것을 분별할 것이다. - Du wirst erkennen, was wichtig ist.
8526. 알아볼 수 있어? - Kannst du es erkennen?
8527. 시도해볼게. - Ich werde es versuchen.
8528. 마주치다 - zufällig treffen
8529. 나는 우연히 그와 마주쳤다. - Ich bin ihm zufällig begegnet.
8530. 너는 친구와 마주친다. - Du triffst einen Freund.
8531. 그는 기회와 마주칠 것이다. - Er wird auf eine Gelegenheit stoßen.
8532. 누구 만났어? - Wen hast du getroffen?
8533. 옛 친구야. - Einen alten Freund.
8534. 직면하다 - sich stellen
8535. 그는 도전과 직면했다. - Er stellt sich einer Herausforderung.
8536. 그녀는 위험과 직면한다. - Sie stellt sich der Gefahr.
8537. 우리는 변화와 직면할 것이다. - Wir werden uns der Veränderung

stellen.
8538. 겁났어? - Haben Sie Angst?
8539. 조금, 그래. - Ein wenig, ja.
8540. 대면하다 - konfrontieren
8541. 나는 문제를 대면했다. - Ich habe mich dem Problem gestellt.
8542. 너는 상황을 대면한다. - Du stellst dich der Situation.
8543. 그는 적을 대면할 것이다. - Er wird sich dem Feind stellen.
8544. 준비됐어? - Bist du bereit?
8545. 네, 준비됐어. - Ja, ich bin bereit.
8546. 96. 명사 단어들 외우기, 필수 10개 동사의 단어들을 가지고 50문장 연습하기 - 96. Lernen Sie Substantivwörter auswendig, üben Sie 50 Sätze mit den 10 wichtigsten Verbwörtern
8547. 기술 - Technologie
8548. 이슈 - Thema
8549. 감정 - Gefühl
8550. 동아리 - Verein
8551. 커뮤니티 - Gemeinde
8552. 프로젝트 - projekt
8553. 전략 - Strategie
8554. 생각 - gedanken
8555. 의견 - Meinung
8556. 지지 - Unterstützung
8557. 친구 - Freund
8558. 팀 - Mannschaft
8559. 선수 - Spieler
8560. 동생 - Bruder
8561. 동료 - Kollege
8562. 정보 - Informationen
8563. 자료 - Daten
8564. 증거 - Beweise
8565. 용기 - Mut
8566. 사람들 - Menschen
8567. 자금 - Mittel
8568. 가족 - Familie

8569. 상대방 - Gegner
8570. 위험 - Gefahr
8571. 도전 - Herausforderung
8572. 실패 - Versagen
8573. 다루다 - Umgang mit
8574. 그녀는 기술을 다루었다. - Sie hat sich mit der Technik beschäftigt.
8575. 우리는 이슈를 다룬다. - Wir beschäftigen uns mit Problemen.
8576. 당신들은 감정을 다룰 것이다. - Sie werden sich mit Emotionen beschäftigen.
8577. 어려워? - Schwierig?
8578. 조금 어려워. - Ein bisschen schwierig.
8579. 활동하다 - aktiv sein
8580. 나는 동아리에서 활동했다. - Ich war in einem Verein aktiv.
8581. 너는 커뮤니티에서 활동한다. - Sie sind in der Gemeinde aktiv.
8582. 그는 프로젝트에서 활동할 것이다. - Er wird bei dem Projekt aktiv sein.
8583. 재밌어? - Habt ihr Spaß?
8584. 네, 많이. - Ja, sehr viel.
8585. 진화하다 - sich weiterentwickeln
8586. 그는 전략을 진화시켰다. - Er hat seine Strategie weiterentwickelt.
8587. 그녀는 생각을 진화시킨다. - Sie entwickelt ihr Denken weiter.
8588. 우리는 기술을 진화시킬 것이다. - Wir werden unsere Technologie weiterentwickeln.
8589. 변했어? - Hat sie sich verändert?
8590. 많이 변했어. - Sie hat sich sehr verändert.
8591. 표시하다 - zu zeigen
8592. 나는 감정을 표시했다. - Ich habe meine Gefühle gekennzeichnet.
8593. 너는 의견을 표시한다. - Du drückst eine Meinung aus.
8594. 그는 지지를 표시할 것이다. - Er wird seine Unterstützung zeigen.
8595. 보여줄까? - Soll ich es dir zeigen?
8596. 좋아, 보여줘. - Okay, zeig es mir.
8597. 응원하다 - Anfeuern
8598. 그녀는 친구를 응원했다. - Sie feuerte ihre Freundin an.
8599. 우리는 팀을 응원한다. - Wir feuern die Mannschaft an.

8600. 당신들은 선수를 응원할 것이다. - Du wirst den Athleten anfeuern.
8601. 같이 갈래? - Willst du mit mir kommen?
8602. 네, 가자. - Ja, lass uns gehen.
8603. 주의를 주다 - Aufmerksamkeit schenken
8604. 나는 동생에게 주의를 주었다. - Ich habe meinem Bruder meine Aufmerksamkeit geschenkt.
8605. 너는 친구에게 주의를 준다. - Du schenkst deinem Freund Aufmerksamkeit.
8606. 그는 동료에게 주의를 줄 것이다. - Er wird seinem Kollegen Aufmerksamkeit schenken.
8607. 필요해? - Brauchst du sie?
8608. 네, 조심해. - Ja, seien Sie vorsichtig.
8609. 수집하다 - zu sammeln
8610. 그녀는 정보를 수집했다. - Sie hat Informationen gesammelt.
8611. 우리는 자료를 수집한다. - Wir sammeln Materialien.
8612. 당신들은 증거를 수집할 것이다. - Du wirst Beweise sammeln.
8613. 찾았어? - Hast du es gefunden?
8614. 네, 찾았어. - Ja, ich habe sie gefunden.
8615. 모으다 - zu sammeln
8616. 나는 용기를 모았다. - Ich habe Mut gesammelt.
8617. 너는 사람들을 모은다. - Du sammelst Leute.
8618. 그는 자금을 모을 것이다. - Er wird Geld sammeln.
8619. 준비됐어? - Seid ihr bereit?
8620. 거의 다 됐어. - Wir sind fast fertig.
8621. 속이다 - Zu täuschen
8622. 그는 친구를 속였다. - Er hat seine Freunde betrogen.
8623. 그녀는 가족을 속인다. - Sie betrügt ihre Familie.
8624. 우리는 상대방을 속일 것이다. - Wir werden die andere Person betrügen.
8625. 알아챘어? - Hast du es verstanden?
8626. 아니, 몰라. - Nein, habe ich nicht.
8627. 꺼리다 - zu zögernd
8628. 나는 위험을 꺼렸다. - Ich habe gezögert, Risiken einzugehen.
8629. 너는 도전을 꺼린다. - Sie zögern, eine Herausforderung

anzunehmen.
8630. 그는 실패를 꺼릴 것이다. - Er wird zögern, zu versagen.
8631. 두려워? - Ängstlich?
8632. 조금, 그래. - Ein wenig, ja.
8633. 97. 명사 단어들 외우기, 필수 10개 동사의 단어들을 가지고 50문장 연습하기 - 97. Nomen auswendig lernen, 50 Sätze mit den 10 wichtigsten Verben üben
8634. 소식 - Nachrichten
8635. 상황 - Situation
8636. 결과 - Ergebnis
8637. 성공 - Erfolg
8638. 달성 - Erreichen
8639. 지연 - Verzögerung
8640. 소음 - Lärm
8641. 불편 - Unannehmlichkeiten
8642. 실수 - Fehler
8643. 성취 - Leistung
8644. 팀 - Team
8645. 성과 - Ergebnis
8646. 늦음 - Verspätung
8647. 오해 - Missverständnis
8648. 친구의 성공 - Erfolg eines Freundes
8649. 동료의 기회 - Kollege Gelegenheit
8650. 이웃의 행복 - Glück der Nachbarn
8651. 동생의 인기 - Die Beliebtheit des kleinen Bruders
8652. 친구의 재능 - Talent des Freundes
8653. 동료의 성공 - Erfolg des Kollegen
8654. 의견 - Meinung
8655. 규칙 - Regel
8656. 선택 - wählen Sie
8657. 계획 - planen
8658. 슬프다 - zu traurig
8659. 그녀는 소식에 슬퍼했다. - Sie war traurig über die Nachricht.
8660. 우리는 상황에 슬퍼한다. - Wir sind traurig über die Situation.

8661. 당신들은 결과에 슬퍼할 것이다. - Das Ergebnis wird Sie traurig stimmen.
8662. 괜찮아? - Geht es Ihnen gut?
8663. 아니, 슬퍼. - Nein, ich bin traurig.
8664. 기쁘다 - Ich bin froh.
8665. 나는 성공에 기뻐했다. - Ich habe mich über den Erfolg gefreut.
8666. 너는 소식에 기뻐한다. - Du freust dich über die Nachricht.
8667. 그는 달성에 기뻐할 것이다. - Er wird sich über den Erfolg freuen.
8668. 행복해? - Sind Sie glücklich?
8669. 네, 매우. - Ja, sehr.
8670. 짜증나다 - zu verärgern
8671. 그는 지연에 짜증났다. - Er hat sich über die Verzögerung geärgert.
8672. 그녀는 소음에 짜증난다. - Sie ist durch den Lärm verärgert.
8673. 우리는 불편에 짜증날 것이다. - Wir werden durch die Unannehmlichkeiten verärgert sein.
8674. 짜증나? - Verärgert?
8675. 네, 많이. - Ja, sehr.
8676. 부끄럽다 - zu peinlich
8677. 나는 실수에 부끄러워했다. - Der Fehler war mir peinlich.
8678. 너는 상황에 부끄러워한다. - Die Situation ist Ihnen peinlich.
8679. 그는 결과에 부끄러워할 것이다. - Das Ergebnis wird ihm peinlich sein.
8680. 어색해? - Peinlich?
8681. 네, 조금. - Ja, ein wenig.
8682. 자랑스럽다 - zu Stolz
8683. 그녀는 성취에 자랑스러워했다. - Sie war stolz auf ihre Leistung.
8684. 우리는 팀에 자랑스러워한다. - Wir sind stolz auf die Mannschaft.
8685. 당신들은 성과에 자랑스러워할 것이다. - Du solltest stolz auf deine Leistungen sein.
8686. 뿌듯해? - Stolz?
8687. 네, 많이. - Ja, sehr.
8688. 미안하다 - zu bedauern
8689. 나는 실수로 미안했다. - Ich habe mich für meinen Fehler entschuldigt.

8690. 너는 늦음에 미안하다. - Es tut Ihnen leid, dass Sie zu spät gekommen sind.
8691. 그는 오해에 미안할 것이다. - Er wird sich für das Missverständnis entschuldigen.
8692. 사과할래? - Willst du dich entschuldigen?
8693. 네, 사과할게. - Ja, ich werde mich entschuldigen.
8694. 부러워하다 - Zu beneiden
8695. 그는 친구의 성공을 부러워했다. - Er beneidet seinen Freund um seinen Erfolg.
8696. 그녀는 동료의 기회를 부러워한다. - Sie beneidet ihren Kollegen um seine Möglichkeiten.
8697. 우리는 이웃의 행복을 부러워할 것이다. - Wir werden das Glück unseres Nachbarn beneiden.
8698. 부럽지? - Neid, richtig?
8699. 응, 부럽다. - Ja, Neid.
8700. 질투하다 - Neidisch sein
8701. 나는 동생의 인기를 질투했다. - Ich war neidisch auf die Beliebtheit meines Bruders.
8702. 너는 친구의 재능을 질투한다. - Du bist neidisch auf das Talent deines Freundes.
8703. 그는 동료의 성공을 질투할 것이다. - Er wird neidisch auf den Erfolg seines Kollegen sein.
8704. 질투해? - Eifersüchtig?
8705. 좀, 그래. - Ein wenig, ja.
8706. 강요하다 - Aufzwingen
8707. 그녀는 의견을 강요했다. - Sie hat ihre Meinung durchgesetzt.
8708. 우리는 규칙을 강요한다. - Wir stellen Regeln auf.
8709. 당신들은 선택을 강요할 것이다. - Du wirst eine Entscheidung aufzwingen.
8710. 필요해? - Brauchst du das?
8711. 아니, 선택해. - Nein, Sie wählen.
8712. 공표하다 - verkünden
8713. 나는 계획을 공표했다. - Ich verkünde einen Plan.
8714. 너는 의견을 공표한다. - Du verkündest eine Meinung.

8715. 그는 결과를 공표할 것이다. - Er wird die Ergebnisse veröffentlichen.
8716. 알렸어? - Hast du es verkündet?
8717. 네, 모두에게. - Ja, für alle.
8718. 98. 명사 단어들 외우기, 필수 10개 동사의 단어들을 가지고 50문장 연습하기 - 98. Lernen Sie die Substantivwörter auswendig, üben Sie 50 Sätze mit den Wörtern der 10 wichtigsten Verben
8719. 억압 - Unterdrückung
8720. 부정 - Leugnen
8721. 위협 - Bedrohung
8722. 분쟁 - Streit
8723. 갈등 - Konflikt
8724. 문제 - Problem
8725. 조건 - Zustand
8726. 요구 - Anfrage
8727. 계획 - Plan
8728. 신호 - Signal
8729. 경고 - Warnung
8730. 증거 - Nachweis
8731. 우정 - Freundschaft
8732. 건강 - Gesundheit
8733. 지식 - Wissen
8734. 기회 - Gelegenheit
8735. 관계 - Beziehung
8736. 추억 - Gedächtnis
8737. 명령 - Befehl
8738. 자료 - Daten
8739. 자금 - Mittel
8740. 환자 - Patient
8741. 위험 - Gefahr
8742. 감염 - Infektion
8743. 위기 - Gefahr
8744. 도전 - Herausforderung
8745. 대항하다 - sich wehren
8746. 그는 억압에 대항했다. - Er hat sich gegen Unterdrückung gewehrt.

8747. 그녀는 부정에 대항한다. - Sie steht gegen Ungerechtigkeit auf.
8748. 우리는 위협에 대항할 것이다. - Wir werden uns gegen die Bedrohung wehren.
8749. 이겼어? - Haben Sie gewonnen?
8750. 아직 모르겠어. - Ich weiß es noch nicht.
8751. 중재하다 - Vermitteln
8752. 나는 분쟁을 중재했다. - Ich habe den Streit geschlichtet.
8753. 너는 갈등을 중재한다. - Du vermittelst den Konflikt.
8754. 그는 문제를 중재할 것이다. - Er wird das Problem schlichten.
8755. 해결됐어? - Ist es gelöst?
8756. 네, 해결됐어. - Ja, es ist geklärt.
8757. 타협하다 - einen Kompromiss zu schließen
8758. 그녀는 조건에 타협했다. - Sie hat einen Kompromiss bei den Bedingungen gemacht.
8759. 우리는 요구에 타협한다. - Wir gehen bei unseren Forderungen einen Kompromiss ein.
8760. 당신들은 계획에 타협할 것이다. - Sie werden bei dem Plan einen Kompromiss eingehen.
8761. 동의해? - Sind Sie einverstanden?
8762. 네, 동의해. - Ja, ich stimme zu.
8763. 간과하다 - zu übersehen
8764. 나는 신호를 간과했다. - Ich habe das Signal übersehen.
8765. 너는 경고를 간과한다. - Du hast die Warnung übersehen.
8766. 그는 증거를 간과할 것이다. - Er wird die Beweise übersehen.
8767. 못 봤어? - Hast du es nicht gesehen?
8768. 아니, 못 봤어. - Nein, ich habe es nicht gesehen.
8769. 가치를 두다 - zu schätzen
8770. 그녀는 우정에 가치를 두었다. - Sie schätzte ihre Freundschaft.
8771. 우리는 건강에 가치를 둔다. - Wir legen Wert auf unsere Gesundheit.
8772. 당신들은 지식에 가치를 둘 것이다. - Du wirst das Wissen schätzen.
8773. 중요해? - Ist es wichtig?
8774. 네, 매우. - Ja, sehr.
8775. 소중히 여기다 - zu schätzen
8776. 나는 기회를 소중히 여겼다. - Ich schätzte die Gelegenheit.

8777. 너는 관계를 소중히 여긴다. - Du schätzt Beziehungen.
8778. 그는 추억을 소중히 여길 것이다. - Er wird die Erinnerungen in Ehren halten.
8779. 소중해? - Geschätzt?
8780. 네, 매우 소중해. - Ja, sehr wertvoll.
8781. 대기하다 - warten auf
8782. 나는 명령을 대기했다. - Ich habe auf den Befehl gewartet.
8783. 너는 신호를 대기한다. - Du wartest auf ein Signal.
8784. 그는 기회를 대기할 것이다. - Er wird auf die Gelegenheit warten.
8785. 준비됐어? - Bist du bereit?
8786. 네, 됐어. - Ja, ich bin bereit.
8787. 예비하다 - Vorbereiten
8788. 그는 자료를 예비했다. - Er hat die Materialien vorbereitet.
8789. 그녀는 계획을 예비한다. - Sie wird einen Plan vorbereiten.
8790. 우리는 자금을 예비할 것이다. - Wir werden die Mittel reservieren.
8791. 준비할까? - Sollen wir uns vorbereiten?
8792. 네, 해야 해. - Ja, das sollten wir.
8793. 격리하다 - zu isolieren
8794. 그녀는 환자를 격리했다. - Sie hat den Patienten isoliert.
8795. 우리는 위험을 격리한다. - Wir isolieren das Risiko.
8796. 당신들은 감염을 격리할 것이다. - Sie werden die Infektion isolieren.
8797. 안전해? - Ist es sicher?
8798. 네, 안전해. - Ja, es ist sicher.
8799. 대처하다 - zu bewältigen
8800. 나는 위기를 대처했다. - Ich habe die Krise bewältigt.
8801. 너는 문제를 대처한다. - Du wirst mit dem Problem fertig.
8802. 그는 도전을 대처할 것이다. - Er wird mit der Herausforderung fertig.
8803. 가능해? - Ist das möglich?
8804. 네, 가능해. - Ja, es ist möglich.
8805. 99. 명사 단어들 외우기, 필수 10개 동사의 단어들을 가지고 50문장 연습하기 - 99. Lernen Sie Substantivwörter auswendig, üben Sie 50 Sätze mit den 10 wichtigsten Verbwörtern
8806. 적 - Feind
8807. 위협 - Bedrohung

8808. 경쟁 - konkurrieren
8809. 함정 - in die Falle gehen
8810. 오해 - Missverständnis
8811. 위기 - Gefahr
8812. 자리 - Platz
8813. 의견 - Meinung
8814. 기회 - Gelegenheit
8815. 운명 - Schicksal
8816. 도전 - Herausforderung
8817. 이해관계 - Interessen
8818. 상대 - Gegner
8819. 세부사항 - Detail
8820. 약속 - Versprechen
8821. 하늘 - Himmel
8822. 그림 - Gemälde
8823. 전망 - Siehe
8824. 비밀 - Geheimnis
8825. 조언 - Beratung
8826. 계획 - Plan
8827. 기쁨 - Freude
8828. 슬픔 - Traurigkeit
8829. 승리 - Sieg
8830. 사과 - entschuldigen
8831. 의문 - Frage
8832. 정보 - Informationen
8833. 맞서다 - konfrontieren
8834. 그는 적을 맞섰다. - Er stellte sich dem Feind.
8835. 그녀는 위협을 맞선다. - Sie hat sich der Bedrohung gestellt.
8836. 우리는 경쟁을 맞설 것이다. - Wir werden uns dem Wettbewerb stellen.
8837. 두려워? - Haben Sie Angst?
8838. 아니, 안 두려워. - Nein, ich habe keine Angst.
8839. 빠지다 - In eine Falle zu tappen
8840. 그녀는 함정에 빠졌다. - Sie tappt in eine Falle.

8841. 우리는 오해에 빠진다. - Wir geraten in ein Missverständnis.
8842. 당신들은 위기에 빠질 것이다. - Du wirst in eine Krise fallen.
8843. 괜찮아? - Geht es dir gut?
8844. 네, 괜찮아. - Ja, es geht mir gut.
8845. 양보하다 - Platz machen
8846. 나는 자리를 양보했다. - Ich habe meinen Platz geräumt.
8847. 너는 의견을 양보한다. - Du gibst deine Meinung ab.
8848. 그는 기회를 양보할 것이다. - Er wird die Gelegenheit wahrnehmen.
8849. 필요해? - Brauchst du sie?
8850. 아니, 괜찮아. - Nein, es geht mir gut.
8851. 맞다 - nach rechts
8852. 그는 운명을 맞았다. - Er trifft sein Schicksal.
8853. 그녀는 기회를 맞는다. - Sie bekommt eine Chance.
8854. 우리는 도전을 맞을 것이다. - Wir werden herausgefordert werden.
8855. 준비됐어? - Bist du bereit?
8856. 네, 준비됐어. - Ja, ich bin bereit.
8857. 충돌하다 - zu streiten
8858. 나는 의견이 충돌했다. - Ich habe einen Meinungskonflikt.
8859. 너는 이해관계가 충돌한다. - Sie haben einen Interessenkonflikt.
8860. 그는 상대와 충돌할 것이다. - Er wird mit seinem Gegner in Konflikt geraten.
8861. 괜찮아? - Geht es Ihnen gut?
8862. 네, 괜찮아. - Ja, es geht mir gut.
8863. 놓치다 - zu verpassen
8864. 그녀는 기회를 놓쳤다. - Sie hat die Gelegenheit verpasst.
8865. 우리는 세부사항을 놓친다. - Wir verpassen die Details.
8866. 당신들은 약속을 놓칠 것이다. - Du wirst den Termin verpassen.
8867. 걱정돼? - Machst du dir Sorgen?
8868. 아니, 괜찮아. - Nein, es geht mir gut.
8869. 쳐다보다 - auf den Blick nach oben
8870. 나는 하늘을 쳐다보았다. - Ich starrte in den Himmel.
8871. 너는 그림을 쳐다본다. - Du starrst das Gemälde an.
8872. 그는 전망을 쳐다볼 것이다. - Er wird die Aussicht anstarren.
8873. 예쁘지? - Ist es nicht schön?

8874. 네, 예뻐. - Ja, es ist schön.
8875. 속삭이다 - Zu flüstern
8876. 그는 비밀을 속삭였다. - Er flüsterte ein Geheimnis.
8877. 그녀는 조언을 속삭인다. - Sie flüstert Ratschläge.
8878. 우리는 계획을 속삭일 것이다. - Wir werden Pläne flüstern.
8879. 들렸어? - Hast du das gehört?
8880. 아니, 못 들었어. - Nein, ich habe es nicht gehört.
8881. 외치다 - schreien
8882. 나는 기쁨을 외쳤다. - Ich habe vor Freude geschrien.
8883. 너는 슬픔을 외친다. - Du schreist vor Kummer.
8884. 그는 승리를 외칠 것이다. - Er wird nach Sieg schreien.
8885. 들려? - Hört ihr das?
8886. 네, 들려. - Ja, ich höre dich.
8887. 물다 - Zum Reinbeißen
8888. 그녀는 사과를 물었다. - Sie bat um einen Apfel.
8889. 우리는 의문을 묻는다. - Wir stellen Fragen.
8890. 당신들은 정보를 물을 것이다. - Du wirst nach Informationen fragen.
8891. 아파? - Tut es weh?
8892. 아니, 안 아파. - Nein, es tut nicht weh.
8893. 100. 명사 단어들 외우기, 필수 10개 동사의 단어들을 가지고 50문장 연습하기 - 100. Lernen Sie Substantivwörter auswendig, üben Sie 50 Sätze mit den Wörtern der 10 wichtigsten Verben
8894. 사과 - sich entschuldigen
8895. 껌 - Kaugummi
8896. 채소 - Gemüse
8897. 커피 - Kaffee
8898. 곡물 - Getreide
8899. 향신료 - Gewürz
8900. 스프 - Suppe
8901. 샐러드 - Salat
8902. 소스 - Soße
8903. 빵 - Brot
8904. 과일 - Obst
8905. 김치 - Kimchi

8906. 맥주 - Bier
8907. 빵 반죽 - Brotteig
8908. 치즈 - Käse
8909. 와인 - Wein
8910. 고기 - Fleisch
8911. 길 - Straße
8912. 다리 - Bein
8913. 강 - Fluss
8914. 집 - Haus
8915. 시작점 - Startpunkt
8916. 고향 - Heimatstadt
8917. 씹다 - kauen
8918. 나는 사과를 씹었다. - Ich habe einen Apfel gekaut.
8919. 너는 껌을 씹는다. - Du kaust Kaugummi.
8920. 그는 채소를 씹을 것이다. - Er wird sein Gemüse kauen.
8921. 맛있어? - Ist es lecker?
8922. 네, 맛있어. - Ja, es ist lecker.
8923. 갈다 - Zu mahlen
8924. 그녀는 커피를 갈았다. - Sie hat den Kaffee gemahlen.
8925. 우리는 곡물을 간다. - Wir mahlen die Körner.
8926. 당신들은 향신료를 갈 것이다. - Ihr werdet die Gewürze mahlen.
8927. 준비됐어? - Seid ihr bereit?
8928. 네, 준비됐어. - Ja, ich bin bereit.
8929. 분쇄하다 - zu mahlen
8930. 나는 약을 분쇄했다. - Ich habe die Medizin zermahlen.
8931. 너는 돌을 분쇄한다. - Du zermahlst die Steine.
8932. 그는 씨앗을 분쇄할 것이다. - Er wird die Samen zermahlen.
8933. 필요해? - Brauchst du es?
8934. 네, 필요해. - Ja, ich brauche es.
8935. 휘젓다 - Umrühren
8936. 그녀는 스프를 휘저었다. - Sie rührte die Suppe.
8937. 우리는 샐러드를 휘젓는다. - Wir verquirlen den Salat.
8938. 당신들은 소스를 휘젓을 것이다. - Ihr werdet die Soße verquirlen.
8939. 잘 섞였어? - Ist sie gut gemischt?

8940. 네, 잘 섞였어. - Ja, sie ist gut gemischt.
8941. 담그다 - einweichen
8942. 나는 빵을 우유에 담갔다. - Ich habe das Brot in Milch eingeweicht.
8943. 너는 과일을 물에 담근다. - Du wirst das Obst in Wasser einweichen.
8944. 그는 채소를 절임에 담글 것이다. - Er wird das Gemüse in Gurken einweichen.
8945. 시간 됐어? - Ist es Zeit?
8946. 네, 됐어. - Ja, es ist fertig.
8947. 발효시키다 - fermentieren
8948. 그녀는 김치를 발효시켰다. - Sie hat das Kimchi fermentiert.
8949. 우리는 맥주를 발효시킨다. - Wir gären das Bier.
8950. 당신들은 빵 반죽을 발효시킬 것이다. - Du wirst den Brotteig gären lassen.
8951. 준비됐어? - Seid ihr bereit?
8952. 네, 준비됐어. - Ja, er ist fertig.
8953. 숙성시키다 - reifen
8954. 나는 치즈를 숙성시켰다. - Ich habe den Käse reifen lassen.
8955. 너는 와인을 숙성시킨다. - Du reifst den Wein.
8956. 그는 고기를 숙성시킬 것이다. - Er wird das Fleisch reifen lassen.
8957. 맛있겠다, 안 그래? - Es wird köstlich sein, nicht wahr?
8958. 네, 맛있겠어. - Ja, es wird köstlich sein.
8959. 건너가다 - die Straße zu überqueren
8960. 그녀는 길을 건너갔다. - Sie hat die Straße überquert.
8961. 우리는 다리를 건너간다. - Wir werden die Brücke überqueren.
8962. 당신들은 강을 건너갈 것이다. - Du wirst den Fluss überqueren.
8963. 위험해? - Ist das gefährlich?
8964. 아니, 안 위험해. - Nein, es ist nicht gefährlich.
8965. 되돌아가다 - Zurückgehen
8966. 나는 집으로 되돌아갔다. - Ich bin zu meinem Haus zurückgegangen.
8967. 너는 시작점으로 되돌아간다. - Du gehst zurück zum Ausgangspunkt.
8968. 그는 고향으로 되돌아갈 것이다. - Er wird in seine Heimatstadt zurückkehren.
8969. 늦었어? - Ist es schon spät?
8970. 아니, 안 늦었어. - Nein, es ist nicht spät.

MP3 파일 다운로드 - 아래 주소를 클릭하시거나, 스마트폰으로 QR코드에 접속하여 비밀번호를 입력하시면 다운로드 받으실 수 있습니다.

비밀번호 1789

https://naver.me/5NAS9sqy

또는
https://www.dropbox.com/scl/fo/s3vg9ebe2k8uhrhqw46s5/h?rlkey=2xbojaga3c6unkl9latrqt7ax&dl=0

QR코드를 스마트폰으로 스캔하시면 보실 수 있습니다. 당신의 비밀번호는 무엇입니까? 1789입니다.

1천 동사 5천 문장을 듣고 따라하면 저절로 암기되는 독일어 회화(MP3)

발　행 | 2024년 4월 17일
저　자 | 정호칭
펴낸이 | 한건희
펴낸곳 | 주식회사 부크크
출판사등록 | 2014.07.15.(제2014-16호)
주　소 | 서울특별시 금천구 가산디지털1로 119 SK트윈타워 A동 305호
전　화 | 1670-8316
이메일 | info@bookk.co.kr

ISBN | 979-11-410-8140-9

www.bookk.co.kr